耕林 Just Novel
就是小說

耕林 Just Novel
就是小說

吸血鬼學院

Vampire Academy

1 吸血族守護者

蕾夏爾・米德／著
吳雪／譯

1

在她尖叫之前，我已經感受到了她的恐懼。

她的噩夢闖進我的夢，將我從自己的夢中推了出來。夢裡，我正在海邊嬉戲，一群帥哥幫我塗著防曬油，然後，夢境——她的夢境，不是我的——跌撞著擠進了我的意識，火焰、鮮血、嗆鼻的濃煙、已經變形的汽車殘骸……這些景象纏繞著我，令我喘不過氣來，直到我殘存的理性提醒我：這不是我的夢！

我醒過來，前額上沾著一縷又黑又長的頭髮。

莉莎躺在她的床上，掙扎著、尖叫著。我匆匆下了床，幾步跨到她的床前。

「莉茲（注❶），」我搖著她說，「莉茲，醒醒！」

她的尖叫弱了下來，轉而變成低低的啜泣。

「安德烈，」她哽咽著說，「哦……天哪！」

注❶：蘿絲對莉莎的暱稱。

我扶著她坐起來。「莉茲，妳已經離開那裡了，快醒醒！」她的眼睛張開了，目光有些暗淡，一會兒之後，逐漸恢復了意識，急促的呼吸慢慢放緩，然後整個人斜靠過來，將頭枕在我的肩膀上。

我一隻胳膊環住她，另一隻手輕拂她的頭髮，溫柔地說：「沒事了！一切都過去了！」

「我作了個夢。」

「嗯，我知道。」

我們就這樣坐了片刻，一句話都沒有說。感覺到她已經平靜下來，我傾身湊向擺在兩張床中間的床頭櫃，打開了上面的夜燈，夜燈發出昏暗的燈光，但是我們兩個其實並不需要那盞夜燈，就可以看清房裡的一切。

由於突然的光亮，我們室友的貓，奧斯卡，跳到了窗子大敞的窗台上，跟我保持著一定的安全距離——動物們一般都不喜歡拜爾族，甚至不需要理由。牠又跳到床上，用頭蹭著莉莎，輕柔地發出呼嚕呼嚕的聲音——動物們對莫里族則沒有敵意，特別是莉莎。

莉莎微笑著撫摸著奧斯卡的下巴，我感覺到她更平靜點了。

「上次給妳餵食是什麼時候？」我看著她的臉問道。

她白色的肌膚看起來比平時更白了一些，眼睛下面有黑眼圈，整個人十分虛弱。這一週，我們借住的大學人來人往，我已經不太記得上次給她餵食鮮血是什麼時候了。

「大概……兩天多了吧！還是三天？爲什麼妳都沒提起過？」我推測道。

她聳聳肩，避開我的目光。「妳很忙，我不想……」

「去他的！」我說著，擺好了餵食的姿勢。

怪不得她看起來這麼虛弱！

奧斯卡沒等到我靠近就跳下床，重新竄回到窗台上。在那裡，牠能在安全距離內看著我們。

「快點開始吧！」

「蘿絲……」

「快點，這會令妳感覺好一點。」我揚起頭，將頭髮攏到後面，露出脖頸。

她還在猶豫，但是我裸露脖子暗含的邀請，實在是太具誘惑力了！她的臉上露出饑餓的表情。她將嘴唇微微分開，露出了尖牙。

在人類面前，她通常都會把這副尖牙藏起來。這些尖牙和她身體的其他部分很不搭調——標致的面孔和金色的頭髮，令她看起來更像一個天使，而非一個吸血鬼！

她的牙齒離我光潔的脖子越來越近，我感到自己的心突突地跳著，恐懼和期待的心情各佔一半。

我一直都很痛恨自己居然會期待這件事，但是，我對此毫無辦法，這一直是我無法克服的弱點。

莉莎的尖牙咬進我的皮肉裡，我感到疼痛一閃而過，不由得大叫出來，隨即，疼痛消退了，取而代之的是一種美好的、絕妙的歡愉，在我身體裡蔓延開來。

這種感覺比喝醉了酒，或者是嗑藥所帶來的快感都要美妙，甚至比做愛都要美妙——這只是我的猜想，因爲我從沒親身實踐過。那是一種純粹、經過提煉的愉悅，它包裹著我、向我許諾世界上的一切都會變得美好，一直到永遠。

莉莎唾液中的化學元素令我的腦內啡（注❷）飆升，我忘記了全世界，也記不起自己是誰。然後，令人惋惜的，整個過程結束了，歷時甚至還不到一分鐘！

她將我推開，一邊用手輕拭唇邊，一邊看著我。

「妳還好嗎？」

「我……還好。」我躺在床上，由於失血而感到暈眩。「只是需要睡一會兒，沒事的。」

她碧綠的眼睛還是黯淡無光，看向我的眼神充滿擔心，然後，她站起身來。「我去給妳找點吃的。」

我的抗議笨拙地想衝出嘴唇，但是在我開口之前，她就已經走了。

咬痕上發出的嗡嗡聲，從進食結束的那一刻起就小了很多，但是仍有餘音留在我的靜脈裡。我覺得自己正露出傻呵呵的笑容。

我轉過頭，看向仍然在窗台上的奧斯卡，對牠說道：「你不知道你錯過了什麼……」

剛剛，奧斯卡的注意力全都放在外面。牠的姿勢改爲蹲踞，烏黑的毛都豎了起來，而尾巴則開始抽搐。

我臉上的笑容褪去，強迫自己坐起來，整個世界都在旋轉，我坐著一直等到自己適應了，才勉強再繼續站起來。當我再度想要站起身的時候，又是一陣暈眩，而這次它卻不肯輕易消失，我只好再次等待，等到自己能夠適應了，才跌跌撞撞地走到窗口，順著奧斯卡的目光向外看。奧斯卡警惕地看著我，急忙跳開了一小步，然後繼續看向吸引牠注意力的東西。

當我探身向外，一陣暖風吹過，捲起了我的頭髮。波特蘭（注❸）的秋天總是不合時宜的溫暖。

街道上黑漆漆一片，幾乎聽不到什麼聲音。現在是凌晨三點鐘，正是大學校園裡即將進入安靜的時刻——至少是某種程度上的安靜。我們現在租住的，是一棟房子其中的一間小房間，過去的八個月裡，我們一直住在這裡。

這棟房子所在的街道上，都是這種老舊、過時的房子。在馬路對面，一盞街燈還亮著，但也已經準備被熄滅了。然而，這樣的光亮已經足夠讓我看清外面的汽車和房屋，我還能看見我們院子裡種植的樹木和灌木叢的剪影。

院子裡，有個男人正看著我！

注❷：Endorphin，亦稱安多芬或內啡，是一種內成性（腦下垂體分泌）的類嗎啡生物化學合成物激素。它能與嗎啡受體結合，產生跟嗎啡、鴉片一樣有止痛效果和欣快感，等同天然的鎮痛劑。

注❸：在美國俄勒岡州西北部，為該州最大城市。

我嚇得猛地往後退了一步。院子裡的大樹下有一個人影，他站的地方很容易就能看見窗子裡面，而他和我們的距離，近得我往外扔東西就能打中他。當然，這樣的距離也讓他清清楚楚地看到了我和莉莎剛才所做的一切！

大樹的陰影將他遮擋得很好，連我這樣良好的視力都不能看清他的外表是什麼樣子，除了他的身高之外。他很高，非常非常高。他就這麼站著，模樣難以辨別，接著，他向後退去，消失在院子盡頭大樹的陰影裡。

我敢肯定，我看見了另外一個人和他一起消失在黑暗之中。

不管這些影子是什麼人，奧斯卡都不喜歡他們。除了我，牠和大部分人都相處得很好，但，當別人做出一種很明顯的威脅舉動時，牠便會變得暴躁不安。站在外面的那個男人沒有對奧斯卡做出任何威脅的舉動，但是作為一隻貓，牠還是感應到了一些事，一些讓牠緊張不安的事——和牠在我身上感應到的氣息一樣。

一陣冰涼的懼意竄過我的全身，幾乎抵消了莉莎的噬咬所帶來的美好幸福感，但不是完全。我從窗口轉回身，快速地從地上撿起牛仔褲套在身上，還差一點被絆倒。穿好褲子之後，我抓過我和莉莎的外套、帶上我們的錢包、胡亂蹬上我第一眼看見的鞋子，然後衝向門外。

我走下樓，在狹小的廚房裡找到了莉莎，她正在冰箱裡翻找食物。我們的一個室友傑瑞米坐在桌子旁，手扶在額頭上，痛苦地看著一本關於微積分的書。

莉莎看見我，顯得十分驚訝。

「妳不應該下床的！」

她的眼睛睜大，過了好久才反應過來，然後眨眨眼。

「我們得走了！現在！」

我點點頭。我無法解釋自己爲什麼會如此肯定，但我就是很肯定。

「妳……眞的？妳確定？」

傑瑞米一臉疑惑地看著我們。「發生什麼事了？」

我的腦子閃過一個念頭——

「莉茲，拿他的車鑰匙。」

傑瑞米看看我，又看看她。

「妳們想……」

莉莎毫不猶豫地朝傑瑞米走去，經由身體的接觸，她的恐懼傳達到我身上，同時也傳達了其他的東西，那就是她對我的信任。

她相信我能處理好一切、相信我們會安然無恙，跟以往一樣，我希望自己是値得她託付的。

莉莎緩緩地笑了，注視著傑瑞米的眼睛。有一刻，傑瑞米只是凝視著她，仍然覺得疑惑，但是隨後便被催眠了，目光變得呆滯，崇拜地看著莉莎。

「我們需要借用你的車，」莉莎用溫柔的聲音說，「鑰匙在哪？」

傑瑞米笑起來，而我則渾身發抖。我對催眠有很強的抵抗力，可當它直接對別人起作用的時候，我在一旁仍然能夠感受到它的影響力。

催眠，是我窮盡一生都不想使用的！

傑瑞米將手放進口袋中，掏出了一串掛在大紅鑰匙鏈上的鑰匙。

「謝謝。」莉莎說，「你把車停在哪？」

「往下街走，」他像在說夢話一樣，「就停在街角那部棕色的車子旁邊。」

「謝謝你。」莉莎再次道謝後，開始向後退。「當我們離開以後，你就可以繼續看書了，忘掉今晚你曾見過我們。」

他感激地點點頭。我有一種感覺，如果莉莎開口要求，他甚至會從懸崖邊跳下去。所有的人類都無法抵抗催眠術，但是傑瑞米的抵抗力要比大部分人都更弱一些，這馬上就派上用場了。

「快！」我催著莉莎，「我們得走了！」

我們走出房子，一直向他描述的街角走去。

我仍然沒能從被咬的暈眩中恢復過來，走路一直搖搖晃晃，沒法以我需要的速度前進。有幾次，莉莎不得不扶住我，以免我摔倒在地。

一直以來，她的焦慮總是能傳到我的意識裡。我盡了最大的努力試圖忽略它，我也有自己的擔心需要消化。

「蘿絲……如果他們抓到我們，該怎麼辦？」她小聲地說。

「他們抓不到我們，」我嚴厲地說，「我不會讓他們得逞的！」

「但是，如果他們發現了我們……」

「以前他們也發現過我們，但是並沒有成功抓走我們。我們開車去火車站，再搭火車去洛杉磯，這樣他們就沒有線索了。」

我努力讓一切聽起來很簡單，如同我一直以來做的那樣，儘管從那些伴隨著我們長大的人手中逃走，並不是一件輕鬆簡單的事！

我們逃離在外已經有兩年了，總是盡可能地躲藏起來，希望能這樣直到畢業。我們的高中課程已經開始，住在大學裡似乎也很安全。我們離自由已經很接近了！

她沒有再說什麼，我能感到她對我的信任再次上升。

我們兩個之間相處的方式一直是這樣的，我負責行動，確保計畫的實施，也會不計後果；而她則更為理性一點，負責思考，並在付諸行動之前進行廣泛的調查。每種分工都有它發揮作用的時候，但是，此刻最需要的是執行力。

我們沒時間考慮了！

我和莉莎從幼稚園開始就是好朋友了。上寫字課的時候，老師將我們分成一組。強迫一個五歲大的孩子拼寫「瓦西莉莎·德拉格米爾」和「蘿絲瑪麗·海瑟薇」是很殘忍的事情，我們……或者說是我，對此進行了適當的抗議——我把手中的書扔向老師，並且說她是個「獨裁的混蛋」！我並不知道這些字眼所代表的含義，但是我知道怎樣才能擊中一個移動的目標。

我和莉莎從那以後就再沒分開過。

「妳聽見了嗎？」莉莎突然問道。

我花了幾秒鐘的時間尋找她靈敏的感應察覺到了什麼，接著一臉苦相，腳步快速地移動。還有一段距離才到停車的地方！

「我們要甩掉它！」我說著，抓住了她的手臂。

「但是妳還不能……」

「跑！」

每一絲意志力都在克制自己不要在人行道上昏倒，我的身體在失血之後並不想奔跑，或許是莉莎的唾液仍然對我的新陳代謝有影響，但是，我命令肌肉停止它們的抱怨，在全速奔跑在水泥地上時，緊跟上莉莎。

在一般的情況下，我不用特別費力就能追上莉莎，甚至超過她，特別是當她光腳的時候。但是今晚，她一直在前面領著我。

追趕我們的腳步聲更大、更近了，我的眼前開始冒出了黑色的星星。突地，我看見傑瑞米的綠色本田就停在前方！哦……天哪！如果我們能跑到……

離車子還有十呎遠的時候，一個男人直接攔住了我們的去路，我猛地停下來，拉住莉莎的胳膊，讓她躲在我身後。

是他！方才那個盯著我看的男人。

他比我們年長些，有可能是二十五歲，和我估計的差不多高，有六呎六或者六呎七的樣子。如果是在另外一種情況下看到他，我是說，如果他沒有阻住我們逃亡的話，我承認他很帥。他有一雙深棕色的眼睛，及肩的棕色長髮束在腦後，綁成一個小馬尾，身上披了一件長長的棕色大衣，還是防塵的。

但是，他的帥氣不在我們的考慮範圍內，現在的他，只是我和莉莎在通往汽車和自由的道路上的一塊絆腳石。

我們身後的腳步放緩了，我知道，追捕我們的人到了。在兩側，我也聽見了更多的腳步聲，更多的人在向我們逼近。

天哪！他們是不是派了一打的守護者來捉我們？真令人難以置信，連女王出巡的時候，都沒帶過這麼多人！

出於驚慌，再加上我完全沒有辦法理性思考，我做出了本能反應——我按住莉莎，讓她藏在我身後，遠離那個看起來像是首領的男人。

「離她遠點！」我大叫著說，「不許碰她！」

他面無表情，但是他的手舉起來，做出很明顯是要別人冷靜下來的手勢，就像我是一隻困獸，而他打算令我安靜下來一樣。

「我不會……」

他向前走了過來，離我們更近了。

我發動攻擊，使出了兩年來從沒有用過的攻擊術──在我和莉莎從學院逃跑以前，我就不用這招了。

這個舉動十分愚蠢，是本能和恐懼的另外一種反應，絕對的孤注一擲。他是個很有經驗的守護者，不像那些還沒有畢業的新手，同時，他也不像那些快要死的人那麼虛弱。

這個人速度很快。我已經忘了守護者的速度可以快到什麼程度，以及他們如何像眼鏡蛇一樣移動和進攻。他擋住我的動作就像揮開一隻蒼蠅，擊中我的身體，我被震開，向後退了幾步。

我不認為他是刻意用了那麼大的力道，他可能僅僅是想將我擊退，但是由於缺乏協調性，我無法及時對此做出反應。我可能無法站穩，身體扭曲著朝人行道倒下去，而且是臀部先著地。這肯定會痛得要命！非常要命！除非我沒摔倒。

他快速地阻止了即將發生的這一切，拉住我的胳膊，幫我站直。當我站穩以後，發現他正盯著我，或者確切地說，是盯著我的脖子。

我疑惑不解，不明白他在看什麼。我的手慢慢地伸上喉嚨的一側，輕輕地撫摸著莉莎之前咬出的傷痕，當我收回自己的手以後，發現手指上沾有深紅色的血漬。

我有些尷尬，搖了搖頭，頭髮順勢滑落在我的臉部周圍。我的頭髮又厚又長，可以將脖子完全蓋住，這也是我之所以將頭髮留得這麼長的原因。

那個男人的目光在現在「已經癒合」的傷口處又逗留了許久，才轉而移向我。我以挑釁的神情回看他，並猛地掙脫開他的手。他沒有再捉住我，儘管我知道，只要他想，整個晚上他可以數次重新再抓住我的胳膊。

我退回到莉莎身邊，和頭暈噁心做著鬥爭，積攢自己的力量，以便進行下一輪攻擊。

突然，莉莎牽住了我的手。

「蘿絲，」她平靜地說，「不要！」

她的話一開始對我並不起作用，但是理智漸漸回歸，重新駐進了我的意識，像被用膠水黏在我的腦子裡。

這不完全是催眠，她不會對我這麼做，但是她的話卻產生了很大的影響。事實上，我們無論在人數還是能力方面都處於下風。就連我都知道，抗爭根本就是徒勞。很快地，緊張脫離了我的身體，而我也放棄了攻擊。

在感應到我放棄了抵抗以後，這個男人走過來，看向莉莎，然後向莉莎深鞠了一躬。他的表情十分平靜，並設法讓自己的動作看起來比較優雅一些。我對他的舉動感到吃驚，也對他的身高重新進行了評估。

「我叫迪米特里．貝里科夫，」他說，我能從他的話裡聽出些微的俄國口音。「我是來接您重返吸血鬼學院的，公主殿下。」

2

儘管我很討厭他，但我不得不承認，這個叫迪米特里·貝里什麼的非常聰明。在他們把我們挾持到機場，架上學院的私人噴射機之後，他注意到我跟莉莎在說悄悄話，便下令將我們隔離起來。

「別讓她們倆說話。」他警告負責將我押送到飛機後面的人說，「否則，用不了五分鐘，她們就能商量出一個逃跑計畫了！」

我看了他一眼，憤怒地沿著中間的走道向後走去。是啊！我們計畫逃跑，這不是人盡皆知的嗎？

然而，飛機一起飛，我們想要逃跑的慾望便變得低迷。就算有奇蹟發生，我們幹掉了所有的守衛，也沒辦法解決飛機降落的問題。我發現飛機上放著逃生用的降落傘，但我會用的降落傘不是這一種，飛機上還有一些小的求救物品，如果我們迫降在洛磯山脈上的某處，可以用它來吸引救援隊的注意。

不！我們絕不會在飛機抵達蒙大拿的那片原始森林之前下飛機的。我必須考慮降落之後的事，包括穿過學院的魔法防衛區，和比現在多十倍以上的守衛。

儘管莉莎和那個俄國守衛坐在飛機前面，她的恐懼還是能傳達到我身上，像錘子一樣敲打著我的大腦，對她的憂心，使我忘記了自己的憤怒。

他們不能把她帶回那裡！不能把她帶回到那個地方！

我眞希望如果迪米特里感受到我所感受的、知道我所知道的以後，可以再考慮一下……雖然這不太可能，他根本就不在乎！

莉莎的情緒變得越來越激動，恍惚間，好像坐在她那個位子上的人是我，甚至我就坐在她身上。這種情況有時候會發生，一般都是毫無預兆地、不由分說地，她便將我拉進了她的意識裡。

身材高大的迪米特里坐在我旁邊，他前傾著身子，正在撿些什麼，脖子後面露出六個極小的紋身圖樣，都是閃電形狀的，那些標誌組成在一起，看起來像是兩道鋸齒形的閃電互相交叉，形成了一個「╳」型。每個「╳」都代表一個他曾經殺死的血族吸血鬼。在這些形狀上面有一條扭曲的線，有點像蛇，這表示他是一名守護者，那條線是誓言的標記。

我眨眨眼，集中精力將莉莎的感覺擠走，痛苦地重新奪回自己的意識。

我討厭這種情況，感受到莉莎的情緒是一方面，另一方面是，她也不喜歡我潛入她的意識當中。

她認爲這是對她個人隱私的一種侵犯，所以基本上這種情況發生時，我都不會告訴她。但是，我們倆誰也無法控制這件事。我們之間有一種誰都不太瞭解的心電感應，而這便是心電感應的一個副作用。

傳說曾經有過記載，說在莫里族和守護他們的拜爾族之間，通過身體的接觸可以產生心電感應，但沒有記載過我們這種情況，我們只好盡自己所能，慢慢摸索著去瞭解。

在飛行即將進入尾聲的時候，迪米特里走向我坐的地方，在守衛和我旁邊坐了下來。我有意轉開了頭，看向窗外，腦中一片混沌。

在沉默了幾分鐘以後，他終於開口說：「妳眞的打算要和我們所有人進行戰鬥？」

我沒有回答。

「這麼做……我是說，以這種方式來保護她，十分勇敢。」他停頓了一下，「愚蠢，但絕對勇氣可嘉！是什麼讓妳有這種勇氣？」

我看向他，將擋在眼前的頭髮撥開，以直視他的目光。「因爲我是她的守護者！」說完，我又轉頭看向窗外。

又是一陣沉默，他站起身來，走回機艙前端。

飛機降落以後，莉莎和我在別無選擇的情況下，被突擊隊的成員開車送回學院。

車子停在大門前，司機跟守衛交代了幾句，他們也確認了我們的身分，證實了我們不是即將要參加屠殺派對的血族吸血鬼，一分鐘以後，他們將我們放行，允許我們進入防衛區，直奔學院而去。

天色已近黃昏，而這卻是吸血鬼一天的開始，整座學院躺在陰影的懷抱中。

吸血鬼的建築看起來都差不多，雜亂無章、哥德風濃郁。依照傳統，莫里族的建築始終高大，這點是什麼都無法改變的。這間學校並不像歐洲當時的建築物一樣古老，但是它的建築風格卻與當時的相同——所有的建築物都有華麗的裝飾，建築風格如同教堂般，有著高高的尖頂和石雕。熟鐵鑄成的大門內有一座小花園，四處都是走道。

在經歷了大學的校園生活以後，我對這個地方有了全新的評價，這裡被建造得更像是一所大學校園，而非那種典型的高中校園。

我們所在的副校區，被分成高等和低等兩個年級，每個年級都圍著一個四方形的廣場而建，廣場上有石雕的小路和巨大的、生長了好幾個世紀的古樹。

我們要去的是高等生的廣場，廣場的一側是學院的教學樓，另一側是拜爾族的宿舍和體育館，而莫里族的宿舍樓則在廣場的另外一邊，對面是同時也對低等生開放的教學管理樓，年輕學生住的主校區則在離這裡遠一點的西邊。

學院周圍所有的地方，都是空地、空地，更多的空地。學院雖然位於蒙大拿，但離眞正的城市終究還是有數英哩的距離，空氣寒冷、潮濕，充滿著松香和腐爛樹葉的味道，周圍被無盡的森林所環繞，在白天，能夠清楚地看見遠處高聳的山峰。

我們走到了高等校區的主要地帶，我甩開守衛，朝迪米特里跑去。

「嘿！夥伴。」

他逕自往前走，並沒有看我一眼。「現在妳願意開口說話了？」

「你要帶我們去見奇洛娃嗎？」

「是奇洛娃校長大人。」他更正道。在他的另一側，莉莎看著我，意思好像是要我別惹事。

「不管叫她什麼，她都是一個自以爲是的老賤……」我把後面的話吞了回去，因爲守衛們正帶著我們走過許多扇門，這些門直接通往學校的學生餐廳。

我嘆了口氣。這些人怎麼就眞的這麼鐵石心腸呢？通往奇洛娃辦公室的路至少有一打，他們非要我們走中間的那條。

現在正是早餐時間，見習的守護者——就是像我一樣的拜爾族，和莫里族坐在一起，一邊吃一邊聊，他們談論著學院裡最新的八卦，臉上泛著光。看見我們走進來，像是有人按下了開關般，人聲鼎沸的屋子裡頓時安靜了下來，幾百雙眼睛齊刷刷地看向我們。

我以慵懶的眼神回敬著我以前的同學們，想要藉機觀察他們是否和以往有了不同。答案是——沒有，他們並沒有什麼改變。

卡米莉．康塔還是那麼一本正經，和我記憶中那個完美的賤人一樣，而她仍然是學院中莫里族皇家小團體自封的領袖。一旁，莉莎那個傻傻的表妹娜塔莉瞪著大大的眼睛看過來，和以往一樣純潔天眞。

至於屋子的另一邊……哈哈，有趣！是可憐的小艾倫，那個無疑在莉莎離開時碎了一顆心的傢伙。他還是像以前那麼可愛，也許變得更可愛了也說不定，那張迷人的臉和莉莎相配極了！

他的眼睛緊跟著莉莎移動，眼神則充滿了悲傷，深深的悲傷，因爲莉莎從來就沒有眞正地愛上他。我想，她之所以和他出去，就僅是單純地去赴一個約。

我發現的有趣之處，是站在艾倫身旁、和他手拉著手的那個莫里族女孩。很明顯，莉莎不在的這段時間裡，艾倫找到了消磨時間的方法。這個女生看起來像是只有十一歲，但是她絕對不可能只有這麼大，除非艾倫在我們消失的這段時間裡變成了一個戀童癖。

這個女生有圓潤的臉頰和金色的捲髮，看起來像個瓷娃娃——一個正在發火的、邪惡的瓷娃娃。她緊緊地握住艾倫的手，盯著莉莎的眼睛裡幾乎能噴出怒火，這令我大爲震驚。

這是怎麼回事？這個女生我不認識，我猜她可能只是一個吃醋的女朋友。如果我的男朋友這麼盯著別人看，我也會吃醋的。

幸好這尷尬之行就要結束，我們即將抵達奇洛娃校長大人的辦公室。

這地方並沒有比之前好多少，這個老巫婆的樣子也和我記憶中一樣——有著尖尖的鼻子和一頭灰髮。她的身材和大多數莫里族的人一樣，又瘦又高，看見她總令我想起禿鷹。我對她非常瞭解，因爲我之前經常被叫到她的辦公室。

我和莉莎坐下來以後，除了學校守衛隊長奧伯黛和迪米特里，其他守衛都退了出去，這讓我覺得自己不那麼像個犯人了。奧伯黛和迪米特里沿著牆站著，表情顯得堅韌又有點可怕，非常符合他們的職業需要。

奇洛娃火大地看著我們，準備開口說出一大串一個主持會議的賤人會說的話，但是，一個低沉、紳士的聲音攔住了她——

「瓦西莉莎。」

我吃了一驚，這才意識到這間屋子裡還有其他人。我之前都沒有注意到，這是守護者的失職，哪怕我只是一個實習守護者。

維克多．達什科夫費了好大的勁兒，才從角落的椅子上站起身來。莉莎跳起來，向他跑過去，張開雙臂擁抱住他虛弱的身軀。

「叔叔……」她悄聲說，聲音好像要哭出來了。

維克多面帶微笑，輕輕拍了拍她的背。「妳不知道我看見妳安全無恙有多麼開心，瓦西莉莎。」他說完看向我，「還有妳，蘿絲。」

我對他點頭示意，盡力讓自己顯得平靜一些。我們離開之前他就已經病了，但是病成這樣，也太恐怖了吧！

他是莉莎的表妹——娜塔莉的爸爸，才四十出頭，但是看起來卻像是八十好幾，整個人蒼白乾癟，手也顫巍巍的。

維克多在莉莎的雙親過世之後，對她非常照顧。我喜歡他，他是我在這裡第一個喜歡看見的人，因此，此刻看著他，我的心也要碎了！

全世界有那麼多生病的人，唯獨這個人被病魔奪去活力，是令人感到忿忿不平的一件事，因爲生病，他甚至喪失了繼承王位的機會！

奇洛娃又讓他們兩個待了一會兒，接著強硬地將莉莎帶回到座位上。

訓話時間到！

這是奇洛娃最擅長，也是她最喜歡的，她可以稱作是個「訓話專家」，我發誓這是她進入學院管理階層的唯一目的，從沒有證據顯示她曾經對孩子有過好感。

整個訓話包括下面這些主題：責任、行爲輕率、自我中心……等等。我很快就意識到自己的意識已經飄走了，只是想著怎麼才能從她的辦公室窗口逃走。

突地，奇洛娃的話鋒一轉，把矛頭指向我，這成功地拉回了我的注意力。

「而妳，海瑟薇小姐，妳打破了我們種族最神聖的誓言，守護者發誓要保護莫里族的誓言。這是一種偉大的信任，但是妳的自私破壞了這種信任——妳居然帶著公主離開了這裡！血族是很樂意看到德拉格米爾家族的滅亡的，而妳的作爲給了他們得逞的機會！」

「蘿絲沒有綁架我！」莉莎搶在我開口前說道，她的聲音和表情都很平靜，但情緒似乎還是有點緊張。「是我想離開，與她無關。」

奇洛娃女士對著我們不耐煩地咂咂嘴，雙手背在身後，在辦公室裡來回踱步。

「德拉格米爾小姐，妳可以對我指控的所有事情負責，但是，她仍然有責任阻止妳實施這種計畫。如果她是在遵守自己的職責，就應該通知其他人；如果她是在遵守自己的職責，就應該保證妳的安全。」

我對此嗤之以鼻，從椅子上跳起來大喊著說：「我盡了自己的職責！」

原本欲上前阻止的迪米特里和奧伯黛，看到我並不打算攻擊別人，便又退到一旁。

「我沒有保證她的安全？我對她人身安全的保護，你們沒有一個人……」我用手指了在座的每一個人，「沒有一個人能夠做到！我帶她走是爲了要保護她，我做了我必須做的，妳根本不會明白！」

通過心電感應，莉莎試圖傳達給我要我冷靜下來的資訊，但是，已經太遲了！

奇洛娃盯著我，面無表情。「海瑟薇小姐，請允許我無法理解妳所說的，『將她從嚴密的守護，和魔法防衛區的保護之下帶走，是爲了保護她』這種邏輯。妳是不是對我們隱瞞了某些事？」

我咬住嘴唇。

「我明白了。那麼，依我的看法，妳離開的理由，除了新奇好玩以外，就是爲了避免接受那個可怕的、具有毀滅性的後果。」

「不，這不是……」

「只有這個原因能讓妳這麼輕易地作出那樣的決定。作爲莫里族的一員，公主殿下必須繼續待在這個學院裡，以確保她的安全，但是對妳，我們沒有這種義務，妳將會盡快被送走！」

我高傲的尾巴垂了下來。「我……什麼？」

莉莎站起來，走到我旁邊。「妳不能這麼做，她是我的守護者！」

「她還不是，她只是個實習生。」

「但是我的父母……」

「願上帝令他們安息。我知道妳的父母是怎麼想的，但現在情況已經不同了，海瑟薇小姐必須做出犧牲，她根本不配當一個守護者！她必須離開！」

我盯著奇洛娃，不相信自己聽到的。「妳想把我送到哪裡去？尼泊爾我媽媽那裡嗎？她知道我曾經離開過嗎？還是說，妳想把我送到我父親那裡去!?」

在聽到我最後那句惡狠狠的話時，奇洛娃的眼睛瞇了起來。我再次開口說話時，聲音變得冷靜多了，連我自己都差點認不出來。

「還是說……妳想將把我賣到該死的妓院裡去？試試看啊！到時候，咱們可以同歸於盡！」

「海瑟薇小姐，」她不滿地說，「妳有點過分了！」

「她們之間有心電感應。」迪米特里低沉又帶有口音的說話聲打破了緊張的氣氛，我們都看向他。

我想，奇洛娃大概已經忘記他還在這間屋子裡，但是我沒有忘，他強烈的存在感讓人無法忽視。他仍然靠牆站著，穿著他滑稽的長風衣，像個牛仔哨兵。

他深棕色的眼睛直勾勾地看著我，而不是莉莎。「蘿絲瞭解瓦西莉莎的感受，對嗎？」

最後，我很滿意地看到奇洛娃被這句話弄得措手不及，她看了看我，又看了看迪米特里，「不……這不可能！這種事情已經好幾個世紀沒有發生過了！」

「很明顯。」迪米特里說，「我看見她們的第一眼就知道了。」

我和莉莎都沒有對此作出回應，我從迪米特里身上移開了目光。

「這是上帝賜予的禮物！」維克多坐在那裡悄聲說，「珍貴而美好的禮物！」

「最好的守護者都是有心電感應的。」迪米特里補充說，「傳說中是如此。」

奇洛娃又憤怒了起來。「傳說已經流傳了上百年了。」她說，「在她惹出了這麼多事之後，我認爲你肯定不會希望我們繼續把她留在學院裡。」

他聳聳肩，「她或許粗野不懂禮貌，但如果她有潛力……」

「粗野不懂禮貌？」我打斷他，「你算個什麼東西？她請的外來援助嗎？」

「貝里科夫守衛現在是公主殿下的守護者，」奇洛娃說，「經過認可的守護者！」

「妳雇用外國的廉價工人來保護公主!?」

這種說法非常刻薄，特別是大部分的莫里族以及他們的守護者，都是俄國人或者羅馬人的後裔。但是，在這個時候說出這種話，也許不失爲一種明智之舉，而我，也不是唯一一個說這種話的人。

沒錯，我是在美國長大的，但是我的父母都是外國人。我的媽媽是蘇格蘭的拜爾族，她有一頭紅色的頭髮和奇怪的口音，而我的父親據說是土耳其的莫里族。這樣的基因組合，使得我從裡到外都是杏仁色的皮膚，搭配著我自己認爲有一半沙漠公主風情的外表——大大的黑色眼睛、深棕色的頭髮幾乎接近黑色——就算遺傳到那一頭紅髮，我也不會介意，畢竟我們只能接受父母給予我們的一切。

奇洛娃放棄了繼續憤怒，轉身看向迪米特里。「你看見了？她完全不懂規矩！即使有心電感應，或每種原始的潛力，都抵不上這點！一個不規矩的守護者，比不能成爲守護者還要糟糕！」

「所以要教她學會守規矩。這學期剛開始，讓她回到教室去，重新接受訓練。」

「沒必要！就算那樣，她也不可能追上她其他同學的進度。」

「不，我能。」我爭論道，但是，沒人在聽我說話。

「那就給她額外的訓練課程。」迪米特里說。

他們持續爭論了一段時間，屋子裡的其他人看著他們，就像在看一場乒乓球比賽。

我的自尊仍然對迪米特里把我們抓回來這件事不能釋懷，但是，他似乎能幫我留在莉莎身邊。只要能跟她待在一起，我可以留在這個地獄般的地方，而透過心電感應，我能感到莉莎也抱有一絲希望。

「誰來訓練她？」奇洛娃問道，「你嗎？」

迪米特里在激烈的爭辯中停了一下。「呃……這不是我的……」

奇洛娃滿意地環抱著手臂看著他。「是呀！這似乎是個好主意！」

迪米特里皺著眉，很明顯處於下風。他看向莉莎和我，我很想知道他想看到什麼，張著無辜的大眼睛、可憐兮兮地望著他的兩個女生？還是從守衛森嚴的學校落跑，並且偷走了莉莎繼承的一半遺產的兩個女生？

「好吧！」他最終說道，「我負責在她正規的課程之外，給她額外的訓練。」

「然後呢？」奇洛娃生氣地說，「她就可以逃過懲罰了？」

「可以用其他的方式懲罰她。」迪米特里回答說，「守護者的人數急劇下降，已經不能再有任何人員的損失了，特別是一個女性守護者。」

維克多在他坐的角落裡開了口：「我十分贊同貝里科夫守衛的意見。將蘿絲送走肯定是一件令人惋惜的事，這是對她天賦的浪費！」

奇洛娃夫人望向窗外，天色此時已經全黑了。

她轉回身，莉莎迎上了她的眼睛。「求妳了，奇洛娃夫人，讓蘿絲留下來。」

哦，莉莎，當心！對另一個莫里族使用催眠術是很危險的，特別是在旁邊還有別人的情況下！

幸好，莉莎只稍微使用了一下，而幸運的是，似乎沒有人發現這件事。

我不知道是不是催眠術起了作用，最終，奇洛娃嘆了口氣。

「如果海瑟薇小姐要留下來，就按剛才說的辦吧！」她轉向我。「妳作爲一名聖弗拉米爾學院的正式學員，現在被留校察看，一旦違反校規，就會被開除！和其他同級的守護者實習生一樣，妳需要學習全部的課程，而妳所有的課餘時間，都要用來接受貝里科夫守衛對妳的訓練，包括上課前和下課後。除此以外，禁止妳參加所有的社交活動，除了吃飯時間，妳都要待在宿舍裡。如果以上這些妳有一條做不到，就要被送走！」

我發出刺耳的笑聲。「禁止參加所有的社交活動？妳想把我們分開嗎？」我朝莉莎的方向點點頭，「怕我們會再次逃跑？」

「我這是以防萬一。妳今後可以不必爲損壞學校的公物受到懲罰，而是用其他方式來彌補。」

她薄薄的嘴唇抿成一條線。「這種處理方式對於妳來說已經非常慷慨了，我建議妳注意一下妳的態度。」

我想說這根本一點都不慷慨，但是，我接收到了迪米特里傳遞給我的眼神。他的眼神很複雜，可能是在告訴我說他相信我，也可能是在告訴我和奇洛娃作對是十分愚蠢的一件事……我說不清。

我再一次避開他的目光，盯著地板。

感受到莉莎用心電感應向我傳遞的鼓勵，我呼了一口氣，看著校長大人的眼睛。

「好，成交！」

3

會議之後，他們就直接將我們送去上課，這是件很殘忍的事，但是，這確實是奇洛娃會做出來的事。

莉莎被帶走了，我在後面眼睜睜地看著，慶幸自己可以繼續經由心電感應來讀出她的心情。

他們先送我去見了守護者的顧問，他是一個年紀很大的莫里族人，在我離開這裡之前對他就有印象。老實說，我不相信他現在還能活著，這個人已經快成老妖怪了！他應該退休，或者死了才對。

整個拜訪過程只花了五分鐘，他對我的歸來隻字不提，只問了我在芝加哥和波特蘭學過哪些課程。他將這些課程和我舊檔案中的作了比對，迅速地寫出了一張新的課程安排，字跡非常潦草。

我悶悶不樂地拿著它，走去上我的第一堂課。

第一節　高級守護者格鬥技巧

第二節　保鏢理論和私人保護第三冊

第三節　負重訓練和調節

第四節 高階語言藝術（實習生用）
午休
第五節 動物的行為和心理
第六節 微積分預備課程
第七節 莫里族文化第四冊
第八節 斯拉夫的藝術

啊哈！我差點忘了學院一天的上課時間有多長。在每天的前半段，拜爾族的守護者實習生和莫里族是分開上課的，這意味著我和莉莎直到午餐時間才能見面，前提是，我們下午有同樣的課程。下午的課程大部分都是標準的高級課程，我覺得自己碰見莉莎的機率很大。我總覺得斯拉夫的藝術是那種不會有人選的選修課，真希望他們也安排莉莎修這個科目。

迪米特里和奧伯黛押送著我去守護者的體育館上第一堂課，但是他們倆似乎都無視於我的存在。我走在他們後面，看清了奧伯黛的短髮是怎麼被剪短，好露出她脖子上的誓言紋身和閃電紋身。

許多女性守護者都這麼做，但我的脖子後面還沒有紋身，這些對現在的我來說並不重要，而且，我也不想剪短自己的頭髮。

奧伯黛和迪米特里都沒有說話，就那麼走著，好像今天沒什麼特別的，但，當我們到達目的地以後，我那些同學的反應卻表明了——今天一點也不尋常！

我們走進體育館時，他們正在體育館的中央集合，和在學生餐廳一樣，所有的眼睛都看向我，我不知道他們是把我當作搖滾明星，還是馬戲團裡的怪物？這樣很好，如果讓我在這裡再待上一會兒，我會沒法繼續裝出好像很怕他們的樣子。

我和莉莎曾經在這所學院裡得到過尊重，現在是時候提醒他們記起這點了！

我梭巡著那些眼睛盯著我、嘴巴張開的實習生們，他們大部分都是男生，突然，有一張熟面孔闖進了我的眼簾，我幾乎控制不住地想要咧開嘴巴微笑。

「嘿！梅森，擦掉你的口水。如果你打算繼續幻想我的裸體，請你在私人時間做這件事！」

一陣騷動響起，有不屑的聲音，也有竊笑聲，打破了原本嚴肅的沉默。

梅森．亞希弗德迅速從震驚中恢復過來，歪著嘴對我笑了一下。他的一頭紅髮亂七八糟，臉上星星點點的都是雀斑，長得是不難看，但也不是特別好看。

他也屬於我認識的很有意思的男生之一，我們過去曾經是好朋友。

「現在是我的時間，海瑟薇，我負責帶領這一堂課。」

「哦？眞的？」我反問，「啊！那麼我猜，這是幻想我裸體的最佳時間囉？」

「任何時候幻想妳的裸體都是最佳時間。」有人插嘴說，打破了即將出現的緊張氛圍。

那是愛迪．卡斯托——我的另一個朋友。

迪米特里搖搖頭走開了，嘴裡嘟囔著一些俄語，聽起來不像是好話。

好吧！我又成了守護者實習生。但至少這群人很好相處，他們不像莫里族的學員，對血統和政治那麼在意。

全班的人幾乎包圍了我，我發現自己正在笑，似乎找回了那些幾乎被自己忘光的東西。每個人都想知道我們去了什麼地方，顯然，我和莉莎的故事已經成爲了傳說。我不能告訴他們我們爲什麼要離開，所以，我只能笑著，這正好搭配我那種「你不會想知道」的眼神。

整個歡快的重逢時光又持續了一段時間，一個成年的守護者覺得如果再放任下去，今天的訓練有可能泡湯，於是便走過來，就怠忽職守這事訓了梅森一頓。

梅森仍然面帶微笑，他朝學員們大聲下了命令，然後開始解說今天的訓練要從什麼地方開始，我有點惴惴不安。

「來吧！海瑟薇。」他說著，拉過我的胳膊。「妳可以做我的搭檔，讓我看看這段時間妳都做了些什麼。」

一小時之後，梅森得到了答案。

「妳沒怎麼訓練吧？」

「噢……」我呻吟出聲，一時之間無法正常說話。

他伸出手將我從墊子上拉起來，那正是他把我擊倒的地方——大概有五十次！

「我討厭你！」我對他說，然後揉了揉大腿上的一塊地方。明天這裡肯定會有一大片瘀青！

「如果我手下留情的話，妳會更討厭我！」

「這倒是眞的。」我附和他的說法，一瘸一拐地和其他學員一起將設備放回原位。

「不過妳做得已經很不錯了。」

「什麼!?我剛剛才屁股著地！」

「嗯，當然會這樣，畢竟已經時隔兩年了。但是，妳看，妳還能走，這已經是很好的證明了。」他笑著嘲弄我說。

「我剛才說過我討厭你了吧？」

他又給了我一個燦爛的笑容，隨後馬上換了一副非常嚴肅的表情。

「這條路行不通的！我是說，妳是個很好的戰士，但是，妳不可能在春天之前完成訓練……」

「他們還會給我補課，我會趕上你們的。」我解釋說。

這都無關緊要，我只想著在這些計畫眞正實施之前，找到莉莎，並帶著她離開學院。

「誰給妳補課？」

「那個高個兒——迪米特里。」

梅森停下來看著我。「貝里科夫要給妳補課？」

「對，有什麼問題嗎？」

「這個男人簡直可以說是戰神！」

「你太誇張了吧!?」我問道。

「不，我是說眞的。別看他平時一言不發，不怎麼和人說話，但是當他在戰鬥時……哇哦！如果現在妳覺得自己受傷了，那麼當他擊倒妳的時候，妳會感覺自己像死了一樣！」

太好了！我的日子更加豐富多彩了。

迪米特里攙著我去上第二堂課——保鑣理論和私人保護。這堂課教的是所有中級學生、教授，以及所有保鑣都需要知道的基礎知識。事實上，這是這門課開設的第三學期了，從低年級時就必須開始修習這門課程，這意味著，這門課我落後了很多，但是我希望有了在眞實世界裡保護莉莎的經驗，可以令我有些優勢。

老師叫斯坦阿爾托，我們私底下都叫他「斯坦」，在正式場合則稱呼他爲「守護者阿爾托」，比迪米特里略微年長一些，但是沒有迪米特里高。他總是一副好像別人欠了他錢的表情，今天，當他走進教室，看見我坐在底下時，這副表情更加誇張了！

他在教室裡走了一圈，眼神裡充滿了嘲諷的驚奇，最後停在我的課桌旁。「沒人通知我說今天會有一位貴賓光臨！蘿絲．海瑟薇，多榮幸啊！能從排得滿滿的行程表裡擠出時間大駕光臨，和我們分享妳的經驗，多麼慷慨啊！」

我的臉漲得通紅，但仍然自我控制得很好，沒對他說：滾開！然而，我十分肯定我的表情已經說明了一切，因爲，他收起了冷嘲熱諷，用手勢請我起立。

「好吧！快，別坐著了！站起來走到前面去，妳可以當我講課的助手。」

我縮在位子上。「你不是眞的想……」

一陣嘲弄的笑聲響起，「沒錯，我就是這麼想的，海瑟薇。站到教室前面去！」

整間教室被重重的沉默所籠罩。斯坦是個非常可怕的老師，全班的同學由於畏怯，對於我的屈辱都不敢嘲笑譏諷。

我不想被他難倒，於是一瘸一拐地走到教室前面，然後轉過身面向同學，大方地看著他們，將頭髮撥到肩後，向我的好朋友露出一抹充滿同情的笑容。

我發現下面的觀眾比我預期的還要多，有幾個守護者——包括迪米特里，在教室後面來回梭巡。

在學院外面，守護者只專注於一對一的保護；在這裡，他們要同時保護很多人，而且他們還要負責訓練實習生。所以，爲了能看見周圍的每一個人，他們的工作從保護整座學院，變成了在上課時間全程監視。

「那麼，海瑟薇。」斯坦一邊走過來站在我身邊，一邊歡快地說，「請講一下妳的保護技巧，讓我們也開開眼界。」

「我的……技巧？」

「當然。在妳將一個未成年的莫里族皇室成員帶出學院，將她置於血族的危險之下時，應該是有了某個我們都不瞭解的計畫吧！」

這分明是要把對奇洛娃講的話再講一遍，只不過這回有更多的觀眾了。

「我們沒有碰見過血族。」我固執地回答他說。

「很明顯，」他暗自得意地說，「我早就知道這點了，因爲妳還活著站在這裡。」

我想用吼的告訴他說，也許我能打敗血族，但是經過上一堂課，我才知道自己現在連梅森都打不過，更別提一個眞正的血族了！

看到我沒有出言反擊，斯坦在教室前面來回踱步。

「那麼妳都做了什麼？妳怎麼確保她的人身安全的？避免在夜間出門嗎？」

「有時。」

這是事實，特別是我們剛剛逃跑的那段時間，直到一個月後都沒有遭受到任何襲擊，我們才稍稍放鬆了一些。

「有時？」他用很高的嗓門重複著，好像我的答案聽起來非常愚蠢。「那麼，我可以認爲妳是在白天睡覺，然後在夜晚進行保護的囉？」

「呃……不是。」

「不是？但是這是『獨自進行保護』那章提到的第一件事！哦，等一下，妳不知道，因爲上這一課的時候，妳已經不在這裡了。」

我嚥下了幾乎冒出口的更多髒話。

「不管我們去哪，我都注意著整個區域。」我必須要爲我自己辯解。

「哦？那麼問題來了——妳有使用卡內基象限監視法，或者是迴旋監視法嗎？」

我啞口無言。

「啊！我想妳使用的是海瑟薇式監視法——想起來才向四周看看。」

「不是！」我生氣地喊道，「才不是這樣！我保護著她，而且她還活著，不是嗎？」

他朝我走來，俯身看著我的臉。「因爲妳很走運。」

「在外面，血族不是無處不在！」我吼回去，「這和教給我們的一點都不一樣，外面比你們說的要安全多了！」

「安全多了!?我們和血族正在打仗！」他喊著說。

他離我太近了，近得我都能聞到他呼出的空氣裡，有咖啡的味道。

「在妳注意到之前，很有可能他就會走到妳面前，擰斷妳可愛的小脖子！要知道，他這麼做根本不費吹灰之力，妳也許比普通的莫里族和人類的速度更快，也更強壯，但是妳跟血族比起來，根本就不算什麼！他們的力量非常強大，妳知道是什麼令他們這麼強大的嗎？」

想用這種方法把我氣哭？門兒都沒有！我越過他看向他的身後，迪米特里和其他守護者正看著我受辱，面無表情。

「莫里族的血液……」我小聲說。

「是什麼?」斯坦大聲問道,「我沒聽清楚。」

我看向他的臉。「莫里族的血液!莫里族的血液能讓血族變得強大!」

他滿意地點點頭,往後退了幾步。「沒錯,莫里族的血液能令血族變得更加強大,難以摧毀!他們會殺死人類或者拜爾族,然後吸食他們的血液,但是,他們更渴望莫里族的血液,爲此,他們一直在尋覓。他們想要長生不死,所以他們會想方設法,讓自己一直活下去。

絕望的血族會在公共場所襲擊莫里族,或成群結夥地襲擊像我們一樣的學院。有的血族已經活了上千年,打敗過好幾代莫里族,他們幾乎是殺不死的!這就是莫里族的人數急劇減少的原因,莫里族的人不夠強大,無法自保,哪怕是有守護者保護著。有些莫里族人被逼得無路可逃了以後,只能選擇變成血族。如果有一天,莫里族滅亡了……」

「拜爾族也會跟著滅亡!」我替他說完。

「很好!」他舔了舔嘴唇,「總之,妳好像還是學到了點東西。現在我們就看看妳是不是能從這裡學會更多的東西,順利完成這門科目,獲得下學期選修野外實戰的資格。」

謝天謝地,我是坐在自己的位子上聽完這節恐怖的課的。在後面的半節課裡,我的腦中一直想著斯坦最後說的幾句話。

野外實戰是整個中級教育中,實習生最期待的日子,在那段時間裡,每個實習生都會被指定給一名莫里族的學員,當他的守護者,跟他一起行動。成人守護者會時刻監視我們,通過突襲和其他危險情況測試我們。作為一名實習生，他在整個實戰中的表現，影響了他今後的評估級別，這將決定他在畢業以後，被分給什麼樣的莫里族。

至於我，只有一個莫里族是我想追隨的！

兩堂課上完，我終於可以藉午飯時間喘一口氣。

我一瘸一拐地從教學區往學生餐廳走去，迪米特里走在我旁邊，和我並肩同行。他看起來其實不那麼像個神，除非你特別崇拜他。

「你看見斯坦的課堂上發生的事情了吧？」我開門見山地問道。

「看見了。」

「你不覺得那很不公平嗎？」

「他有錯嗎？妳覺得妳自己已經做好充分的準備，來保護莉莎了嗎？」

我盯著地上，小聲說道：「我保護她活到現在。」

「今天妳和妳同學的格鬥，戰果如何？」

這個問題眞是一針見血！

我沒有回答，因為我知道這沒必要。在斯坦的課上完之後，我接受了另外一次訓練，毫無疑問，迪米特里看見了我被打敗的整個過程。

「如果妳連他們都打不過……」

「好了、好了，我知道了！」我不耐煩地說。

他放慢了走路的速度，遷就我的步調。「妳在力量和速度上都有天賦，只不過還需要訓練。妳們離開以後，妳就沒有運動了嗎？」

「怎麼可能!?」我聳聳肩，「不過不太頻繁。」

「妳沒參加社團？」

「要做的事情太多了！如果我想做那麼多的訓練，我就不會離開了。」

他十分火大地看著我。「如果妳沒有眞本事，那妳永遠都無法名正言順地去保護公主殿下，只能一直當個候補的！」

「我會成爲她的守護者的！」我倔強地說。

「在妳被指定給她之前，根本沒有可保護的人，妳自己明白，除非在妳的實戰課，或者妳畢業之後。」

迪米特里的聲音非常低沉，說得理直氣壯。我想，學院並沒有給我安排一個溫柔和藹的老師。

「沒有人想浪費妳們之間這種心電感應，但是同樣的，也沒有人想給她指定一個不合格的守護者。如果妳想在她身邊，妳就必須爲此做出努力。妳有訓練，也有我，妳可以選擇接受或者不接受。在妳們畢業之後，妳是保護瓦西莉莎的理想候選人，但前提是，妳得證明自己有這個能力。我希望妳能成為她的守護者！」

「莉莎！叫她莉莎！」我更正道。莉莎討厭別人叫她的全名，她比較喜歡這種美國式的暱稱。

迪米特里走開了，突然之間，我不再覺得他是個壞蛋。

下課時間已經過去很久，大部分學生都擠在學生餐廳裡吃午飯，想要盡量加長聊天的時間。當我回到學生餐廳裡時，突然聽見有人在門邊叫我的名字。

「蘿絲！」

循著聲音的方向，我迎上了維克多·達什科夫的目光。他拄著枴杖站在牆邊，微笑地看著我，而他的兩名守護者，則站在禮貌距離之外。

「達什科夫先生……呃……殿下。」我及時糾正了錯誤，差一點就忘記如何稱呼莫里族的皇室成員，畢竟在和人類居住的時候，我從不用這種稱謂。

莫里族通常從他們的十二個皇室家族中挑選統治者，每個家族最年長的成員，被冠以「王子」或者「公主」的頭銜，而莉莎被稱作公主，則是因為她是他們家族中僅存的一員。

「第一天過得怎麼樣？」他問道。

「還沒過完，」我試著在肚子裡搜刮一些話題，「你還要在這裡多待一會兒嗎？」

「我去和娜塔莉打個招呼，下午就要走了。因為我聽說瓦西莉莎……和妳，都回來了以後，就直接先來見妳們了。」

我點點頭，不知道還要再說些什麼。比起我，他比較算是莉莎的朋友。

「我想對妳說……」他猶猶豫豫地說，「我十分理解妳之前所作所爲的意義，但是這點奇洛娃校長大人一直不願意承認。這麼久以來，妳確實保護了瓦西莉莎，這十分令人欽佩！」

「嗯，但是這還是比不上我打敗血族，或者其他什麼。」我說。

「但是妳確實打敗了其他什麼，不是嗎？」

「對的，學院曾經派出了毗斯艾獵犬。」

「眞是了不起！」

「也不是很了不起，躲開牠們其實很容易。」

他笑了。「我曾經用牠們打獵過，牠們不是那麼容易就被擊退的，這不太符合牠們的力量和智慧。」

他說的是事實，毗斯艾獵犬是魔法生物的其中一種，名聲很響亮，但是人類從不知道牠的存在，或者他們就算知道了，也不會相信，因爲沒有親眼所見。

毗斯艾獵犬總是成群出動，牠們之間有一種心靈的感應，這讓牠們在捕獵時變得尤其危險。牠們就像是變異的狼群！

「妳還遇到過其他事嗎？」

我聳聳肩。「總會有些小事的。」

「眞是了不起！」他重複道。

「運氣好吧！我覺得。事實上，和其他的守護者相比，我確實還差很多！」我的語氣聽起來像斯坦。

「妳是個很聰明的女孩，一定會趕上的。再說，妳還有心電感應。」

我有些不知所措。我能感覺到莉莎的這個能力，一直以來都是祕密，現在有其他人知道這件事，讓我覺得很奇怪。

「歷史上有很多關於守護者在危急時刻能產生心電感應的故事，」維克多繼續說，「研究這些已經成了我的愛好，有時候還會用到非常古老的方法。有種說法說，這是一筆很大的財富！」

「也許吧！」我又聳了聳肩。

這愛好是多麼無聊啊！我暗暗地想，然後想像他在一間到處都是蜘蛛網的陰森圖書館裡，仔細研讀歷史。

維克多揚起了頭，臉上滿是好奇。奇洛娃和其他人在聽到我們之間有這種心電感應時，也曾露出過同樣的表情，好像我們是實驗室裡的小白鼠。

「如果妳不介意我問的話，能告訴我那是一種什麼樣的感覺嗎？」

「就像……我也說不清，就是有時候突然知道她的感受了。一般都是她的情緒，我們沒法傳遞消息，或者是其他的什麼。」

我沒有告訴他我能潛進莉莎的意識這件事，這部分很令人費解，甚至連我自己都搞不清楚是怎麼一回事。

「沒有別的方法進行心電感應嗎？她感受不到妳的？」

我搖搖頭。

他的表情充滿期待。「這是怎麼發生的？」

「我不知道。」我說道，眼睛仍然看向別處，「兩年前突然就開始了。」

他皺了皺眉。「差不多在意外發生以後？」

我猶豫了一下，還是點點頭。

我不願意談論那場事故，但事實就是這麼回事。莉莎的回憶不用我去摻和，就已經夠糟了，那些變形的金屬、忽熱忽冷的感覺……莉莎的尖叫迴盪在我的腦海裡，那聲尖叫將我吵醒，也試圖叫醒她的父母和哥哥，但是醒來的只有我。醫生說這是個奇蹟，我本不應當得救的。

很明顯，維克多發覺到我的不快，他將話題轉移到早先令他十分興奮的事情上。

「對此我還是難以置信，從這件事出現，到現在已經很長時間了，如果能讓更多的人有心電感應……想想它對所有莫里族人身安全的意義！如果別人也能有這種體驗的話……我必須做更多研究，看看能不能找到令其他人也有心電感應的方法。」

「好極了！」我有點不耐煩，儘管我十分喜歡他。

娜塔莉也喜歡喋喋不休，很明顯她的這種特質是從維克多這裡遺傳來的。

午休時間正在一點一滴過去，雖然莫里族和實習生下午會一起上課，我和莉莎還是沒有多少時間可以聊天。

「也許我們可以……」他開始不停地咳嗽，整個身體都顫抖起來。

他患的是「蘇多夫斯基症候群」，病情已經惡化到肺部，再惡化下去，人就會死去。

我焦急地看向他的守護者，其中一個走了過來。「殿下，」他恭敬地說，「你必須進屋去，這裡太冷了！」

維克多點點頭。「好，好，我想蘿絲肯定餓了。」他又轉過來對我說：「謝謝妳陪我聊了這麼久，妳無法想像瓦西莉莎能夠安全地回來對我有多麼重要，這是妳的功勞。我曾向她的父親保證過，如果有一天他出事了，我會替他照顧瓦西莉莎。當妳們走了之後，我覺得自己很對不起他！」

我心裡一沉，想像他被內疚所困擾，並且爲了我們的失蹤而擔心不已。直到現在，我都沒有認眞想過，我們逃走以後，其他人的感受。

我們在門口道別，而我也終於走進了校區。

一踏入校區，我馬上就察覺莉莎焦慮的心情，我不顧腿上的疼痛，用最快的速度向學生餐廳走去。

我幾乎是用跑的來到她身邊，但是，她沒有看見我，站在她身邊的艾倫和那個瓷娃娃女孩也沒有看見我。我停下來，正好聽到她們談話的尾聲，那個女生湊近莉莎，莉莎除了驚訝，沒有其他表情。

「對我來說，這只不過是處理掉我不想要的玩意兒。不過，我想對尊貴的德拉格米爾家族的人來說，應該有自己的原則。」她用十分輕蔑的口吻唸著「德拉格米爾」這幾個字。

我抓住那個瓷娃娃的肩膀，猛地將她推開。她很瘦，在往後踉蹌了差不多三英呎以後，差點摔倒。

「她確實有自己的原則，」我說，「所以，妳們的談話到此結束了！」

4

這次，我們沒有引起學習餐廳裡眾人的注意，但是有幾個路人還是停下來，向我們看了幾眼。

「妳到底知不知道自己在幹嘛？」瓷娃娃問道，藍色的大眼睛眨呀眨，睫毛忽閃忽閃。現在離得這麼近，我可以把她看得更清楚了。雖然她也有莫里族那樣苗條的身形，但是尺寸卻小了很多，這應該也是令她看起來十分年輕的部分原因吧！她穿的紫色小裙子漂亮極了，這讓我記起自己穿的是件便宜貨，不過經過仔細觀察，我認為她的這條裙子也是冒牌貨。

我將雙臂環繞在胸前。「小姐，妳迷路了吧？初級學區在西校區。」

她的臉頰泛起一片粉紅。「妳再敢動我一下試試看，妳對我不客氣，就別怪我也對妳不客氣！」

哦，我的天哪！這是什麼樣的開場白啊？莉莎搖了搖頭，阻止我進行一大串漂亮的反擊。

我勉強擠出一張笑臉，才開始說話：「如果妳再打擾我們，我會把妳劈成兩半。妳要是不相信，去問問看朵恩．耶魯，看九年級時我是怎麼對付她的胳膊的。很可能這件事發生時，妳還在睡午覺。」

和朵恩之間的小插曲並不是讓我得意的事，我把她推到樹上的時候，並不是存心要弄斷她的骨頭，然而，這件事還是讓我被列爲危險人物。

這個故事後來變成了一個傳奇，我很高興地想，現在大家是不是還會在篝火晚會上講起這件事？而從這個女生的表情來看，確實如此。

有一個路人這時正好經過，疑惑地看著我們的小聚會。

瓷娃娃走回去，挽起艾倫的胳膊。「快走！」她說。

「嗨！艾倫。」我高興地和他打著招呼，這才記起他還站在這裡。「又見到你了，眞高興。」

他快速地對我點了下頭，又勉強地笑了一下，瓷娃娃已經拉著他走了。艾倫還是老樣子，他人很好、很可愛，只不過沒有上進心。

我轉身看向莉莎。「妳沒事吧？」她點點頭。「妳知道我剛剛嚇走的人是誰嗎？」

「猜不出來。」我領著她向排隊吃午飯的人群走去，但是她對我搖了搖頭。

「先去餵食大廳？」

我頓時覺得自己很好笑。我已經習慣了當她食物的唯一提供者了，突然間回到莫里族正常的進食規律，感覺有些怪怪的。

事實上，我是有些不高興的。但其實我沒必要不高興，每天進食是莫里族生活的一部分。在逃亡時，僅憑我們自己的力量，無法提供她這樣的生活，所以，在我餵食她的那天，我自己會變得虛弱；而她在沒有進食的日子，就會變得虛弱。因此，她恢復正常的飲食，我應該感到高興的。

我勉強笑了笑。「當然。」

我們走進餵食大廳，它就在咖啡廳的旁邊，裡面隔出了數個小格子，保證了在這裡的所有人都能有自己的私密空間。

一個黑頭髮的莫里族女人在門口迎接我們，她看了看手中帶紙夾的筆記板，一頁一頁翻著，找到了合適的地方，做了記錄，然後示意莉莎跟她進去。她雖然不知道我是幹什麼的，但是並沒有阻止我跟進去。

她把我們帶到了一個小格子前，裡面坐著一個豐滿的中年婦女，正在翻著雜誌。她抬頭看見我們進來，笑了笑，臉上露出像夢遊者一樣呆滯的神情，差不多所有的餵食者都會有這種表情。她大概快要到今天任務量的極限了，從她表現得十分興奮這點就能判斷出來。

認出了莉莎，她笑得更燦爛。「歡迎回來！公主殿下。」

引領者留下我們，莉莎坐在這個女人旁邊的沙發上，我感覺到她也有一點不舒服，不過和我的不舒服有點不太一樣。她這種感覺很奇怪，而且已經持續很長時間了。

餵食者的臉上露出渴望的神情，就像吸毒者迫不及待想趕緊勒住自己血管一樣。我忍不住一陣乾嘔，這是一種本能反應，很久之前就有了。

餵食者是莫里族生活中的必需品，他們通常是那些自願充當血液定時提供者的人類，還有就是那些生活在社會邊緣的人類，將自己完全奉獻給莫里族。他們被精心照顧著，日常中用的一切都是最好的，但是說穿了，他們其實就是癮君子，沉溺於莫里族的唾液，和每被咬一口所帶來的快感。

莫里族和他們的守護者看不起餵食者這種依賴行爲，但是，他們也沒有辦法將他們從這種成癮的嗜好中拯救出來，除非把他們強制性地變成吸血鬼，這是出於好意的一種僞善。

餵食者揚起頭，露出脖子，給莉莎留出了充足的進食空間。她的脖子經過長年累月的囓咬，已經留下了疤痕。我給莉莎餵食的次數並不頻繁，清理工作也做得很乾淨，所以我脖子上的咬痕一般不會超過一天就消退了。

莉莎湊過去，尖牙咬進餵食者的皮肉中。那個女人閉上了眼睛，溫柔地發出了愉悅的叫聲。我吞了吞口水，看著莉莎吸食，雖然看不到血液，但是我能夠想像。我的胸口湧上一種莫名的激動，好像是嫉妒，於是移開目光，眼睛看著地板，暗自在心中罵著自己。

這是怎麼了？為什麼不敢看？妳又沒有上癮，不像這個餵食者，妳也不想變成像她這樣！

但，我還是控制不住，忍不住回憶起被莉莎囓咬後，所產生的那種快感。

莉莎進食結束以後，我們回到學生餐廳，朝排隊拿飯的人走去。隊伍很短，因爲午休時間只剩十五分鐘。我走過去，往自己的盤子裡裝了一些薯條，和看起來可能是雞塊的、可以一口吞下的、圓圓的食物，莉莎只拿了點酸奶。

莫里族也要吃東西，就像拜爾族和人類一樣，但是在吸過血以後，胃口會小很多。

「課上得怎麼樣？」我問道。

她聳聳肩，看起來臉色好多了，而且充滿活力。「還可以。但我接收到許多不解的目光，許多人問我們去哪裡了，當然，還有小聲八卦的。」

「我也一樣。」我說道。

服務員幫我們結了帳，我們朝餐桌走去。

我瞄了莉莎一眼。「妳還能應付吧？他們沒有爲難妳，是嗎？」

「沒有，都很好。」

但是，我透過心電感應得到的資訊，卻不像她說的那樣。知道我可能有所察覺，她試著轉移話題，把她的課程表拿給我看——

第一節 俄語第二冊
第二節 美國殖民文化
第三節 控制自然元素的基本技巧
第四節 古代詩歌
午休
第五節 動物的行為和心理
第六節 高級微積分
第七節 莫里文化第四冊

第八節 斯拉夫美術

「書呆子！」我說，「如果妳和我一樣是數學白癡，咱們倆下午的課程安排就會一模一樣了！」我停下了腳步。「為什麼妳能學『控制自然元素的基本技巧』？這可是大二才開的課程！」

她看了我一眼。「因為地位高的人可以選修特別的課程。」

我們對此沉默不語。

每個莫里族都會一種支配自然元素的能力，這是活人吸血鬼和血族這種死亡吸血鬼的其中一個不同之處。莫里族將這種能力視為一種天賦，這是他們靈魂的一部分，透過這種天賦，可以讓世界各地的莫里族找到彼此。

很久很久以前，他們會公開地使用這種能力，阻止自然災害的發生，也將能力用來種植糧食和尋找水源，現在他們已經不用做這些事了，但是，這種能力仍然存在於他們的血液中，在他們身體中激蕩，促使他們想要追根究底地開發這種能力。

開設這麼一座學院，也是為了幫助莫里族控制這種力量，並且學會如何減少能力帶來的副作用。學員還要學習使用這種能力的規則，這些規則已經延續了幾世紀，一直被嚴格遵守著。

每個莫里族人，一生下來就能夠掌控自然中水、火、土和空氣這四種元素，但是每種的能力都不強。等到長到我們這個年紀，學生的「專業性」就會表現在對其中某一個元素的控制能力。

沒有「專業性」的學生就像是沒有經歷過青春期，而莉莎……呃……莉莎目前還沒有！

「還是卡馬克夫人負責教這門課嗎？她怎麼說？」

「她並不擔心，她覺得我遲早會有的。」

「妳……妳對她說了？」

莉莎搖搖頭。「沒有！當然沒有！」

我們跳過了這個話題。這是我們一直都在想，但是很少拿出來討論的事。

我們繼續朝前走，尋找合適的桌子坐下來。有幾雙看向我們的眼睛，毫不避諱地露出好奇的目光。

「莉莎！」附近有人喊著，我們循聲望去，只見娜塔莉正在對我們揮手。

我和莉莎交換了一下眼神。正如維克多是莉莎的叔叔一樣，從某種意義上來說，娜塔莉是她的表妹，但是，我們和她一起的時間並不多。

莉莎聳聳肩，朝她走過去，我不情願地跟在後面。

娜塔莉人很好，可她是我認識的人當中，最無趣的一個！學院裡的皇室大部分都很喜歡熱鬧，但是娜塔莉從不和這些人混在一起，她太單純，對學院的派系鬥爭一點都不感興趣，在眞正發號施令時太過無能了！

娜塔莉的朋友靜靜地看著我們，同樣很好奇，但是，娜塔莉卻絲毫沒有隱瞞這點，她伸出雙臂抱住我們。和莉莎一樣，她的眼睛也是碧綠色的，但是她的頭髮卻烏黑亮麗，和維克多因爲生病而頭髮變灰之前一模一樣。

「妳們回來啦！我就知道妳們會回來的！所有人都說妳們永遠不會回來了，但是這些話我從沒相信過，我知道妳們不會一直待在外面。妳們去哪了？對妳們逃走，有好幾種版本的故事……」

在娜塔莉繼續哈啦的時候，我和莉莎互相看了看。

「卡米莉說，妳們倆可能有一個人懷孕了，跑去墮胎，不過我知道這不是眞的。還有人說妳們跑去找蘿絲的媽媽了，不過我想如果眞是這樣，奇洛娃夫人和爸爸就不會這麼生氣了。妳聽說我們可能會成爲室友的事了嗎？我跟人家說……」她滔滔不絕地說著，一對尖牙在說話時一閃一閃的。

我禮貌地笑著，將她的狂轟濫炸交給莉莎來應付，直到娜塔莉開口問了一個十分危險的問題——

「妳們怎麼找血源呢？莉莎。」

整桌的人都想知道我們的回答。

莉莎愣住了，我立刻跳出來，謊話一連串地從我嘴裡蹦了出來：「哦，太容易了！有很多人類都想給我們提供血液。」

「眞的嗎？」娜塔莉的一個朋友張大眼睛問道。

「眞的。妳可以在派對或者這類的活動上找到他們，他們都露出一副想要被吸血的表情，事後他們也不會知道自己被吸血鬼咬過，大部分是因爲太過虛弱，結果什麼都記不起來了。」

我這種模稜兩可的謊言已經快編不下去了，於是乾脆酷酷地聳了聳肩，假裝自己可以搞定。

「正如我說的，太簡單了！甚至比咬咱們自己的餵食者還要簡單！」

娜塔莉接受了這種說法，然後又將話題轉向了別處。莉莎感激地看了看我。

我再次遠離了她們的談話，努力地在人群中尋找熟悉的面孔，想看看誰和誰在談戀愛，而學校裡的勢力又有怎麼樣的變化。

梅森和一群實習生坐在一起，他對上了我的目光，我對他笑了笑。他旁邊坐著一群莫里族皇室的人，好像在說什麼很好笑的事情，艾倫和那個金髮女孩也坐在他們之中。

「嘿，娜塔莉，」我轉過身，打斷了她，她也沒有很在意。「艾倫的新女朋友是什麼人？」

「啊？哦，米婭．瑞納蒂。」她看著我一臉茫然的表情，問我說：「妳不記得她了嗎？」

「我應該記得嗎？她不是在我們走了以後才來的嗎？」

「她一直都在學院裡，」娜塔莉說，「只比咱們低一個年級。」

我疑惑地看著莉莎，她只是聳了聳肩。

「她爲什麼那麼恨我們？」我問道，「我們倆都不認識她。」

「我不清楚。」娜塔莉回答，「也許她只是吃醋吧！妳們走的時候，她還什麼都不是，但她現在可是很紅，而且紅的速度非常快。她不是皇室，也沒有其他背景，但是跟艾倫約會之後，她……」

「知道了，多謝。」我打斷她。

我的目光從娜塔莉身上轉到了傑西．齊科洛斯身上，他正好從我們的桌子旁走過。

啊！傑西，我差點忘了他！我喜歡跟梅森還有其他的實習生打情罵俏，但是這份名單裡，卻不包括傑西。妳挑逗其他男生，可能只是爲了好玩；但是如果妳挑逗傑西，多半是希望能看到他半裸的身體。他是莫里族的皇室，而且十分英俊，他身上應該被貼個警告牌，上面寫著：易燃！

傑西看見我，對我笑了笑。「嗨，蘿絲，歡迎回來。妳還喜歡傷別人的心嗎？」

「你想試試嗎？」

他笑得更厲害了。「改天我們可以約會，看看結果如何——如果妳能得到假釋的話。」

他繼續走過去，我看著他，臉上充滿了仰慕。

娜塔莉和她的朋友對我肅然起敬。我在迪米特里面前可能不是神，但是在這群人面前，莉莎和我就是他們所有人的神——至少是前任的。

「哦，我的天哪！」一個女生喊道，我記不起她叫什麼名字了。「那是傑西！」

「回答正確。」我笑著說，「如假包換。」

「我眞希望長得像妳一樣！」她嘆了口氣，補充說。

她們都看著我。從本質上說，我是半個莫里族，但我的外表卻和人類一樣。在學院外面的日子裡，我和人類打成一片，看不出和他們有什麼差別，所以也很少想到自己的外表；而在這裡，在這些又瘦又平的莫里族女生面前，我的確可以算相當突出的——我是指自己凹凸有致的身材。

我知道自己很漂亮，但是對莫里族的男性來說，我的身材比臉蛋還要有吸引力，這是天性使然。拜爾族女性身上帶有一種異域風情，幾乎所有的莫里族男性都想「嘗一嘗」。

但是諷刺的是，拜爾族在這裡大受歡迎，而莫里族女性的身材，卻和人類世界中那些骨瘦如柴、被風一吹就倒的超級模特兒十分相像。絕大多數的人類都不可能達到那種「理想」的骨感，就像莫里族的女孩身材永遠不可能跟我一樣般

得不到的永遠是最好的！

下午，我和莉莎在一起上課，但是並沒有怎麼交談。她提到過的那些好奇的目光仍然跟在我們身後。我發現，和學員們聊得越多，他們的記憶就復甦得越多，慢慢地、一點一點地，他們似乎記起我們是誰，然後，好像是商量好了一樣，對我們之前瘋狂舉動的好奇，也漸漸地淡了下來。或者我應該說，他們記起了我是誰，因爲我是唯一不停說話的人。莉莎眼睛直視前方，耳朵聽著，但是既沒在意我的發言，也沒打算加入我和其他人的對話中，我能感覺到她莫名的焦慮和悲傷。

「沒關係。」我告訴她。

漫長的課程終於結束了，我們來到學校外面。我選在這個地方說話，已經打破了奇洛娃對我的約束。

「我們不會待在這裡，」我對她說，同時不安地看著學校周圍，「我會想辦法逃出去的！」

「妳認爲我們眞的還能再一次逃出去？」莉莎小聲問道。

「當然。」我信心十足地說，再次確定她無法感應我的感覺。其實，不是我想不出辦法。第一次逃跑就已經吃了很多苦頭，再來一次，就眞的可以說是犯賤了！

「妳肯定能想出來的，對吧？」她笑了，但應該是在對她自己笑，而非對我，就像她好像突然想起了什麼有意思的事。「妳當然能想出來，只是，嗯……」她嘆了口氣，「我不知道我們是不是應該離開，也許……也許我們應該留下來。」

我驚訝地眨眨眼。「妳說什麼？」這不是我無數套雄辯的回應之一，但卻是我能做出的最好反應。

我從沒想過她會這麼說！

「我看見了，蘿絲，我看見妳和其他的實習生在課間休息的時候聊天，聊有關訓練的事。妳錯過了它……」

「那也不值得妳這麼做！」我爭辯，「除非……除非妳……」我不知道怎麼說下去。

她說中了！她看透了我！我確實錯過了其他的實習機會，甚至錯過了保護其他莫里族。但是，我錯過的遠遠不只這些，由於經驗不足和落後其他人很遠，讓我的心情越來越沉重。

「也許這樣更好。」她繼續說，「我沒有許多……妳知道，幸福的時光。我沒有再感覺到有人在跟著我們，或者監視著我們了。」

在我們離開學院之前，她總是感覺有人在跟蹤她，好像她是獵物一樣。我從沒見過能切實表明這點的證據，但我曾經聽某一個老師提起這件事——卡普夫人，她是一位很漂亮的莫里族女性，有一頭深棕色的頭髮和高高的顴骨。

我非常確定她是個瘋子！

「你永遠不會知道是誰在監視你，」她曾經這麼說過。她在教室裡敏捷地走來走去，同時關上了所有的百葉窗。「也不知道是誰在跟蹤你，永遠記得，安全第一！」

莉莎這樣的想法，令我覺得十分困擾。

「怎麼了？」莉莎發覺我走神後問道。

「啊？沒事，只是隨便想想。」我嘆了口氣，試著在自己的想法和對她的最佳選擇之間找個平衡點。「莉莎，我們可以留下，但是……有幾個條件。」

她聽了之後，大笑起來。「蘿絲的最後通牒，是嗎？」

「我是認眞的，」我沒再多囉嗦，「我希望妳能夠遠離那些皇室成員，不包括娜塔莉那樣的，妳知道的，我是指玩弄權術的人，比如卡米莉、凱利，以及他們的人。」

她的表情從開玩笑轉爲吃驚。「妳是認眞的？」

「當然，反正妳也不喜歡他們。」

「但是妳喜歡。」

「我只是喜歡他們提供給我們的東西，比如派對什麼的。」

「所以妳並不喜歡接近那些人？」她懷疑地看著我。

「當然，我們在波特蘭時就這樣了不是嗎？」

「對，但是情況不一樣。」她的目光黯淡了下來，變得有些渙散。「在這裡，我們要努力成爲一分子，我無法避免。」

「妳當然可以，娜塔莉就不和那群人混在一起。」

「娜塔莉不必繼承她家族的榮耀。」她反駁說，「而我已經繼承了，我注定了要被捲進去，學著和他們打交道。安德烈……」

「莉茲，」我吼道，「妳不是安德烈！」

我眞不敢相信，她至今仍在拿自己和她的哥哥作比較！

「他總是周旋在這些事情當中。」

「對，妳說得對。」我快速回擊說，「結果他現在死了！」

她的表情變得嚴肅起來，「妳知道嗎？有些時候妳眞不是個好人！」

「妳需要我，不是因爲我是好人。如果妳只是想要好人，有一打以上的小綿羊會擠破頭爭著來當公主殿下妳的守護者。妳需要我是因爲我對妳說實話，而事實就是——安德烈已經死了！現在妳是繼承人，妳只需要和妳能力所及的人、事、物打交道。以目前這種情況來說，妳必須遠離其他那些皇室，我們要低調、要和他們劃清界限。再次捲入到那些事情裡的話，莉茲，妳會……」

「瘋掉？」她搶過我的話。

我避開她的目光，「我不是這個意思……」

「我明白了。」她停了一會兒，嘆了口氣，碰了碰我的胳膊。「好吧！我們留下來，離那些人遠一點。我們和他們劃清界限，如妳所願，然後和娜塔莉一起玩。」

憑良心說，這兩個舉動我都不喜歡。我想去參加所有的皇族派對，然後喝得酩酊大醉，就像我們以前那樣。自從莉莎的父母和哥哥去世之後，我們已經遠離了這種生活。

安德烈才是那個本應繼承他們家族頭銜的人，而他也確實做得很好。英俊而優秀，他吸引著所有人，是校園中所有皇家俱樂部和小集團的領袖。他死後，莉莎認爲接替他的地位，是她的家庭責任。

我要和莉莎一起走入那種人生，這對我來說輕而易舉，因爲我不用直接和那些政客打交道。我是個漂亮的拜爾族，生來就不介意各種麻煩，或是瘋狂的舉動。我成爲了一名實習生，他們喜歡有我在身邊，給他們帶來樂趣。但莉莎要面對的，則是跟我完全不同的事情。

德拉格米爾家族是十二個首領家族之一，因此，在莫里族的社會裡，莉莎的地位十分有影響力，其他的皇室都想和她保持良好的關係。其中有一些狐朋狗友想要拉攏她，用她來對付另外一些人——這些皇室成員可以同時拉攏和陷害一個人，這對於拜爾族和那些非皇室的成員來說，是絕對料想不到的。

這種殘酷的文化漸漸影響到莉莎，她天性開朗、與人爲善，這是我愛她的地方，所以我不喜歡看見她因爲這些皇室的遊戲，而變得緊張易怒。

「就這麼決定了！」我最後說，「先看看事情會如何發展，如果有問題的話，不管是什麼，我們就走人，絕對沒有爭議。」

她點了點頭。

「蘿絲……」我們聽見迪米特里的叫喚，他的身形若隱若現，我希望他沒有聽到剛才我們說的話。

「妳的訓練遲到了！」他平靜地說，在看到莉莎之後，禮貌地點點頭。「公主殿下。」

和迪米特里回去的路上，我很替莉莎擔心，不知道留在這裡的決定是不是正確。心電感應沒有給我任何提示，但是她的情緒無處不在，迷茫、懷舊、恐懼、期待……強烈地向我湧來。就像坐飛機似的，她的情緒越來越激動，在我抵抗之前，已經將我困在她的腦海裡，現在我既能感覺到，也能看見她所做的。

她正朝著一座非常小的俄式傳統禮拜堂走去，這是供學校的信徒禱告用的地方。莉莎經常做彌撒，而我不會，我和上帝作了一個約定——只要可以讓我在星期天時睡到自然醒，我就永遠信奉祂！

但是，當她走進去，我能感覺到她並不是爲了禱告，她還有其他的目的，一個我不知道的目的！她環顧四周，確認了附近沒有牧師，也沒有其他的禱告者——這個地方空無一人！

她悄悄走進禮拜堂後面的一個門廊，沿著狹窄的、嘎吱作響的樓梯拾級而上，來到閣樓。這裡又暗又髒，唯一的光線來自於一扇褪色的大玻璃窗，將外面正在緩緩升起的太陽光聚成一束，變成撒在地板上的點點七彩寶石。

直到這一刻，我才知道這裡是莉莎經常來的清靜處所。來到如此熟悉的地方，她的焦慮在一點一點減輕。她爬上窗戶，坐在窗台，頭靠在窗框上面，享受著這片刻的安靜和微弱的亮光。

和血族不同的是，莫里族可以接受日光，但是只有一點點。這裡有玻璃擋住大部分陽光，她可以想像自己是坐在陽光下。

「呼吸！深呼吸！」她對自己說，「會沒事的，蘿絲能夠搞定所有事！」

她是如此篤定，和以往一樣，然後又放鬆了些。

這時，一個低沉的聲音在暗處響起：「妳可以擁有整座學院，而不是只有這窗台。」

莉莎跳了起來，心臟怦怦響。我感覺到了她的緊張，自己也跟著緊張起來。

「誰在那裡？」

片刻之後，一個身影從一堆箱子後面走了出來，往前邁了幾步，在微弱的光線下，熟悉的影像漸漸顯現——亂糟糟的黑髮、黯淡無光的藍眼睛、永遠帶著譏諷的虛假笑臉。

是克里斯蒂安．歐澤拉！

「別害怕，」他說，「我不會咬妳的……好吧！至少不是妳害怕的那種咬。」

他為自己的笑話而得意地咯咯笑起來，但是莉莎並不覺得好笑，她幾乎忘記了克里斯蒂安這個人，我也是。

不管我們的世界裡發生了什麼，一些關於吸血鬼最基本的事實是不變的——莫里族是活著的吸血鬼，而血族是永遠不會死的吸血鬼；莫里族是平凡的，而血族是不朽的；莫里族是被生下來的，而血族是被創造出來的。

變成血族有兩種方法：只要咬一下，血族就可以將人類、拜爾族或著是莫里族強制變成自己的族類。如果莫里族在進食時殺死餵食者，在得到血族的同意後，他也可以變成血族——這種作法被認爲是變態的，是所有罪行中最嚴重的一項，被認爲是對莫里族的生活方式和人類的雙重挑釁，選擇了這條路的莫里族，將失去對自然元素的掌控能力，以及其他的能力——這就是他們不能待在太陽下的原因。

而這就是在克里斯蒂安的父母身上發生過的事……

他們變成了血族！

5

或者說，他們曾經是血族，然後，一隊守護者找到他們，把他們殺死了！

如果傳言是眞的，當時還是個孩子的克里斯蒂安見證了這一切。他雖然不是一個血族，但某些人認爲，他遲早也會變成血族，因爲他總是穿著一身黑，並且從不和人往來。

不管他是不是血族，我都不信任他。他是個笨蛋！

我尖叫出聲，希望莉莎趕緊離開那裡，但是，我的尖叫並不管用。這該死的單向心電感應！

「你在這裡做什麼？」她問道。

「當然是爲了看風景。每年的這個時候，這把柏油帆布的椅子都顯得特別可愛！那裡放著一個舊箱子，裡面藏著許多關於這座神聖又瘋狂的聖弗拉米爾學院的東西。當然，也別忘了角落裡那張沒有腿的漂亮桌子。」

莉莎的眼睛看向門口，想要離開，但是，他攔住了她的去路。

「那麼妳呢？」他嘲弄地說，「妳上來這裡做什麼？不用去參加派對或是破壞什麼表演嗎？」

莉莎身上原有的氣勢又回來了。「哈！聽起來眞好笑！我看起來像在舉行什麼慶典嗎？想要惹惱莉莎好證明你有多酷？今天連我不認識的女生都敢對我大吼大叫，現在我會理你？爲什麼你不滾一邊去呢？」

「這就是妳來這裡的原因？來參加一個爲可憐人開的派對？」

「這不是笑話，我是認眞的。」

我打賭莉莎生氣了，這令她暫時忘記了先前的煩惱。

克里斯蒂安聳聳肩，慵懶地依靠在傾斜的牆壁上。「我也是。我喜歡參加可憐人派對，眞希望我是戴著帽子來的。先告訴我妳爲什麼悶悶不樂？妳是怎麼在一天之內重新變得受歡迎且獲得大家的愛戴呢？妳是怎麼做到等上兩個星期，就爲了霍里思特運來的幾件新衣服？就算妳出去逛街，也花不了這麼長的時間。」

「讓我走！」她生氣地說，這次，她將他用力推開。

「等一下。」他在莉莎走到門口的時候叫住她，聲音裡沒有了嘲諷。「那是什麼……呃……什麼樣的感覺？」

「什麼是什麼樣的感覺？」她反問道。

「待在外面的世界……離開學院……」

她在回答之前猶豫了一會兒，被他的眞誠弄了個措手不及。「很棒，沒有人知道我的身分，我好像變成了另外一個人，不是莫里族、不是皇室，什麼都不是。」她看著地板，「這裡的每個人都以爲他們知道我是誰……」

「對極了！人很難擺脫自己的過去而活。」他痛苦地說。

在那一刻，莉莎被深深地觸動了，我也沉默了。

這讓我們想起克里斯蒂安活得有多麼辛苦，大部分時候，人們都當他不存在，好像他是個幽靈，他們也從不談起他，完全忽略他的存在。他的父母犯下的罪行留下了深深的烙印，讓整個歐澤拉家族都蒙上了一層陰影。

不管怎麼說，他激怒了莉莎，所以，莉莎並不爲他感到難過。

「等一下，現在是你的可憐人派對嗎？」

他笑了起來，贊同地說：「我在這裡開派對已經一年了。」

「眞是對不起！」莉莎尖刻地說，「在我離開之前，這裡就是我的地方了，我比你更早發現這裡。」

「這算什麼？先搶先贏嗎？我必須經常在禮拜堂附近出現，這樣人們才知道我還沒有變成血族……到目前爲止。」他再次痛苦地說。

「我過去經常看見你做彌撒，這就是你的目的嗎？讓自己看起來像個好人？」血族是沒法進入聖地的，他們是被全世界詛咒的生物。

「對呀！」他說，「不然還能有什麼目的呢？爲了靈魂的純潔？」

「隨你怎麼說！」莉莎說。很明顯，她不那麼認爲，「我要走了，你可以留在這裡。」

「等等！」他又叫住莉莎，似乎不想讓她走，「咱們做個交易。如果妳回答我這個問題，妳也可以繼續來這裡。」

「什麼問題？」莉莎回頭看著他。

他湊了過來。「今天我無意間聽到很多關於妳的流言，相信我，那些流言多得滿天飛！他們還神祕地說了些其他的事，比如妳爲什麼離開、妳們在外面做了些什麼、妳爲什麼回來、妳的特殊，還有蘿絲對米婭的所作所爲……等等。而這些人居然沒有一個對蘿絲編的愚蠢故事有所質疑，她居然說外面到處有人類可以讓妳吸血！」

她避開了他的目光，我能感覺到，她的雙頰燒得通紅！「那並不愚蠢，也不是故事。」

他輕輕地笑了。「我和人類生活過，跟阿姨住在一起，在我父母……死了之後，我知道，尋找血液並沒有那麼容易！」見到莉莎沒有回答，他又笑了起來。「我猜是蘿絲，對吧？她給妳餵食。」

她和我又重新升起恐懼。學校裡不應該有人知道這件事！奇洛娃和當時在場的守護者知道這件事，但他們不會四處詔告天下。

「嗯，如果這不能被稱爲『友誼』的話，我不知道還能怎麼解釋。」他說。

「你不能告訴別人！」莉莎脫口道，我們都需要他保密。

我剛剛才想起來，餵食者都會對被吸血這件事上癮，我們可以將其視作日常生活的一部分，但是卻看不起這些上癮的人。特別是拜爾族主動讓莫里族從自己身上獲取血液的行爲，經常會被認爲是……呃……骯髒的！事實上，更惡劣、更齷齪的，是拜爾族允許莫里族在做愛的過程中吸食血液。

莉莎和我沒有上過床，這是毫無疑問的，但是我們都瞭解，當別人知道這件事之後，會怎麼看我。

「不能告訴別人！」莉莎重複道。

他將手插進大衣口袋裡，坐在一個箱子上。「我能告訴誰呢？現在，妳可以在窗台坐一整天，或者是出去散散步，如果妳不再怕我的話。」

莉莎猶豫著，看著克里斯蒂安的表情。他看起來陰鬱、乖戾，嘴上掛著「我是個混蛋」的招牌式笑容，但是，他似乎沒有那麼危險。

他不是血族！莉莎小心翼翼地坐回窗台上，不自覺地抓住他的胳膊，抵禦寒冷。

克里斯蒂安看著她，一會兒過後，屋子裡暖和了許多。

莉莎迎上克里斯蒂安的目光，笑了，她驚訝自己之前從沒注意過他冰冷的藍眼睛。「你的能力是火？」

他點點頭，拉過一把壞了的椅子。「現在我們有個奢侈的家具了。」

然後，我停止了心電感應……

「蘿絲？蘿絲！」

我眨了眨眼，眼前漸漸浮現出迪米特里的臉。他俯身看著我，雙手抓住我的肩膀，我們正站在區隔高年級校區的廣場中央。

「妳沒事吧？」

「我……對，我……我和莉莎……」我拍了拍額頭。我從來沒有過時間這麼長、感覺這麼清晰的心電感應。「我剛剛在莉莎的意識裡！」

「她的……意識？」

「對，就是心電感應的一種。」我不想詳細解釋。

「她還好嗎？」

「嗯，她……」我有點猶豫。

她還好嗎？克里斯蒂安剛剛邀請她一起去散步，這不太好，他們之間應該要「劃清界限」的，而現在事情正朝著不好的方向發展。但是，我卻感覺不到她有任何害怕或者生氣的情緒，除了有點緊張，其他都很好。

「她沒有遇到危險，」我最後這樣說道。希望如此！

「妳能繼續走嗎？」

有那麼一刻，我之前看見的那個強硬、堅韌的戰士不見了，他看起來確實很擔心！非常擔心！他看著我的目光在我身體深處點燃了一把火，當然，這火焰很愚蠢。我沒有理由僅僅因爲眼前的這個人比他看起來的還要好，就表現得這麼傻。不管怎麼說，根據梅森的說法，他是一個不會與人交往的神，是那種會讓我渾身上下沒有一處不疼的人。

「沒事，我很好。」

我走進體育館的更衣室，換上了訓練服——這是我穿著牛仔褲和T恤接受訓練一整天之後，某人終於想起要給我的。

眞是太討厭了！莉莎和克里斯蒂安一起出去的這件事一直困擾著我，直到後來，我身上的肌肉告訴我，它們不想再接受額外的訓練，我才把這個念頭拋諸腦後。

我向迪米特里提議這次他應該讓著我，他笑了起來，我很確定他是在嘲笑我，而不是和我一起笑。

「有那麼好笑嗎？」

他的笑容退去，「妳是認眞的？」

「我當然是認眞的！看，我基本上可以算兩天沒有睡覺了，我們為什麼一定要現在就開始訓練課程呢？讓我回去睡一覺吧！」我發著牢騷，「就睡一個小時！」

他環著雙臂看著我，早先的擔心已經不見了，現在他只是個公事公辦的人，沒有愛心。「妳現在覺得如何？我是指截至目前為止妳所接受的訓練。」

「像下了地獄！」

「明天妳的感覺會更糟！」

「所以？」

「所以，最好全身心地投入，在妳的感覺……還不是那麼糟的時候。」

「這是什麼邏輯!?」我頂嘴說。

但是，他已經帶著我走進了舉重房，我無法再反抗。

他指了指想讓我操作的啞鈴，以及我需要完成的次數，隨後便坐在角落，看起了一本破破爛爛的西部小說。

什麼神嘛！

我做完以後，他站在我旁邊，示範了幾個幫助肌肉放鬆的伸展動作。

「你最後是怎麼成爲莉莎的守護者的？」我問道，「幾年前你還不在這裡。你也是從這間學院畢業的嗎？」

他並沒有馬上回答，我覺得他似乎不常對別人談起自己。「不是，我是從西伯利亞那間學院畢業的。」

「哇哦！那是唯一一個比蒙大拿還差的地方！」

他的眼睛閃動著光芒，也可能是戲謔，但是，他不承認我的笑話好笑。

「我畢業以後，原本擔任齊科洛斯殿下的守護者……他最近被殺了！」他收去了笑容，表情變得沉重。「他們將我調到這裡，因爲學院需要更多的支援。公主殿下在學院裡出現以後，他們便任命我爲她的守護者，那時，我已經做好貼身守衛的準備。」

我想了想他剛剛說過的話。有血族殺死了他守護著的人？

「這個齊科洛斯殿下是在被你保護的時候被殺死的嗎？」

「不是。當時保護他的，是其他的守護者。」

他又開始沉默，意識不知飄向何處？

莫里族希望能多幾個我們這樣的守護者，但是他們沒有意識到，這些守護者也算是人類，和其他工作一樣，也是要領取薪水和休假的。

有些守護者——比如我媽媽，會拒絕休假，永遠不離開他們守護的莫里族。看著現在的迪米特里，我覺得他很有可能變成這種人。如果他是在規定的時間離開，那麼或許他就不會爲這個人的死如此自責……

不對！就算他是合理休假，他很可能還是會這樣！

如果莉莎身上發生了這樣的事，我也會責怪我自己的！

「嘿，」我說道，突然希望他能夠振作起來，「把我們找回來的計畫，你是不是也有份參與？因爲這個計畫太完美了，乾淨俐落！」

他揚起一邊的眉毛，表示好奇。酷斃了！我一直希望自己也能這麼做。

「妳是在恭維我？」

「呃……這確實比上次他們的計畫要好太多了！」

「上次？」

「對，在芝加哥，他們派了一大群毗斯艾獵犬對付我們。」

「我們是第一次發現妳們！在波特蘭！」

我做完伸展動作，盤腿坐在地上。「哈！我可不認爲毗斯艾獵犬是我自己幻想出來的。還有誰會派出這些東西來呢？唯一的答案就是莫里族，也許沒人跟你說過這件事。」

「也許。」他不情不願地說。我從他的表情能看出來，他根本不相信。

訓練結束之後，我回到了拜爾族實習生的宿舍。

莫里族的學員住在廣場的另外一頭，離學生餐廳很近。對於住宿的安排，有一部分是出於對行動方便的考量。住在這裡，能讓實習生離體育館和訓練操場近一些。

而讓我們分開住宿，也是因為莫里族和拜爾族生活方式的不同。他們的宿舍只有一邊有個小窗戶，陽光即使透過去，也會變得很暗。而拜爾族實習生的宿舍則修建得明亮一些，允許有更多的光線照進來。此外，莫里族的宿舍還有一個特殊的區域，讓他們可以隨時找餵食者進食。

因為女實習生非常少，我自己單獨住一個房間。他們分給我的房間小而簡單，有兩張一模一樣的單人床，還有一個放著電腦的桌子。我少部分留在波特蘭的私人物品，現在都被放在箱子裡，沿著牆擺成一排。

我走過去，從裡面拿出來一件T恤充當睡衣，還找到了兩張我拍的相片，一張是我和莉莎在波特蘭觀看足球比賽，另一張是我和莉莎一家去度假時拍的，在事故發生的一年之前。

我將照片擺在桌子上，打開了電腦。

技術部的工作人員給我了一份清單，寫下來如何更新我的E-mail信箱，並重設密碼，我照著上面寫的做了，並且很高興地想到——沒人發現這個能夠成爲我和莉莎聯絡的好方法！

但，現在我實在太累了，沒力氣發E-mail。就在我打算關掉所有的程式時，我發現我收到了一條簡訊，發件人是珍妮·海瑟薇。

簡訊十分短——

很高興妳回來，妳做的事情真不可原諒！

「我愛妳，媽媽……」我喃喃地說，關掉了電腦，走向後面的床，在靠上枕頭之前就沉入了夢鄉。

正如迪米特里所說，第二天我醒來之後，覺得比昨天還要糟上十倍！

我躺在床上，重新考慮逃走的可能，然後，我記起自己的屁股被人踢了一腳，而唯一讓這件事不再發生的辦法，就是忍受今天早上被踢更多次屁股。

午餐時間，我提前將莉莎從娜塔莉的桌子旁拖走，給她來了一次奇洛娃式的演講，是關於克里斯蒂安的，還特別叮囑了一下他知道我曾給她餵食這件事。如果這件事洩露了，無疑會毀了我們兩個的社交生活，我實在不相信他能保證不說。

但莉莎關心的，卻是另外一件事——

「妳又進入我的意識了？」她大聲說，「有多久？」

「我不是故意這麼做的，」我辯解說，「它自然而然就發生了！這不是重點，妳後來和他去散步了嗎？走了多久？」

「沒有很久，那還……蠻有意思的！」

「聽著，妳不能再這麼做了！如果被人發現妳和他一起散步，他們會把妳釘在十字架上的！」

我小心地看著她，「妳不會是……喜歡上他了吧？」

她一口否認。「不！當然不會！」

「很好。如果妳想和男生約會，那就把艾倫搶回來。」

艾倫是個很無聊的人，沒錯，但是很安全，就像娜塔莉。爲什麼這些無害的人都像個飯桶呢？也許這就是「安全」的定義。

她笑了起來，「米婭會把我的眼睛挖出來的！」

「我們能搞定她，再說，艾倫值得一個不會去Gap（注❹）童裝部買衣服的女孩。」

「蘿絲，妳該改改用這種口氣說話了！」

「我只是說出妳沒有辦法說出口的話罷了。」

「她只比咱們低一個年級。」莉莎笑著說，「我眞不敢相信，妳居然會以爲我是那個給咱們惹麻煩的人。」

我們說笑著向教室走去，我意味深長地看了她一眼。「艾倫確實長得很可愛，對吧？」

她也笑了，但是避開了我的目光。「對，很可愛。」

「唔，妳明白了？妳應該和他約會。」

「現在和他做朋友也很好。」

「我指的是那種恨不得把舌頭伸到對方喉嚨裡的朋友。」

她翻了個白眼。

「好吧！」我繼續揶揄她，「就讓艾倫留在保母學院吧！但請妳離克里斯蒂安遠一點，他很危險！」

「妳反應過度了！他不會變成血族。」

「他會帶給妳不良影響。」

莉莎笑了起來。「妳是說我有變成血族的危險？」

她沒有等我回答，直接推開了科學教室的大門。我站在門口，不自在地想著她說的話，過了一會兒才跟進去。

走進教室後，我見識到了什麼叫作「皇室的權利」。有幾個傢伙圍在一個瘦得像竹竿一樣的莫里族人周圍，一邊嘰嘰咕咕，一邊偷瞄著女生。我對那個莫里族人並不十分瞭解，但是我知道他很

注❹：在美國的一個服裝品牌。

窮，而且肯定不是皇室。

折磨他的人當中，有兩個是「氣」的使用者。他們將紙從他的桌子上吹掉，那個莫里族人試著去抓那些紙，但是他們卻用能力使紙片滿屋子亂飛。

我的本能告訴我應該做點什麼，也許是揍其中一個「氣」使用者一拳，但是，我不可能對一群根本就不會注意我的人尋釁滋事，特別是他們還是一群皇室成員，莉莎尤其需要遠離他們的視線。所以，我只好藉著走向座位的機會，狠狠瞪了他們一眼，以表示自己的厭惡之情。

我這麼做的時候，有一隻手抓住了我的胳膊，是傑西。

「嘿！」我用開玩笑的語氣說。幸運的是，他似乎沒打算加入那群折磨人的傢伙。「商品禁止觸摸。」

他對我笑了一下，但是還是一直抓著我。「蘿絲，跟保羅講講妳在卡普夫人的課堂上發動戰爭的事。」

我抬起頭看著他，朝他淘氣地笑了笑。「我在她的課堂上發起過很多次戰爭。」

「和寄居蟹的那次，對手是沙鼠。」

我大笑著，也記了起來。「哦，對極了！但是我想，那是一隻倉鼠。我只不過把牠扔進了螃蟹堆裡，因為它們離我實在是太近了，所以我就讓他們打起來。」

保羅就坐在附近，也笑了起來。我真的不認識他，他是去年轉學過來的，很明顯，他從沒聽說過這件事。「誰贏了？」

我略帶嘲弄地看著傑西。「我記不起來了。你還記得嗎?」

「不記得,我只記得卡普被嚇壞了。」他轉向保羅,「兄弟,你眞應該見見我們這個一團混亂的老師,她總覺得別人都比不上她,而且還經常做一些毫無意義的事。她根本是個瘋子,經常在大家都睡覺的時候在校園裡閒逛。」

我乾巴巴地笑著,好像我也覺得她很好笑。但是,當我再次想起卡普夫人的時候,卻驚訝地發現,這是我在兩天裡第二次想起她這個人。

傑西說的對,卡普夫人在這裡工作的時候,確實經常在校園裡閒逛,這眞的很奇怪。有一次我還親眼撞見過,但,我不是有心的,當時我想從宿舍的窗戶爬出去和某人約會,那時已經熄燈很久了,我們都應該待在各自的臥室裡,睡得像豬一樣,但這種逃跑戰術對我來說是經常發生的事,我可是箇中好手。

但是,那次我失手了!

我住在宿舍的二樓,當我下到一半的時候,突然感應到大地的呼喚。我絕望地想抓住什麼,好放慢自己跌落的速度。樓房粗糙的石塊磨破了我的皮膚,但我現在沒有工夫去留意那些傷口。我跌在草地上,任憑風吹著我。

「糟糕的降落!蘿絲瑪麗,妳應該更小心一點,妳的老師肯定會很失望的!」

我從髮絲間的縫隙看見卡普夫人俯身看著我,臉上一副疑惑的表情。與此同時,疼痛襲擊了我身體的每個部分。

我盡最大努力忍著疼痛，用力站起來。

和其他學生在教室裡聽瘋子卡普講課是一回事，而在外面和她單獨相處又是另外一回事。她很怪異，渙散的眼神令我起了雞皮疙瘩。

我以爲她會拉著我去見奇洛娃，讓我被關禁閉，但是她沒有！她只是笑著拉著我的手。我有些害怕，但還是讓她拉著。

她看見我手上的擦傷時，嘖嘖出聲，更用力地握緊了我的手，輕皺眉頭。我的皮膚有微微刺痛的灼燒感，接著，在一陣歡快的嗡嗡聲中，傷口癒合了！我只覺得頭暈、體溫升高，然後，血漬消失了！我屁股和大腿上的疼痛也不見了！

我喘著氣，猛地抽出手。曾經見過許多莫里族的魔法，但是沒有一種是像這樣的。

「妳……妳做了什麼？」

她再次對我奇怪地笑了笑。「回宿舍去吧！蘿絲。外面有壞人，妳永遠不知道什麼東西跟在妳身後。」

我仍然盯著手在看。「可是……」

我抬起頭看著她，發現了她額頭側面的疤痕，那好像是被指甲掐出來的。

她眨眨眼，「如果妳不告發我的話，我也不會告發妳。」

我被那個奇怪夜晚的回憶搞得有些不安，與此同時，傑西告訴我有個派對。

「今天晚上妳要違反對妳的規定了！我們八點半會去森林集合，馬克弄到了些野草。」

我愁悶地嘆了口氣，討厭重新想起卡普夫人帶給我的恐懼感。「我沒法違反規定，我必須和我的俄國獄卒待在一起。」

傑西鬆開了我的胳膊，看起來有些失望，另一隻手撥了一下他棕色的頭髮。

「妳就不能不裝成好孩子嗎？」他開玩笑地說。

找到了自己的座位後，我對他笑了笑，希望自己看起來魅惑。

「當然，」我回過頭，「如果我是個好孩子的話。」

6

被莉莎和克里斯蒂安的會面攪得心神不寧的第二天，我就有了個主意。

「嘿！奇洛娃……呃……奇洛娃夫人。」我站在她的辦公室門口，表明這並不會是個冗長的談話。

她從面前的一堆文件中抬起頭看我，很明顯不想看到我。

「什麼事？海瑟薇小姐。」

「我的禁令裡面包括『不許進教堂』這一條嗎？」

「請妳再重複一遍。」

「妳說過我除了上課還有訓練的時間以外，都要待在宿舍，但是星期天的禮拜呢？我真的不覺得剝奪我在信仰上的需求是一件……呃……公平的事。」或者是剝奪我另一個和莉莎一起的機會，不管時間多短、內容有多無聊。

她將架在鼻梁上的眼睛向上推了推。「我不知道妳還有什麼信仰上的需求。」

「在我離開的這段時間裡，我回到了耶穌的懷抱。」

「妳的媽媽不是個無神論者嗎？」她諷刺地說。

「我的爸爸可能是個穆斯林呢！然而，我要走自己選擇的道路，妳不能剝奪我這個權利。」她發出了類似偷笑的聲音。「妳說的對，海瑟薇小姐，我不應該這麼做。妳可以參加星期日的禮拜活動！」

這種勝利的感覺並沒有持續很久，我在幾天後去教堂參加禮拜活動時發現，這裡和我記憶中一樣無聊，一點都沒有變化。

我確實坐在莉莎的旁邊，但總感覺和這裡格格不入，大部分時間，我只是一個旁觀者。教堂對學生是自由開放的，但來這裡的，大多數是來自歐洲東部國家的家庭，有許多學生是東正教派（注❺）的信徒，他們出現在這裡的原因，除了這確實是他們的信仰以外，還有他們父母的逼迫。

克里斯蒂安坐在走道的另一邊，裝出虔誠的樣子。我實在是很討厭他，但是他那種虛假的虔誠，還是把我逗笑了。

迪米特里坐在後面，臉上的輪廓分明，他和我一樣，心思都不在禱告上。看著他若有所思的表情，我懷疑他根本就沒在聽牧師的佈道，我還會有一搭沒一搭地聽上幾句。

「跟隨上帝的腳步並不容易，」牧師說，「哪怕是聖弗拉米爾——創建這所學院的聖徒，都有他最困難的時期。他身上充滿了靈性，人們都願意聚集在他周圍，為他的演講所著迷，成為他忠實的聽眾。舊約上說，他的靈性是那麼偉大，可以幫人治癒疾病，但是，儘管擁有這麼多天賦，還是有人不尊重他，他們譏諷他，稱他是『迷失了方向的羔羊』。」

這等於委婉地說弗拉米爾是個瘋子。所有人都知道，他是為數不多的幾個莫里族聖徒之一，所以牧師很喜歡宣講他的事跡。在我跟莉莎離開學院之前，他的事我就已經全部聽過了，而且不只一遍。

太好了，看來我所有的星期天都要拿來聽他的故事，而且是一遍又一遍！

「……同樣的事情也發生在影吻者安娜的身上……」

我猛地抬起頭。我不知道牧師現在講的是哪部分，我經常會走神，但是，那幾個字蹦進了我的腦海。

影吻者——我聽說這個名稱已經有一段日子了，而且從沒有忘記過。

我等牧師繼續往下說，但是他已經開始講下一部分。

不久之後，彌撒結束了，整個教堂的人，包括莉莎，都準備離開。

我對莉莎搖了搖頭。「等等我，我馬上就來。」

我從擁擠的人群中擠過去，走到教堂前面，牧師正在和他周圍的幾個人說話。娜塔莉也在這些人裡，她正詢問著有沒有她能夠做的志願者工作，當她問完離開的時候，對我打了個招呼。

注❺：基督教其中的一個派別，主要是指依循由東羅馬帝國所流傳下來的基督教傳統教會，它是與天主教、基督新教並立的基督教三大派別之一。

牧師看見我，揚了揚眉毛。「妳好，蘿絲，很高興能再次見到妳。」

「是呀……我也是。」我說，「我聽見你剛才提到安娜，說她是一個影吻者，那是什麼意思？」

他皺皺眉頭。「我知道的也不完整。她生活在很久以前，那時，在人的名字前面，會根據他的特點加個稱號，也許是爲了聽起來更厲害一點，這是很普通的事情。」

我掩飾住自己的失望。「哦，那麼她是什麼人？」

這回他皺眉頭是表示不滿，而不是在思考了。「我說過許多次了。」

「哦，那麼我一定是……呃……錯過了！」

他更加不滿，然後轉過身子。「妳稍等一下。」

他消失在走道旁邊的門後，就是莉莎走去閣樓的那個。我想偷偷溜走，但是考慮到上帝也許會爲了此事而懲罰我，還是作罷。

不到一分鐘，牧師拿著一本書回來了。他把書遞給我，書名叫作《莫里族的聖徒》。

「妳可以在這本書裡讀到她的故事，希望下次我見到妳的時候，妳可以講給我聽。」

我往回走的時候愁眉不展。好極了！牧師給的家庭作業。

在教堂門口，我看見莉莎在和艾倫聊天。她有說有笑，傳遞給我的感覺說明她很開心，但肯定與愛情無關。

「你騙人！」她大聲說。

艾倫搖搖頭。「不騙妳。」

莉莎看見我走過來，對我說：「蘿絲，妳絕對不會相信這個。妳知道艾比嗎？還有贊德，他們的守護者想要辭職，和其他的守護者結婚！」

這才是令人興奮的大八卦！不對，是醜聞！

「眞的？他們打算私奔嗎？」

莉莎點點頭。「他們租了個房子，我猜還要在人類的世界裡找份工作。」

我看了看艾倫，他似乎因爲我在這裡而變得十分害羞。

「艾比和贊德對這件事有什麼看法？」

「還好，就是有些尷尬，他們認爲這件事很愚蠢。」這時，他突然意識到是在跟誰講話，「哦，我不是說……」

「沒關係。」我對他乾笑了一下，「事實如此。」

哇哦！我吃驚極了。我身體中反叛的部分愛死了那些「反抗傳統」的故事，只是，他們要反抗的是我的種族的傳統，我被教導要一生信奉的傳統。

拜爾族和莫里族之間有一個很奇怪的規定——拜爾族是莫里族和人類結合的結晶，不幸的是，拜爾族不能與自己的族人結合來繁衍後代，也不能與人類通婚生子。這在基因學上是很奇怪的一件事！聽說騾子也是這樣的——儘管我並不喜歡聽到這種比喻。

拜爾族和血統純正的莫里族可以生下孩子，他們的孩子生下來就是標準的拜爾族，有一半人類的血統，一半吸血鬼的血統，這又是基因學上的一個怪現象。

拜爾族只有跟莫里族一起，才能維持自己種族的延續，因此必須緊跟在莫里族身邊，和他們混居在一起。莫里族的存在對我們拜爾族來說很重要，沒有他們，我們就完了！而因爲血族十分偏愛奪取莫里族的性命，所以拯救他們，成了我們理所當然要考慮的事情，整個守護者系統，就是因此發展而成的！

拜爾族沒有魔法，但我們能夠成爲很好的戰士！

我們的基因裡繼承了吸血鬼敏銳的感覺和快速的反應，也繼續了人類更加強壯的力量和忍耐力，而且也不受血液和陽光的困擾。

當然，我們肯定沒有血族那樣的力量，但是經過刻苦訓練，守護者確實在保護莫里族安全的這項工作上幹得不錯。大部分拜爾族都認爲，冒著生命威脅來換取自己的後代能一直繁衍下去，是很值得的一件事。

然而，莫里族的人大多數還是想要一個有著純正莫里血統的孩子，所以很少看到莫里族和拜爾族之間有長久的愛情關係，而想要見到一個莫里族的女孩和拜爾族的男孩約會，更是少之又少。

但是，有很多的莫里族男性喜歡玩弄他們身邊的拜爾族女性，哪怕他們最後還是要和莫里族的女人結婚，於是，大量的拜爾族單身媽媽便因此而產生，但是她們夠堅強，能夠搞定這一切。

有很多拜爾族的單身媽媽爲了撫養自己的孩子，選擇不做守護者。這些女性有時以跟莫里族和人類進行「正常」的交易爲生，有些則聚集在一起，組成一個社區。這些社區的名聲很壞，我不知道傳言有多少是眞的，他們說去那裡的莫里族男性，只是爲了性，有的拜爾族女性還允許他們在做愛的過程中吸自己的血！

如此一來，幾乎所有的守護者都是男性，這意味著莫里族的數量要遠遠超過守護者的數量。拜爾的男性大多都能接受自己不會有孩子的事實，他們清楚自己的職責就是保護莫里族，這樣他們的姊妹或者表姊妹才能懷有小孩。

有的拜爾族女性——比如我媽媽，仍然覺得成爲守護者是她們的職責，哪怕這意味著自己無法撫養孩子長大。

在我出生之後，我的媽媽把我交給莫里族帶大。莫里族和拜爾族的學院會收很小的孩子，因此，從我四歲以後，學院就充當了我父母的角色。

有了母親作榜樣，再加上我在學院所受的教育，我一心一意地認爲，拜爾族的職責就是保護莫里族的安危，這是我們命中注定的，而且，我們只能在這條路上一直走下去，就這麼簡單。

這就是爲什麼艾比的守護者的所作所爲令我這麼吃驚，他背棄了他守護的莫里族，和另一個女守護者私奔了，而那個女守護者也背棄了她守護的莫里族。他們兩個並不能生下孩子，還使得現在有兩個家庭失去了保護，這麼做有什麼意義？沒有人在意少年拜爾族談戀愛，也沒有人在乎成年的拜爾族偷情，但是爲此私奔？毫無意義，而且也有失體面。

我們又八卦了一下艾比的事之後，告別了艾倫。

在我們往外走的時候，我聽見了一陣奇怪的聲音，然後，似乎有東西掉落了。當我意識到發生什麼事的時候，已經太晚了——教堂的屋頂上掉下來一堆水泥漿，澆在我們身上。

現在是十月初，昨天晚上還下了一場早到的雪，剛剛才開始融化，澆在我們身上的水泥漿又冷又潮。

水泥漿大部分都澆在莉莎身上，周圍幾個人也沒能倖免，身上被濺上了少許。

「妳還好吧？」我問莉莎。

她的大衣濕透了，被澆成白金色的頭髮貼在臉上。

「還……還好。」她哆哆嗦嗦地說。

我脫下自己的大衣遞給她，這件衣服光滑的面料非常防水。

「把它穿上。」

「但是妳……」

「穿上！」

她聽話地穿上大衣，我這才得以轉身看著那些好事的圍觀者，這種情況通常是少不了他們的！我避免和他們的目光對視，只把注意力集中在莉莎換下來的濕外套上。

「眞希望妳沒有穿外衣，蘿絲。」拉爾夫說，他是一個罕見的、長得又矮又胖的莫里族，我很討厭他。「這件襯衣如果淋濕了會很好看。」

「妳身上的襯衣難看極了！應該拿去燒掉。是從流浪漢身上扒下來的嗎？」米婭走過來，挽著艾倫的胳膊。

她金色的捲髮很完美，腳上的那雙漂亮的黑色高跟鞋如果換成我來穿會更好看，不過至少，這能讓她看起來高一點，我就不跟她搶了。

艾倫離我們只有幾步遠，但是奇蹟般的，他的身上沒有一點水泥漿。看著米婭的神情，我就知道根本不會有什麼奇蹟。

「我想妳是自告奮勇想要燒掉這件衣服，對嗎？」我問道，不想讓她知道這種羞辱令我多麼生氣。我清楚地知道，在過去兩年裡，我的理智退化得有多麼厲害。「咦？等等！妳的能力不是火，對吧？是水。實在太巧了！剛剛澆在我們身上的也是水。」

米婭的表情看起來，好像被侮辱的人是她。「妳這話是什麼意思？」

「別問我，不過奇洛娃夫人可能有些話要跟妳說，如果她知道妳用魔法來對付其他同學的話。」

「這不是襲擊！」她奚落地說，「而且也不是我幹的，這是天意！」

有幾個人聽了大笑起來，這讓她更加得意了。

此時，我腦海中幻想的畫面是這樣的——我狠狠給她一拳，將把她揍飛過教堂的另一邊。但，幻想只能是幻想。

莉莎輕輕推了推我，說：「咱們走。」

我們倆向可愛的宿舍走去，將那些看熱鬧的人和我們被惡作劇的笑話留在身後。

莉莎並不覺得這其中有蹊蹺，但我的內心並不平靜。我認爲必須要給米婭一點教訓，除了她把我惹怒了之外，我也不希望莉莎變得更緊張。

沒必要讓她來操心這些事，第一個星期我們已經平安度過，希望這種情況能繼續保持。

「妳瞧，」我說，「我越想越覺得妳把艾倫搶回來是件好事，那個賤人需要得到一點教訓。我打賭，這絕對很簡單，艾倫對妳仍然很癡迷。」

「我不想給任何人教訓。」莉莎說，「再說，我又不癡迷艾倫。」

「別這樣，是她先挑釁的，而且她在背後說我們的壞話。她誣蔑我昨天從救世軍（注❻）那裡拿了一條牛仔褲。」

「妳的牛仔褲的確是從救世軍那裡得來的。」

「好吧！妳說的對。」我哼了一聲。「但是她沒有權利拿這件事開玩笑，她自己不是也穿著塔吉特的衣服嗎？（注❼）」

「嘿！塔吉特可沒招惹妳，我喜歡塔吉特。」

「我也是，但這不是重點，她總說她穿的衣服是史黛拉．麥卡特尼設計的。（注❽）」

「這也是個罪名？」

我板起面孔，顯得非常嚴肅。「當然是。妳一定要報仇！」

「告訴妳，我對報仇不感興趣。」莉莎瞥了我一眼，「妳也不應該。」

我盡可能無辜地笑著。

當我們分開以後，我再次慶幸她無法進入我的意識。

「這場激烈的辯論什麼時候開始？」

我離開莉莎以後回到宿舍，梅森正在門口等我，他看起來懶洋洋的，環抱著雙臂，斜倚在牆上看著我，很可愛。

「我不知道你在說什麼。」

他鬆開手，和我繼續往前走，邊走，邊將他的外套遞給我，我的那件外套讓莉莎穿走了。

「我看見妳們在教堂外面爭吵了，妳對上帝的住處做了什麼大不敬的事嗎？」

我哼了一聲。「我們對上帝的尊敬程度差不多，你這個異教徒，甚至連去都沒去。而且，你也說了，我們是在外面。」

注❻：救世軍是一個成立於一八六五年的基督教教派，以街頭佈道和慈善活動、社會服務著稱。
注❼：塔吉特百貨公司是美國一家高級的折扣零售店，提供時尚前緣的零售服務。
注❽：史黛拉．麥卡特尼是英國甲殼蟲樂隊成員保羅．麥卡特尼的女兒，後進入時裝界，成為著名服裝設計師。

「妳還沒有回答我的問題。」

我只是看了他一眼，穿上他的外套。

我們站在宿舍的公共區域內，這裡有受到監視的大沙發和學習區。學習區是男生和女生可以混用的，也可以接待莫里族的客人。因爲是星期天，這裡人很多，大家都想在明天來臨之前把握時間約會。

我發現了一張很小的空桌子，拉著梅森走了過去。

「妳不是應該直接回宿舍嗎？」

我一屁股坐在椅子上，小心地看著周圍。

「今天這裡人很多，他們得花點時間才能看見我。天啊！我已經受夠了這兒不能去、那兒不能去。這才過了一個星期啊！」

「我也受夠了！我們昨晚非常想念妳。我們一大群人去娛樂室打桌球，愛迪被燒著了！」

我低吼道：「別告訴我！我不想聽你們那些精彩的社交生活。」

「好吧！」他用手托著腮，揚起一邊的眉毛。「跟我說說米婭。妳肯定會在某天翻臉，然後揍她一頓，我說的對嗎？如果以前有人這麼招惹妳的話，妳早就揍她十次了！」

「我是洗心革面、重新做人的蘿絲。」我說，盡力做出一副端莊嚴肅的樣子，梅森發出吃吃的笑聲。「而且，如果我這麼做了，就不能通過奇洛娃的考察，路會越走越窄的！」

「換句話說，必須用一種不會給自己找麻煩的方法回敬米婭。」

我嘴邊浮出了一絲微笑。「你知道我為什麼喜歡你嗎？梅斯（注❾），你說的往往和我想的一樣！」

「真可怕的想法！」他煞風景地說，「那麼告訴我，妳對這件事是怎麼想的？我知道一點關於她的事情，但是我猶豫是不是應該告訴妳……」

我欠起身，湊近他。

「你已經在告密了。現在就告訴我！」

「這肯定是錯誤的決定！」他揶揄地說，「我怎麼知道妳聽了以後，是用它做好事，而不是做出邪惡的事？」

我眨了眨眼睛。「你能拒絕這張臉嗎？」

他仔細地看了我好一會。「不行，老實說，我拒絕不了。好吧！妳贏了——米婭不是皇族！」

我又坐回了椅子上。「別鬧了！這我早就知道了。兩歲的時候，我家就認識所有的皇族了。」

「對，但是我知道的不只這些！她的父母曾經為多羅茨多夫殿下效勞。」

我不耐煩地揮揮手。有許多莫里族都在人類的世界工作，而莫里族的世界裡也有許多工作等著人來做。必須有人做這些事。

注❾：蘿絲對梅森的暱稱。

「他們是清潔工，實際上就是傭人。她的爸爸修剪草坪、媽媽是女僕。」

我眞的非常尊敬那些整天工作、非常敬業的人。世界各地的人都會為了生計，去做各種低賤的工作。但是，如果有人想要掩飾這些，讓自己變成另外一種人，就是另一回事了！

我回到這裡的一個星期，已經知道絕望的米婭有多麼想融入學院這些精英分子當中了。

「沒人知道？」

「她也不想讓人知道。妳知道這些皇族的人是什麼樣的，」他停了一下，又說：「嗯，當然，除了莉莎。這些人不會讓米婭有好日子過的！」

「這些你是怎麼知道的？」

「我的叔叔是多羅茨多夫家族的守護者。」

「而你一直守口如瓶？」

「直到妳打破了我的規矩。那麼，妳會怎麼選擇呢？當天使還是魔鬼？」

「我想我應該讓她優雅地……」

「海瑟薇小姐，妳知道妳不應該在這裡的！」一個舍監突然站到我們旁邊，臉上滿是不贊同的表情。

「我們人類學有個小組研究的作業，如果蘿絲只有自己一個人，怎麼完成作業呢？」

我說梅森說的往往和我想的一樣這句話時，並不是在開玩笑，他的謊話編得和我一樣好！

舍監瞇起了眼睛。「你們看起來不像在做作業的樣子。」

我拿出牧師給我的書，隨便翻了一頁——我應該在我們坐下來的時候，就把它攤開放在桌面上的。

「我們……呃……正在研究這個。」

舍監仍然很懷疑。「一個小時。我給你們一個小時的時間，你們最好讓我看到你們是在做功課！」

「好的，夫人。」梅森一本正經地說，「絕對沒問題！」

舍監退到一旁，但是仍然看著我們。

「你是個英雄！」我對梅森說。

他指指書。「這是什麼？」

「牧師給我的。關於今天的彌撒，我有些問題。」

他不屑地看著我。

「哦……別這副表情，裝得感興趣一點。」我翻回到目錄。「我正在查一個叫安娜的女人。」

梅森拖著他的椅子轉過來，「好吧！咱們開始『做功課』。」

我查到頁碼，她出現在「聖弗拉米爾」這一章。我們讀了這章，尋找著安娜的名字，找到這個名字以後，發現作者對她並沒有太多描述，只是節選了一部分很明顯是和聖弗拉米爾生活在同一時期的人寫的文章——

一直陪伴在弗拉米爾身邊的是安娜——菲奧多的女兒。他們之間的愛純潔、單純，如兄弟姊妹一般。

許多次，安娜為了保護弗拉米爾，擊退了千方百計想要毀滅他和他的神聖血族，同時，在聖靈多得無法忍受的時候，是她給予他寬慰，而撒旦的黑暗勢力想要將他扼殺，毀掉他的健康和身體時，也是安娜再次保護了他。

從他救了孩提時的安娜起，他們之間便有了羈絆。是上帝的愛，將安娜送到被祝福的弗拉米爾身邊，成為他的守護者。安娜是影吻者，總是知道他的心意，和他的所思所想……

「這就是妳想知道的，」梅森說，「她是個守護者。」

「但是上面沒有解釋什麼叫『影吻者』。」

「也許它本來就沒有什麼含義。」

我並不十分相信這點，於是又讀了一遍，想在這些古語中理出一些頭緒。梅森好奇地看著我，表現出非常想幫忙的樣子。

「也許他們是情人。」他提議說。

我笑了笑。「他可是個聖徒！」

「所以？也許聖徒也喜歡做愛，那句『兄弟姊妹』說不定只是個幌子！」他指著其中一行。

「看見了？他們之間有『羈絆』。」他眨眨眼。「這是暗語！」

羈絆?這個詞用得眞奇怪!但這不一定就意味著安娜和弗拉米爾會把對方的衣服脫掉。

「我不這麼認爲,他們只是比較親近,男生和女生也可以單純的只是朋友。」我意味深長地說。

「是嗎?我們是朋友,但是我就不知道妳的心意和所思所想。」梅森冷冷地看了我一眼,擺出一副僞哲學家的表情。「當然,肯定有人會說,女人心海底針……」

「哦,閉嘴!」我喊道,順手給了他的胳膊一拳。

「考慮到他們是奇怪而神祕的生物,」他繼續用學者的口吻說,「作爲男方,他必須會讀心術,這樣才能令他們的生活幸福。」

我實在忍不住,咯咯笑起來,心裡很清楚這會給我再次帶來麻煩。

「好吧!試著讀讀我的心,別再擺出這種……」

我停止了大笑,低頭又看向書本。有了羈絆……總是知道他的心意和他的所思所想……他們之間有心電感應!我突然意識到這點。我敢用我的一切打賭,他們有心電感應!

有很多傳說和神話提到,守護者和被守護的莫里族之間曾經有心電感應,但這是我第一次聽到這麼特殊的人物之間,也會有心電感應。

梅森注意到我吃驚的表情。

「妳還好吧?妳的樣子很奇怪!」

我聳聳肩。「很好,我沒事。」

7

這之後又過了兩個星期，學院緊張的學習生活，很快就讓我把安娜的事情拋到腦後。

重返校園帶給眾人的震驚終於平息了一點，我們進入了半自在的新紀元。

然而，我的生活依舊只限於教堂、中午和莉莎吃飯，以及除此之外我勉強能有的一些社交生活。除了沒有眞正的自由以外，不是眾人的焦點的日子並沒有讓我太難過，但我確實在想方設法偷取別人的注意力，這裡一點、那裡一點，不顧之前我曾經義正辭嚴地對「劃清界限」發表過長篇大論。

我實在是忍不住！我喜歡四處逗弄別人、我喜歡人群、我喜歡在教室裡自以爲是地評論別人。

莉莎則以一種全新的、隱姓埋名的角色示人，人們注意到她，僅僅是因爲她和離開之前大不相同，她以前在皇族之中非常活躍。但是大部分人很快就不再在意，接受了德拉格米爾公主殿下在社交能力上的退化，心安理得地和娜塔莉那一群人混在一起。

娜塔莉的神經大條仍然讓我抓狂到想用頭撞牆，但是她人眞的很好，比任何一個皇族都要好，大部分時間，我還是很喜歡和她在一起。

按照奇洛娃的訓誡，我確實將所有的時間都用來進行訓練和學習。隨著時間的流逝，我的身體停止了對我的怨恨，我的肌肉變得更結實，耐力也增強了。訓練中，我還是會被踢屁股，但已經不像之前那麼慘了，這點可以小小地驕傲一下。

現在最大的問題就是我的皮膚，長時間站在寒冷的戶外，讓我的臉被凍出了幾個小口子。莉莎給了我一瓶保養霜，讓我不至於過早衰老，但是，用不著強迫我連手和腳都塗上吧！

我和迪米特里也進入了一個新紀元，梅森關於他不擅與人交往的說法是對的，迪米特里不常和其他守護者在一起，儘管他們都對他尊敬得不得了。

我越和他接觸，對他的敬意也越深，哪怕我並不是十分接受他的訓練方法。這些方法其實還不賴，我們通常是在體育館裡先熱身，然後他會讓我到外面去跑步，挑戰越來越冷的蒙大拿的秋天。

在我回到學院的第三個星期，有一天，我在上課之前去到體育館，發現他仰躺在墊子上，手裡拿著一本劉易斯的愛情小說。不知道是誰帶進來一個手提音響，我正為此歡呼的時候，裡面傳出來的卻是首很悲傷的歌，歌名叫作《鴿子什麼時候哭泣》，是王子的歌（注❿）。聽到這首歌讓我有些尷尬，不過我的一個前室友很對八○年代的東西很是癡迷。

「哇哦！迪米特里。」我邊說，邊將書包扔在地板上，「我知道現在東歐正流行這些，但是你不覺得我們可以聽點年紀比我小一點的歌嗎？」

他只是抬眼看了看我，其他地方連動都沒動一下。「妳怎麼了？我才是在這裡聽歌的人，妳要去外面跑步。」

我走向那些單槓的時候朝他做了個鬼臉，然後開始拉筋。

「跑步到底有什麼用？我是說，我已經明白了耐力的重要性，不是應該開始做一些力量練習了嗎？他們在小組練習的時候，還是把我整得很慘！」我說道，開始做下一組動作。

「也許妳攻擊時可以多用點力。」他冷冷地回答說。

「我說眞的。」

「這中間的分別很難說。」他放下了書，但是仍然沒有鬆手。「我的工作是幫助妳準備好保護公主殿下，然後和黑暗勢力進行戰鬥，對吧？」

「沒錯！」

「那麼想想這個——如果有一天，妳再次綁架了公主殿下，將她帶到商業區，這時，一個血族向妳們逼近，妳會怎麼辦？」

「這要看我們進的是什麼商店……」

他看著我。

「好吧！我會用銀樁戳他。」

他坐了起來，姿勢優美地曲起長腿。我還是不知道，像他這麼高的人，怎麼能夠如此優雅？

「哦？」他揚起了深色的眉毛。「妳還有銀樁？知道怎麼用嗎？」

注⓾：王子是美國八〇年代著名的情歌歌手。

我將目光從他身上移開，有些懊惱。

銀椿是用自然元素的能力製作出來的，是守護者使用的致命武器，用它刺中血族的心臟，能讓血族立刻斃命。

銀椿的鋒刃對莫里族也有殺傷力，所以一般不會輕易把它交給實習生，我的同學剛剛才開始學習它的用法。

從前我曾經參加過使用槍支的訓練，但是目前還沒人讓我碰過銀椿。幸運的是，還有另外兩種辦法可以殺死血族。

「或者，我可以砍下他的頭。」

「先不說妳沒有武器可以用來達到這一目的，妳怎麼來應對他也許比妳高出一英尺這種情況呢？」

我踮起了腳尖，生氣地說：「好吧！那我就用火燒他。」

「同一個問題，用什麼？」

「好吧！好吧！我放棄。你已經有答案了，只是想看我出糗。我在商店裡遇見了血族，我該怎麼辦呢？」

他直勾勾地看著我，眼都不眨。「逃跑！」

我強壓下想拿東西丟他的衝動。

在我完成熱身後，他告訴我，今天他會和我一起跑步。這眞是破天荒的頭一回！也許跑步能讓我見識一下他的殺手風範。

我們衝進寒冷的十月傍晚，重新按照吸血鬼的時間表生活仍然讓我感覺怪怪的。離學院上課還有一個小時的時間，我希望太陽還在，沒有落下。但是，太陽已經半落西山，橘紅色的餘光照耀著山頂上的積雪。這並不能讓天氣變得稍微暖和一點，我吸進肺中的空氣都是冰涼的，但是我需要氧氣。

我們誰都沒有說話，他放慢速度來配合我，這樣我們可以並肩跑在一起。這時，我升起了一種奇怪的感覺，突然間，我很希望能夠聽到他的表揚，於是我加快速度，更加賣力地調動我的呼吸和肌肉。繞著跑道跑十二圈是三英哩，我們就這樣跑了九圈多一點。

當我們跑到最後三分之一時，另外兩個實習生經過這裡，準備去參加待會兒我也要去的小組訓練。

看見我，梅森高興地喊：「狀態不錯！蘿絲。」

我笑起來，對他揮揮手。

「妳慢下來了！」迪米特里大吼一聲，將我的目光從那些男生的身上收回來。他語氣中的責備觸動了我。「這就是妳沒辦法跑得再快一點的原因嗎？妳這麼容易分心！」

我略微有些尷尬，再次加快了速度，不去理會我的身體已經尖叫著對我抗議的事實。

在跑完十二圈之後，他看了下錶。

比我的最高記錄還快了兩分鐘！

「還不錯吧？」我們走向體育館，好完成放鬆運動。「看來我在商場遇見血族的時候能逃得掉了。不知道莉莎會怎麼做？」

「如果她和妳一起的話，就沒問題。」

我驚訝地抬頭看著他。這是我和他訓練這麼久以來，他第一次眞正地表揚我。他的棕色眼睛看著我，滿是讚許和表揚。

這時，事情發生了！好像有人打中了我，又準又疼，恐懼在我身體裡蔓延，也在我的腦海裡蔓延，意識裡有小小的痛苦。接著，我眼前的景象變了，有一刻，我好像不是站在這裡，而是正飛快地從宿舍的樓梯上跑下來，害怕又絕望。

我需要離開那裡！需要找到……我！

我眼前一花，從莉莎的意識中抽離出來，重新回到操場上。

我沒有對迪米特里多說什麼，條件反射地用最快的速度跑向莫里族的宿舍，不在乎自己剛剛才跑完了一場小型的馬拉松，腿很沉，但是跑得很快。

在我身後，迪米特里追趕著我，問我到底發生了什麼。但是我無法回答他，我腦子裡只有一件事——到宿舍去。

我們剛剛看見那幢爬滿了常青藤的建築物時，莉莎已經跑向了我們，她的臉上還掛著淚珠。我猛地煞住，重新開始呼吸。

「怎麼了？發生了什麼事？」我問道，抓住她的胳膊，強迫她看著我的眼睛。

但是，她沒有回答，只是緊緊地抱住了我，在我懷中啜泣。

我擁著她，輕撫她像絲綢一樣順滑的秀髮，不停對她說「沒事了」，不管到底發生了什麼事。

老實說，我也不在乎到底發生了什麼事，只要莉莎在這裡，並且很安全，這就夠了！

迪米特里在我們旁邊來回走著，警惕著準備對付隨時可能出現的危險，他的身體已經處於進攻狀態，有他在身邊，我覺得很安全。

三十分鐘之後，我們和其他三名守護者，以及奇洛娃和舍監一起走進了莉莎的宿舍。

這是我第一次進莉莎的房間，娜塔莉確實成爲了她的室友，房間裡的兩種風格形成了鮮明的對比。娜塔莉住的這邊充滿生活氣息，牆上掛著許多照片，床上罩著帶花邊的床罩——很明顯，這不是宿舍發的。

莉莎和我一樣，只有很少的物品，這令她住的這邊顯得空蕩蕩的。她的牆上也掛著一張照片，是在這裡的最後一個萬聖節時拍的。照片裡，我們都穿得像個仙子，戴著假翅膀、化著妝。

看著這些照片，我回憶起曾經的美好時光，心中充滿了痛苦。

所有人都很激動，沒人記得我不應該出現這裡這回事。

宿舍外面，其他的莫里族女生擠在一起，想知道發生了什麼事。娜塔莉從她們當中擠進來，想知道爲什麼她的宿舍這麼吵鬧。而當她看見眼前的情景，卻沒再往前。

當我們看向莉莎的床時，每個人的臉上都露出了震驚和噁心的表情——枕頭上躺著一隻狐狸，牠的皮毛是橘紅色的，還摻雜著一點白色。牠看起來軟乎乎、毛茸茸的，會令人誤以爲牠是房間主人的寵物，也許是一隻貓，反正就是那種你想把牠抱在懷裡輕輕撫摸的小東西。

但，牠的喉嚨卻被人割開了！

喉嚨裡面是粉色的，有點像果凍，血液順著柔軟的皮毛滴在黃色的床單上，積成了暗紅色的一攤，並且沿著床單的布紋向外擴散。狐狸的眼睛翻了上去，就那麼瞪著，好像正驚恐地看著我們，不相信自己身上發生的這一切。

一陣噁心的感覺從胃部湧上來，我強迫自己繼續看著眼前的一切。我不能讓人看出來我覺得噁心，總有一天我會殺死血族的，如果我連死狐狸都不敢看，更不可能面對眞正的死亡。

發生在狐狸身上的事既噁心又惡毒，明顯是有人故意這麼做的，這種人用最惡毒的字眼罵他都不爲過。

莉莎盯著狐狸，臉色慘白，她走上前，下意識地伸出手去撫摸牠。這種行爲深深地刺激了她，我知道，這激發出了她對小動物的愛心。她很喜歡動物，動物也喜歡她，我們在外面住時，她經常求我養一隻寵物，但我沒有答應。

我們沒有能力照顧好一隻寵物，因爲我們隨時有可能被發現，隨時要做好逃跑的準備，此外，動物們都討厭我！所以，她只好藉著幫流浪的貓狗包紮，或是和別人的寵物當朋友，來達成自己的心願。

但是，她不能給這隻狐狸包紮了，牠不可能再活過來。

我看見莉莎的臉上分明就想爲牠做點什麼的表情，就像她想對其他人伸出援手時的表情一樣。

我拉著她的手，帶她離開，腦子裡突然想起兩年前的一次對話——

「這是什麼？烏鴉？」

「太大了！這是大烏鴉。」

「牠死了？」

「對，一定死了，別碰牠。」

但是，那次她沒有聽我的，希望這次不會。

「我回來的時候牠還活著。」莉莎悄悄對我說，她的手緊緊抓住我的胳膊。「這怎麼可能!?哦，天哪！這太惡毒了！牠肯定很痛苦。」

我覺得喉頭一陣發苦，但在這個時候，我絕不能吐。

「妳有沒有……」

「沒有，我想……一開始……」

「忘了牠吧！」我嚴厲地說，「這件事很無聊，它只是某個人無聊的惡作劇。他們會把這裡清理乾淨的，也許還會給妳換間房間，如果妳願意的話。」

她看著我，眼睛張得大大的。

「蘿絲，妳還記得……上次……」

「別說了！」我說，「忘了吧！」

「如果有人看見了呢？如果有人知道了呢？」

我緊緊抓住她的胳膊，非常用力，只爲了喚起她的注意。「不，這是兩回事。不用理會這件事，妳聽見了嗎？」我能感到迪米特里和娜塔莉正在看我們。「會過去的！所有事都會好起來的！」

她根本就不相信，但還是點了點頭。

「把這清理乾淨。」奇洛娃對舍監說，「去找找看有沒有目擊證人。」

終於有人意識到我還在這裡，他們命令迪米特里把我帶走，不顧我苦苦哀求他們讓我陪在莉莎身邊。

迪米特里陪我走回實習生的宿舍，一路上，我們都沒有說話。

直到快走到宿舍的時候，迪米特里才開口說：「剛才發生的事，妳是不是知道些什麼？」

「我什麼都不知道，這只是個噁心的惡作劇。」

「妳知道是誰做的嗎？或者他的動機？」

我想過這件事，在我們離開學院之前，任何人都可能做出這樣的事。

這就是受歡迎的代價，有人喜歡你、有人討厭你，而現在，唯一有可能從內心裡討厭莉莎的人就是米婭，可是米婭對她的討厭大多表現在口頭上，很少有實際行動，就算她打定主意要做出點更出格的，爲什麼要以這種方式？她不像是會做出這種事的人，報復一個人可以有好幾億種方式。

「不，」我對他說，「一點頭緒都沒有！」

「蘿絲，如果妳知道些什麼，告訴我。我們是一國的，我們都想保護公主殿下。這不是玩笑！」

我猛地轉過身，將對這件事的怒火發洩到他的身上。

「對，這不是玩笑！所有的都不是玩笑！你在我應該學習格鬥保護她的時候，卻讓我去跑步！如果你真想幫助她，就應該認真教我，教我怎麼打架！我已經學會該怎麼逃跑了。」

話說出口，我才知道自己有多麼想學，多麼想證明我自己給他、給莉莎、給所有人看。狐狸事件讓我覺得自己非常無能，我一點不喜歡這種感覺。

我想做點什麼！什麼都可以！

迪米特里出人意料的冷靜，他看著我，表情一如既往。

當我吼完，他招招手叫我向前走，好像我剛剛什麼都沒說。

「快一點，妳的訓練要遲到了！」

8

由於憋了滿腔的怒火，我在訓練時比以前更努力，戰績也更好，是我和其他實習生一起訓練以來，成績最好的一天！我終於贏得了一對一小組練習的勝利，大家發自內心地爲我出色的表現鼓起掌來。

「開始恢復了。」訓練結束後，梅森告訴我他得出的觀察結論。

「確實如此。」

他輕輕碰了碰我的胳膊。「莉莎怎麼樣？」

我一點也不驚訝他會知道這件事，在這裡，八卦流傳的速度是很快的，好像每個人之間都有心電感應。

「還好，可以應付。」我不想鉅細靡遺地告訴他我是怎麼知道的。我們的心電感應在學生之間還是祕密。「對了！梅森，你說過你瞭解米婭。你認爲，這件事有沒有可能是她幹的？」

「嘿，我不是研究她，或者這方面的專家，不過妳想聽實話嗎？不可能！米婭在生物課上連解剖都不敢，我無法想像她抓住狐狸……呃……把牠殺死的畫面。」

「有沒有可能是她的朋友做的呢？」

他搖搖頭。「也不太可能，他們都不是那種願意爲了她弄髒自己雙手的人。但是，誰說得準呢？」

午休時間我見到莉莎的時候，她還在發抖。娜塔莉那群人則在對狐狸事件喋喋不休，莉莎的心情更差了。

很明顯，娜塔莉已經克服了對這件事的恐懼，她十分享受因爲這件事而集中在她身上的目光，也許她不像我認爲的那樣，滿足於目前這種邊緣化的狀態。

「牠就躺在那裡。」娜塔莉說，講到重要的地方還用手勢強調，「躺在床的中間，血流得到處都是。」

莉莎的臉色和她身上的毛衣一樣綠，我拉起她往外走，甚至來不及吃完午飯，嘴裡便蹦出一大串對娜塔莉社交技巧的抨擊。

「她是好人。」莉莎主動爲她辯解，「那天妳還對我說妳有多喜歡她。」

「我是很喜歡她，她只是在某些事情上表現得不太好。」

我們站在動物行爲課教室的外面，我發現人們經過的時候，用怪異的目光看著我們，並且竊竊私語。

「妳是怎麼面對這些的？」我嘆了口氣。

她勉強笑了笑。「妳不是已經都感應到了嗎？」

「對，但是我想聽妳親口說出來。」

「我不知道，會好起來的，希望他們不要一直用看怪物的眼神看我。」我的怒火再次點燃。狐狸事件的影響太大了，人們對她的遷怒更是雪上加霜，不過至少我能爲此做點什麼。

「有誰來煩過妳？」

「蘿絲，妳不可能去揍和我們有摩擦的每一個人！」

「米婭？」我猜道。

「還有其他人。」她含糊地說，「這都無所謂，我想知道的是，事情是怎麼……變成那樣的？我一直在想上次……」

「別想！」我警告她說。

「爲什麼妳一直假裝什麼都沒有發生過呢？妳對所有人都是如此。妳不斷取笑娜塔莉，好像已經可以好好地控制自己的情緒一樣，很正常地說一些無關緊要的事。」

「那件事不行，我們必須忘掉它，已經過去很久了，我們甚至不知道當時到底發生了什麼事。」

她用那雙綠色的眼眸看著我，盤算著她該如何反駁。

「嘿！蘿絲。」我們的談話被向這邊走來的傑西打斷了。

我轉身，露出最燦爛的笑容。「嘿！」

他誠懇地向莉莎點點頭之後，對我說道：「妳好，今天晚上我會去你們的宿舍作小組學習。妳想不想……也許……」

我暫時將莉莎拋下，將全部的注意力放在傑西身上。突然間，我是那麼需要做點瘋狂的壞事。今天發生的事情太多了！

「當然。」

他告訴我他會過來的時間，我告訴他我在公共區域的某處等他做「進一步說明」。

他走了以後，莉莎看著我。

「妳還處於禁足期間，他們不會讓妳去約會的。」

「我並不想和他約會，我們可以溜出去。」

她低聲說：「有時候我眞的搞不懂妳！」

「那是因爲妳總是小心翼翼，而我總是不顧一切。」

動物行爲課一開始，我就開始思考米婭要對此事負責的可能性。從她那張天使臉龐上露出的自以爲是的神情來看，她絕對很享受血腥的狐狸事件所帶來的感覺，但這並不意味著她就是元兇。經由前兩個星期對她的觀察，我認爲只要是能夠糗到莉莎和我的事，她都喜歡，她不需要做出那樣的行爲。

「和許多其他動物一樣，狼也要從族群中選出領頭的公狼和母狼。頭領一般來說，都是身體最強壯的，有時對抗到最後，就變成了意志力和能力的一種比拚，當頭領接受挑戰，敗下來換上新頭領的時候，舊頭領會受到排斥，有時還會遭受群體的攻擊。」

我從白日夢中清醒過來，聚精會神地看著邁斯納夫人。

「大部分挑戰都發生在動物發情的季節。」她繼續說，這句話令課堂上響起一陣哄笑。「在許多群體中，只有頭領可以進行交配。如果頭領是一隻年邁但經驗豐富的公狼，年輕的競爭者都會認爲自己可以挑戰一下看看。這條眞理好像是透過一個又一個案例實踐得來的，年輕的一代很少能夠意識到，他們被富有經驗的上一代蒙蔽得有多嚴重！」

雖然講的是狼族的事，但是我認爲這點放諸四海皆準，學院裡當然也存在這種現象，我悲觀地認爲，頭領和挑戰者不只一個！

米婭舉起手。「那麼狐狸呢？牠們也有頭領嗎？」

這句話使全班同學都倒吸了一口冷氣，也有幾聲乾巴巴的偷笑，沒有人敢相信米婭會說出這句話。

邁斯納夫人如我所願地生氣了。「我們今天只講有關狼的事，米婭小姐。」

米婭並不介意她問題的敏感性，當大家開始兩兩一組完成作業的時候，她的注意力全放在我們身上，還不時偷笑。心電感應讓我感到莉莎越來越生氣，狐狸被殺死的畫面一直盤踞在她的腦海中，不能散去。

「別擔心，」我對她說，「我有辦法！」

「嘿，莉莎。」有人打斷了我們的談話。

我們抬起頭，看見拉爾夫站在我們的課桌旁，露出招牌式的蠢笑。我有種感覺，他是被他的朋友慫恿過來的。

「那麼，承認吧！」他說，「妳喜歡狐狸。妳想讓奇洛娃相信妳瘋了，這樣就能再次從這裡出去了。」

「去你的！」我低低地對他說。

他揚起頭，擺出一副誇張的模樣，看了看莉莎，又看了看我，「嘿，是妳幹的，對嗎？她讓妳去殺死狐狸，對吧？奇怪的蕾絲邊（注⓫）……啊！」拉爾夫全身上下都冒出了火苗。

我跳起來，將莉莎推得遠遠的，這並不容易，因爲我們是坐著的。我們跑到另一邊，尖叫充滿了教室，叫得最大聲的是拉爾夫。

邁斯納夫人開始找是誰放的火，就在這時，像它突然著起來一樣，火又突然滅了。拉爾夫仍然尖叫不已，胡亂拍打著自己的身上，但是，他身上並沒有被燒傷。唯一證明剛剛的事情確實發生過的，是瀰漫在空中的刺鼻煙味。

有好一會兒，整個教室的人都愣住了，然後，慢慢地，人們開始一點一點拼湊眞相。

莫里族有魔法是眾人皆知的事，環顧教室，能力是火的只有三個人——拉爾夫、他的朋友雅各布，以及……

克里斯蒂安！

雅各布和拉爾夫肯定不會放火，那麼誰是罪魁禍首就很明顯了。事實上，克里斯蒂安正歇斯底里地笑著，得意自己的所作所爲。

邁斯納夫人的臉已經從紅色漲成了深紫色。「克里斯蒂安先生！」她叫道，「你怎麼能……你知不知道……現在馬上去奇洛娃校長大人的辦公室報到！」

克里斯蒂安完全不害怕，他站起來，將書包往肩上一甩，臉上帶著假惺惺的笑容。「遵命，邁斯納夫人。」

他特地從拉爾夫身邊走過，拉爾夫見他過來，快速朝後退了幾步。剩下的人全都看著他們，目瞪口呆。

事情平息之後，邁斯納夫人試著讓課堂恢復秩序，但是沒有什麼用，每個人都在談論剛剛發生的事情，人們震驚的理由五花八門——

首先，從沒有人見過這種事，那麼大的火居然沒有造成眞正的傷害。

其次，克里斯蒂安將能力用來攻擊，他襲擊了另一個人，莫里族從不這麼做。他們相信魔法是用來保護地球，幫助人們生活得更好的，魔法絕對絕對不能成爲武器。老師從沒有教過學生這麼使用魔法，我覺得他們自己可能也不知道魔法可以這麼用。

最後，也是最奇怪的——克里斯蒂安居然做了這件事！克里斯蒂安，一個從不被注意，也引不起別人興趣的人，好了，現在他們注意到他了。

注⓫：指女同性戀。

這說明肯定還有其他人也會這樣使用魔法。就在我高興地看著拉爾夫害怕的樣子時，我突然想到，克里斯蒂安也許眞的是個瘋子。

「莉茲，」我們從教室裡往外走的時候，我對她說，「告訴我妳沒再和他出去。」

其實，不需要任何解釋，我從心電感應中的愧疚瞭解了一切。

「莉茲！」我抓住她的胳膊。

「不是很常。」她不安地說，「他眞的還不錯……」

「不錯？不錯!?」大廳中的人們開始朝我們這邊看，我才發覺自己已經近似於低吼了。「他瘋了！他用火燒拉爾夫！我以爲我們已經說好妳不會再去見他了！」

「是妳的決定，蘿絲，不是我的。」我已經有一陣沒有聽到她這種語氣了。

「怎麼回事？你們倆……」

「沒有！」她否認道，「我已經告訴過妳，老天！」她厭惡地看了我一眼。「不是每個人都和妳一樣。」

我被她的話刺傷了。

這時，我們發現米婭正朝這邊走來，她沒有聽到我們談話的內容，但是聽到了我們說話的語氣，假惺惺地笑著說：「天堂裡有麻煩了？」

「別假裝和事佬，閉上妳的嘴！」我說完，不打算等著聽她如何回應。

她張了張嘴，最後緊緊地抿成一條縫。

莉莎和我來到一個僻靜的地方，她大笑了起來，就這樣，我們的戰火熄滅了。

「蘿絲……」她現在溫柔多了。

「莉莎，他很危險！我不喜歡他，一定要小心！」

她抓住我的胳膊。「我會的。我總是小心翼翼，記得嗎？妳才是不顧一切的那個人。」

我希望這是眞的。

稍晚，所有的課都上完之後，我開始懷疑起來。

當時，我正在自己的房間裡做作業，忽然間感覺到有意識偷偷摸摸地從莉莎那裡傳來。我丟下作業，看著前面，想找到詳細的訊息，好弄明白莉莎到底怎麼了。如果說有一個機會讓我潛進她的意識裡，那就是現在，但是我不知道怎麼控制這種力量。

我皺起眉，試著回想平時這些事都是怎麼發生的。通常都是她產生了非常強烈的情緒，這種情緒強烈到要把我拉進她的意識當中，我必須非常努力才能抗拒這種拉力，爲了抵抗它，一般我會在中間立起一堵牆，現在，我腦子裡只想著她，然後試著把牆搬走。

我平靜地呼吸，讓腦子一片空白，完全沒了自己的想法，只剩下她的。我必須敞開我自己，讓我們兩個之間產生聯繫。

之前我從沒做過這樣的事情，也沒有耐心進行冥想，但是，這次我的想法是如此迫切。我強迫自己集中注意力在如何放鬆上面，我需要知道她現在的情況。

一會兒之後，我的努力成功了！

我潛進了她的意識……

9

我潛入莉莎的意識，再次直接看到和感受到她周圍發生的事。

她又偷偷溜上了教堂的閣樓，這印證了我不祥的預感。和上次一樣，她沒有遇到阻攔。仁慈的上帝！那個牧師也太混了吧！連自己的教堂都看不好。

落日的餘輝從彩色的玻璃窗裡斜射進來，克里斯蒂安側面的身影擋住了它們，他坐在窗台上。

「妳來晚了！」他說，「我等很久了。」

莉莎拉過一把快要散架的椅子，撣了撣上面的灰塵。「我以為你可能會被奇洛娃校長大人留很長時間。」

他搖搖頭。「沒有妳說的那麼誇張。他們罰我停課一星期，就這樣而已。一週很快就過去了。」他揮了揮手，「妳看著吧！」

「我很驚訝你只教訓他那麼短一段時間。」

他水晶一樣的藍眼睛裡閃動著太陽一樣的光芒。「失望了？」

莉莎搖搖頭。「當然不！你用火燒了別人耶！」

「不，我沒有。妳看見他被燒傷了嗎？」

「他身上都是火焰！」

「我控制著火焰，沒讓他眞被燒著。」

莉莎嘆了口氣。「你不應該這麼做的！」

周圍的氣氛變得緊張起來，他坐直，湊向莉莎，「這都是爲了妳。」

「你爲了我攻擊別人!?」

「當然。他在刁難妳和蘿絲，蘿絲對他的反擊還可以，但我認爲她需要支援。而且，這也能令別人閉嘴，不再討論狐狸的事。」

「那你也沒必要那麼做。」莉莎重複說，避開了他的目光。她不知道應該對這種「大公無私」說什麼。「別說的好像你全都是爲了我才這麼做，是你喜歡這麼做，你的心裡有股力量想這麼做。」

克里斯蒂安自以爲是的表情消失了，顯得異常吃驚的樣子。莉莎也許並不強壯，但是她有種能力，可以看透一個人的內心。

見到他卸下了防備，莉莎繼續說：「用魔法攻擊別人是被禁止的，這才是你這麼做的眞正原因，你喜歡違反規則。」

「那些規則太蠢了！如果我們的魔法被當成武器使用，而不是做一些讓溫度升高或者降低的狗屁事，血族根本不可殺掉我們那麼多人。」

「你錯了！」莉莎堅定地說，「魔法是種天賦，是爲和平而用的。」

「這些都是他們自己說的，妳一直在重複著我們一生中一直被灌輸的觀念。」他站起來，在閣樓這個狹小的空間裡來回踱步，「不可能永遠是這樣，妳知道的。好幾百年以前，我們曾經肩並肩地和守護者一起戰鬥，然後，人們害怕了，於是停止了戰鬥。他們發現躲起來會很安全，已經忘了攻擊的咒語。」

「你是怎麼知道的？」

他對她笑了笑，「不是所有人都忘記了。」

「比如你家？比如你的父母？」

克里斯蒂安臉上的微笑消失了。「妳根本不瞭解我的父母！」

他的臉色變得沉重，眼神也暗淡了下來，換作是其他人，或許會覺得害怕，但莉莎仔細觀察他的表情之後，發現克里斯蒂安只是突然變得非常脆弱。

「你說得對，」過了一會兒，莉莎溫柔地道歉，「我不瞭解，對不起。」

這個道歉是這次會面中的第二次了，克里斯蒂安有些驚訝。可能沒人對他說過那麼多「對不起」……不，也許根本不會有人對他說這麼多話，當然，更沒有人聽他說過這麼多。

和以往一樣，他很快恢復了平時高傲的樣子。「別放在心上。」

突然，他停下了走動，跪在莉莎面前，這樣他們可以看到彼此的眼睛。他離得這麼近，莉莎緊張得屏住了呼吸。

他的臉上露出一絲詭異的微笑。「說真的，我不明白為什麼妳也和其他人一樣，對我使用魔法這件事反應那麼強烈。」

「我『也和其他人』一樣？你是什麼意思？」

「如果妳願意的話，妳可以將每個無辜的人都玩弄於掌心，而且妳確實幹得漂亮，我知道這其中的奧祕。」

「什麼奧祕？」莉莎根本掩飾不住她的緊張，無論是對我還是對他。

他靠得更近了。「妳使用催眠術，一直都是。」

「不！我沒有！」她立刻否認。

「妳當然用了。每到夜晚，我都躺在床上，想妳們兩個到底怎麼能在外面租個住處，還上了大學，而沒有人想要見見妳們的父母。然後我想明白了，妳用了催眠術，這就是為什麼妳一開始能夠從這裡逃出去的原因。」

「這只是你想出來的，沒有任何證據。」

「只要觀察妳一下，我就有了所有的證據。」

「你在觀察我？就為了證明我用了催眠術？」

他聳聳肩。「不，不是這樣的，我一直在觀察妳是因為我喜歡這麼做，發現妳用催眠術則是意外。有一天，我看見妳用催眠術逃過了數學測驗——在卡馬克夫人想讓妳再多做些測驗的時候，妳對她催眠了。」

「你認為那就是催眠？也許我只是善於說服別人。」她的聲音中帶有一絲挑釁。

她甩了甩頭髮，這說明她現在恐懼又憤怒，如果不是我對她十分瞭解的話，也許會誤以爲她是在對我放電。

我確實很瞭解她……對吧？突然間，我不是那麼確定了。

克里斯蒂安繼續說著，他的眼神告訴我，他注意到了莉莎甩頭髮的動作，他一直很注意莉莎的一舉一動。

「當妳和他們說話的時候，每個人都是呆呆傻傻的樣子。但，妳的催眠不是對誰都有用，妳只能催眠莫里族，可能也包括拜爾族。現在看來，那種舉動實在很瘋狂，我不知道妳還會這麼做！妳是個超級明星，一個邪惡、會催眠的超級明星。」

這是種指責，但是他的語氣和表情同樣含有一種剛剛莉莎流露出來的綿綿情意。

將魔法當成武器使用的想法，好像怎麼想都是錯誤的，可是，爲什麼不能用來當武器呢？它本身就是一種武器，一種強大的、非常簡單實用的武器。

莫里族的孩子在很小的時候，就被教導說，催眠術是非常非常邪惡的，每個莫里族的人天生就有施展催眠術的本領，但從沒有人教過他們該如何使用。莉莎是碰巧學會的，雖然學得很深，而且正如克里斯蒂安所說，她能夠催眠莫里族的人，也能催眠人類和拜爾族。

「你接下來打算怎麼做？」莉莎問道，「去告發我嗎？」

他搖了搖頭，笑了。「不，我覺得這樣很好。」

莉莎張大眼睛瞪著他，心臟跳動的速度很快。

「蘿絲說你很危險，」她緊張地脫口而出，「她覺得有可能是你殺死了小狐狸！」

我不知道自己怎麼變成了這場奇怪談話的談論對象，有許多人怕我，也許他也是。但是，當他開口說話，他的語氣很明顯地表明他並不怕我。

「人們都覺得我不可靠，但是我跟妳說，蘿絲比我不可靠十倍！當然，有她在，人們想要和妳上床會變得比較困難一些，所以我支持她。」他跪坐在腳後跟上，終於拉開了兩個人之間的距離。「我很肯定地告訴妳，不是我幹的。必須把犯人找出來，不然……我對拉爾夫所做的就沒有意義了。」

他要求復仇這種令人噁心的俠義行爲，並沒有令莉莎完全安下心來，但是，確實令她有些感動。「我不希望你去做這種事，而且，我還不知道是誰做的。」

他再次靠向她，握住了她的手腕，剛想開口說些什麼，卻又停了下來。他驚訝地低頭看著莉莎的手腕，用大拇指摩挲著上面模糊、幾乎平復了的疤痕。他望著莉莎，臉上有一種奇怪的表情，像是自責。

「也許你不知道是誰做了這件事。但是你知道一些其他的，那些你從沒說出口的事。」她盯著他，胸口湧起一種奇怪的感覺。「你不可能知道我所有的祕密。」她輕輕地說。

克里斯蒂安繼續看著她的手腕，然後鬆開了手，那種冷冷的笑容又回到他臉上。「對，我不知道。」

莉莎有一種很安心的感覺，我以爲只有我能帶給她這種感覺。我回到自己的意識和自己的房間，坐在地板上盯著我的數學課本，但是，出於各種原因，我無法集中精神。

我用力地合起書，將它朝牆上砸去。

剩下的時間裡，我一直在發呆，直到我和傑西約定的時間到了。我溜下樓，走進廚房，每當我想和人說點什麼的時候，我就會來這裡。當我望向主會客區的時候，剛好迎上了他的眼睛。經過他身邊的時候，我停了一下，悄悄對他說：「四樓有一個休息室，門上的鎖是壞的，沒人會去那裡。從洗手間那邊的樓梯走上去，我五分鐘以後過去。」他馬上按照我說的行動。

來到休息室後我們發現沙發很髒，上面全是土，很久沒人用過了。這些年，守護者數量的急劇下降，令許多宿舍房間都空了出來，這對莫里族來說不是件好事，但此刻卻十分方便。

傑西坐在沙發上，我則躺在沙發上，將腳搭在他的膝上。我仍然對莉莎和克里斯蒂安在閣樓上奇怪的羅曼蒂克很不爽，巴不得能有一時半刻將這件事丟在腦後。

「你是眞的到這裡來學習，還是這只是個藉口？」我問道。

「不是藉口，是眞的，我不得不和梅瑞迪斯一起做功課。」他的語氣表示他很不喜歡這樣。

梅瑞迪斯是我們班上的同學，一個美麗的拜爾族女孩。

「喔……」我揶揄他說，「和一個拜爾族在一起，是不是有辱你的皇家血統？我應該覺得被冒犯了嗎？」

他笑起來，露出一口漂亮的牙齒，還有兩個尖牙。「妳可比她漂亮多了！」

「很高興我打斷了你們，」他眼中閃動的熱情點燃了我，同時，他的手也在我的腿上游移，但是有件事我要先做——是時候報仇了！「你一定也對米婭這麼說過，你們男生都想和她約會，可她並不是皇室。」

他的手指靈活的在我的小腿肚上輕戳。「她和艾倫在一起。我有很多朋友不是皇族，也有拜爾族的朋友，我不是個勢利鬼。」

「對，但是你知道她的父母其實是多羅茨多夫家的傭人嗎？」

在我腿上的手停了下來。我多少有些誇張，可他在八卦這方面還是個菜鳥，看得出來，他很願意把這件事四處傳播。

「眞的？」

「眞的，負責擦擦地板之類的。」

「啊!?」

我能看見在他深藍色的眼睛和笑容後面藏著什麼鬼點子。

我坐起來，離他近了些，然後將一條腿完全搭在他的腿上。我伸出手摟住他，不一會兒，他身上男子漢的氣息就讓我忘記了米婭。他熱情地親吻著我，儘管有些急躁，接著，他將我推靠在沙發背上，我放鬆下來，享受著這幾週以來第一次眞正的親密行爲。

我們就這樣吻了許久，我甚至沒有阻止他解開我的襯衣。

「適可而止！」在親吻的間隙，我警告他。我可不想在休息室的沙發上失去我的童貞！

他停了一會兒，想了想，最後道：「沒問題。」

但是，他將我推倒在沙發上，覆了上來，仍然熱烈地吻著我。他的唇移到了我的脖子上，當他的尖牙碰觸到我的皮膚，我不能自已地興奮喘息著。

他抬起頭，看著我的臉，很明顯有些驚訝。有一刻，我幾乎不能呼吸，回憶著吸血鬼的咬噬所帶來的快感，希望一會兒之後也能感受到這種歡愉。我記起了古老的禁忌——儘管我不打算獻身，但是我在這種情況下給他提供血液，也是大錯特錯、骯髒不堪的。

「不！」我警告他說。

「妳想要，」他的聲音帶著一絲興奮。「我敢肯定。」

「不！我不想！」

他抬頭看著我。「妳想，怎麼……嘿！妳以前是不是這麼做過？」

「沒有！」我否認道，「當然沒有！」

傑西那雙漂亮的藍眼睛看著我，我能看出他在想什麼。他也許輕浮、大嘴巴，但他並不傻。

「看妳的樣子好像妳之前做過。我親妳脖子的時候，妳很興奮。」

「你是個調情高手！」我反駁說，儘管那並不完全是事實。「你覺得如果我以前這麼做過，學院裡會沒人知道嗎？」

他露出「我明白了」的表情。「那是妳離開學院之前。妳們離開之後，妳這麼做過，對吧？妳給莉莎餵食！」

「當然沒有。」我再次重申。

但是，他知道自己說中了。「這是唯一的辦法。妳們沒有餵食者，哦……天哪！」

「她找到了幾個。」我撒謊。

這個謊話我也對娜塔莉說過，她曾經對別人四處宣講，除了克里斯蒂安，沒人對此有疑問。

「有許多人類都願意。」

「當然。」他笑著說，然後張開嘴，向我的脖子咬來。

「我不是那種骯髒的妓女！」我飛快地說，將他一把推開。

「但是妳想要，妳喜歡這麼做，所有的拜爾族女生都喜歡。」他的牙齒再次碰到了我的皮膚，鋒利的牙齒，感覺棒極了！

我有種感覺，反抗只會讓事情變得更糟，所以我試圖緩和一下氣氛。

「別這樣！」我輕輕地說，手指撫摸著他的唇瓣。「我說了，我不喜歡這樣。如果你想給你的嘴找點事做，我可以幫你想幾個主意。」

這引起了他的興趣。「哦？比如說？」

就在這時，門開了，我們馬上分開。

我已經做好了進來的有可能是跟著我們的學員，甚至是舍監的準備，但是，我沒做好面對迪米特里的準備。

他突然出現在門口，好像知道我們肯定在這裡。在這個恐怖的時候，看著他像暴風一樣的怒火，我明白了爲什麼梅森封他爲神了。他眨著一隻眼睛，走過來猛地揪住傑西的襯衫，把他舉起來，傑西的腳差不多已經完全離開地面了。

「你叫什麼名字？」迪米特里吼道。

「傑……傑西，傑西．齊科洛斯，先生。」

「齊科洛斯先生，你有被允許走進這裡嗎？」

「沒有，先生。」

「你知不知道學院關於男生和女生交往的守則？」

「知道，先生。」

「那麼我建議你，最好在我把你交給能處罰你的人之前，趕緊離開。如果下次再讓我看見你這麼做……」迪米特里指著蜷縮在沙發上、衣衫不整的我，「我會親自處罰你，那會很痛的，你明白了嗎？」

傑西吞了下口水，張大眼睛，曾經的虛張聲勢統統都不見了。

「明白，先生！」

「那就快走。」迪米特里放開他。如果可能的話，傑西逃跑的速度要比迪米特里出現的速度還要快。我的長官現在轉向我，散發出危險的氣息。他什麼都沒說，但是憤怒、不滿的資訊傳達的清晰又大聲。

緊接著，情況變了。

他變得很驚訝，好像以前從沒好好看地注意我。而此刻，他絕對是在仔細地看我，看我的臉、看我的身體。

我突然記起自己只穿著牛仔褲和內衣——被撐得鼓鼓的黑色內衣。我非常清楚，學院裡很少有女生穿上內衣能夠有我這種效果。就連迪米特里，這種把重心放他的工作和訓練上的人，也覺得讚嘆不已。

這時，我發覺自己全身湧動著一股火辣辣的感覺，他看我的眼神，比傑西的親吻帶給我的感覺還要強烈！

迪米特里有時很安靜，讓人距離很遙遠，但是他有我在別人那裡從沒見到過的敬業和熱情。我想知道，這種力量怎麼被用來……呃……做愛，那會是一種什麼樣的感覺，如果被他撫摸和……

該死！我在想什麼？難道我瘋了嗎？我十分尷尬地用挑釁的態度來掩飾自己剛剛的想法。

「還滿意你所看到的嗎？」我問道。

「穿上衣服。」

他說出來的話硬邦邦的，那嚴厲令我清醒過來，也讓我忘記了自己的失態。我飛快穿好襯衫，不安地看著他火大的樣子。

「你是怎麼找到我的？你跟蹤我，確保我不會逃走？」

「閉嘴！」他快速地說，俯下身來，以便能看到我的眼睛。「一個門衛看見了你們，向我報告了。你們不知道這麼做有多愚蠢嗎？」

「知道，就是那些禁令，對嗎？」

「不僅僅是那個。首先，我要跟妳說，你們這麼做就是件蠢事。」

「我一直這麼做，這沒什麼大不了的。」生氣讓我忘記了害怕。我不喜歡被當成個孩子一樣教訓。

他的臉色很難看，「難道妳沒有自尊嗎？想想莉莎。妳讓妳自己看起來很廉價，妳的行爲證實了許多人對拜爾族女生的看法，這會影響到她，還有我！」

「哦，我明白了。就是這個原因嗎？我傷害了你偉大、無聊的男性尊嚴了嗎？你害怕我會損壞你的名聲？」

「我的名聲已經有了，蘿絲。我很早以前就給自己設立標準，並且嚴格按照標準去做了。而妳要怎麼去維護妳的名譽，還有待觀察。」他的語氣又變得冰冷無情，「現在，回到妳的房間去，別再隨便把妳自己扔給什麼人。」

「這是你間接叫我賤人的說法嗎？」

「我聽了你們這些孩子講的故事，特別是關於妳的故事。」

哦！我想回嘴，對他說我怎麼處理我的身體不關他的事，但是他臉上的憤怒和失望令我猶豫了。

我不知道這種感覺是怎麼回事，讓奇洛娃那樣的人「失望」不算什麼，但是迪米特里……我記得上次訓練他誇獎我的時候，我是多麼驕傲，而看見他如此失望……讓我突然間覺得自己眞的是像他說的那樣，很廉價！

心裡的委屈爆發了，我眨眨眼，忍著不讓淚水流出來。

我對他說：「爲什麼……我不知道該怎麼說，找樂子有什麼不對？我十七歲了，你知道嗎？我可以享受這一切的！」

「妳十七歲了，不到一年以後，妳就要掌握著一個人的生死！」他仍然很嚴肅，但是話中也帶出了一絲溫柔，「如果妳是人類或者是莫里族人，妳可以享樂、可以做任何其他女生做的事。」

「但是你不讓我這麼做！」

他望向遠方，深棕色的眼睛露出迷茫，肯定是陷入了回憶。

「我十七歲的時候，遇見了伊萬·齊科洛斯。我們不像妳和莉莎，但是我們是好朋友，他請我做他的守護者。我是我們學院中最優秀的學員，我認眞學習每門課，但是最後，那還是不夠！這就是人生，一次疏忽，就全都毀了……」他嘆了口氣，「等明白了，也已經太晚了！」

我的喉頭像是被堵住了，想起莉莎也曾經有「一次疏忽，就全都毀了」的時刻。

「傑西就是齊科洛斯家的人。」我說，突然意識到迪米特里剛剛講了他以前的事，關於朋友和工作。

「我知道。」

「這勾起了你的傷心事？他令你想起了伊萬嗎？」

「我的感覺並不重要，我們的感覺都不重要。」

「但你確實很傷心。」我能瞭解他的心情，儘管他一直在掩飾。「你很傷心，每天都是，對嗎？你很想他。」

迪米特里很驚訝，我好像揭開了他神祕面紗的一角，而他不想讓我知道這些。我本以爲他是一個很冷淡的、不擅言辭的、難相處的人，但也許他只是將自己封閉了起來，才不會讓自己再次受傷。

伊萬的死，顯然在他心中留下了難以磨滅的烙印！我想知道他會不會覺得孤獨。

他收起了吃驚的表情，換上了嚴肅的樣子。「我的感覺並不重要，他們才是第一位的，要保護他們。」

我再次想起了莉莎。「對，他們最重要。」

在他再次開口說話前，我們之間有很長一段時間的沉默。

「妳對我說過，想要學習格鬥，眞正的格鬥。現在還這麼想嗎？」

「是的，當然。」

「蘿絲……我可以教妳，但是我必須相信妳是全身心投入，眞正的投入。我不允許妳被這種事情分心，」他用手指了指休息室。「我能相信妳嗎？」

再次，我在他的注視下、在他認眞的詢問下，有想哭的感覺。我不明白爲什麼他會對我有這麼強的影響力，我從沒這麼在乎過一個人的想法。

「可以，我發誓。」

「好吧！我會教妳，但是妳需要先變強。我知道妳討厭跑步，但這確實是必需的。妳不瞭解血族，學院試著讓妳有所準備，但是在妳親眼看見他們有多強壯、速度有多快之前……嗯，妳真的無法想像，所以，我不能停止跑步訓練，也不能降低標準。

如果妳想學更多關於格鬥的東西，就需要再多加額外的訓練。我會佔用妳更多的時間，妳用在做功課和其他事情上的時間不會有很多，而且妳會很累！非常累！」

我考慮了一下，想到他、想到莉莎。「這算不了什麼。如果你讓我做，我就做。」

他嚴肅地看了我許久，仍然在猶豫他是不是可以相信我。

終於，他滿意地對我點了點頭。「我們從明天開始！」

10

「對不起，納吉先生，莉莎和蘿絲在傳紙條，我沒法集中注意力。」

米婭試著爲自己的走神開脫，也爲了她無法回答納吉先生的問題找藉口，同時還毀了本來應該是很美好的一天。

一些關於狐狸事件的謠言還在流傳，但更多人想知道的，卻是克里斯蒂安襲擊拉爾夫的事。我仍然沒有排除克里斯蒂安在狐狸事件中的嫌疑，我肯定他爲了向莉莎證明自己的感情，發起瘋來，是會做出這種事的。但是，不管動機是什麼，他已經贏得了莉莎的注意，就像他說的那樣。

傳說中，納吉先生喜歡大聲唸出學員們傳遞紙條的內容，來羞辱他們。他搶過紙條，整個班級的人都很興奮地等著他完整地讀出上面都寫了些什麼。

我吞了一下口水，想讓自己盡可能顯得平靜和無所謂，但是莉莎的表情像是恨不得立刻死掉一般。

「哇哦！」納吉先生看完紙條後說，「妳們兩個人裡有一個人的字眞是有夠醜的！所以如果我讀錯了，請原諒我。」他清了清喉嚨，說：「『昨天晚上我去見J了！』第一個人字寫得很爛的人說。另一個人回答說：『發生什麼事了？』後面至少加了五個問號。我眞無法理解，難道一個問號就不足以表明重點嗎？」

全班的同學都笑了起來，我看見米婭正得意地笑看著我。

「第一個人又說：『妳覺得會發生什麼？我們在一個空閒的休息室裡亂搞。』」

班裡又響起一片偷笑聲，納吉先生不滿地看了看下面，他的英國口音讓人覺得這件事更加可笑。

「我能不能請問一下，『亂搞』這個詞是不是最近才出現的？或者我們能不能這麼說——這是我的老師教給我『申請進行肉體接觸』的學術名詞？」

更多的人偷笑起來。我坐直身子，大聲說：「是的，納吉先生，你說的沒錯。」班上有很多人忍不住笑出聲來。

「謝謝妳的確認，海瑟薇小姐。剛才我說到哪裡了？啊！對了，另一個人這時候就問：『感覺怎麼樣？』回答說：『很好！』後面還畫了一個笑臉來對前面的形容表示肯定。好，我想這對這個神祕的J來說是項很大的榮譽，嗯？『那，你們倆到什麼程度了？』啊哈！小姐們，我希望這沒有超過限制級的尺度！」

納吉先生又繼續說：「『沒到最後，我們被逮到了！』再一次，我們知道了這件事的嚴重性，只不過這回畫在後面的不是笑臉了。『出什麼事了？』『迪米特里進來了，他把傑西趕了出去，還說我是妓女！』」

在聽到納吉先生說到「妓女」兩個字的時候，全班都笑瘋了，而且，他們終於聽見了幾個具體的人名。

「這麼說，齊科洛斯先生，你就是剛才提到的那個J？那個可以贏得笑臉榮譽的人？」

傑西的臉變得通紅，但是他似乎沒有因爲被朋友知道這件事，而變得特別不高興。他到目前爲止都保守著祕密，包括我們對吸血那部分的談話，我猜這是迪米特里的恐嚇起了作用。

「我提醒妳們這些『好朋友』，課堂剩下的時間不要用來聊天。」他將紙條放回到莉莎的桌子上，「海瑟薇小姐，由於妳已經得到了這裡最嚴重的處罰，看起來沒有其他好辦法對妳進行懲罰了。因此，妳，德拉格米爾小姐，要被罰禁足兩個星期，本來是應該罰妳們一人一星期的，但看來妳要替妳的朋友多被罰一個星期了。下課鈴響之前，請不要動。」

下課以後，傑西來找我，很是不安。「嘿！關於紙條……妳知道我跟這件事一點關係都沒有。如果迪米特里知道這件事，妳會向他解釋的，對吧？我是說，妳會告訴他我沒有……」

「對，」我打斷他，「別擔心，你很安全。」

莉莎站在我旁邊，看著傑西走出教室。我不由自主地回想起迪米特里是多麼輕而易舉就把他舉起來。

很明顯，他是個膽小鬼！

「我突然不像以前那樣覺得傑西很迷人了。」我對莉莎說。

莉莎只是笑了笑。「妳該走了，我還有課桌要擦。」

我離開教室，往宿舍走去。在我走回去的路上，路過了站在教學樓外面一群學員，我很羨慕地看著她們，希望自己也有時間和別人聊天。

「不，這是眞的。」我聽見一個自信滿滿的聲音說。

說話的人是卡米莉．康塔，她很漂亮，在學院裡也很受歡迎，她的家族在整個康塔氏族裡享有很高的聲望。在我們離開之前，她和莉莎還可以稱得上是朋友，是那種兩股勢力彼此之間互相關注的奇怪方式。

「比如說，清掃洗手間什麼的……」

「哦……我的天哪！」她的朋友說，「如果我是米婭的話，肯定很想死！」

我笑了。顯然，傑西把我昨晚對他說的故事告訴了別人。很不幸的是，接下來偷聽到的對話抵消了我的勝利感。

「……聽說牠還活著，好像，還在床上抽搐……」

「這太噁心了吧！她們爲什麼不把牠丟掉？」

「不知道。爲什麼一開始要殺牠？」

「妳覺得拉爾夫說的是眞的嗎？她和蘿絲這麼做就爲了被踢……」

她們看見了我，閉上了嘴。

我愁眉不展、垂頭喪氣地走過廣場。還活著……還活著……

我禁止莉莎談論兩年以前，和狐狸事件類似的那件事。我不想相信這兩者之間有關聯，也不想讓她這麼想。

但是，我無法控制自己不去想那件事，不僅僅是因爲那很恐怖，還因爲那讓我不得不去想，那天在她的房間裡，到底發生了什麼？

那天晚上，我們蹺課，偷偷溜去了學院附近的小樹林。之前我用一雙非常可愛的、鑲滿了仿鑽的涼鞋，和阿比巴蒂卡交換了一瓶桃子味的杜松子酒。這舉動很瘋狂，但是在蒙大拿，你可以隨心所欲。當我建議說要蹺課把這瓶酒喝光時，莉莎搖頭表示不同意，但最後她還是跟著來了。

我們找到了老圓木台，坐了下來，它緊挨著一片低矮的綠色沼澤，半圓的月亮發出微弱的銀色月光，灑在我們身上，這點光對於吸血鬼和半吸血鬼來說，已經夠亮了。

我們兩個對著酒瓶，一人一口地喝了起來，我問她和艾倫的事，她承認上一個週末的時候，她和艾倫上了床。我有一種強烈的嫉妒，她居然是我們兩個裡面第一個有了經驗的人。

「那是什麼感覺？」

她聳聳肩，又喝了一口。「不知道。這不算什麼。」

「什麼叫這不算什麼？是地心轉移了，還是行星連成一線了？有別的事發生嗎？」

「沒有，」她說，笑得差點喘不過氣來。「當然沒有。」

我不明白這有什麼好笑的，但是很明白她不想談論這件事。這是心電感應開始形成的時候，她的情緒可以將我拉進去。

我盯著手裡舉的瓶子看著。「我不認為這東西管用。」

「那是因為這裡面根本就不含酒精……」

灌木叢裡有東西往這邊來，窸窸窣窣的，我立刻跳起來，擋在莉莎身前。

「好像是動物。」安靜了一會兒後，她說道。

這不代表危險就不存在。學院的防衛區能阻住血族，但是野生動物經常會進入學院的周邊，時不時嚇嚇人，比如熊和美洲豹。

「來吧！」我對她說，「我們回去吧！」

我們沒有走出多遠，就聽見灌木叢裡又有了動靜，然後從裡面走出來一個人。「小姐們。」是卡普夫人！

我們愣住了，我唯一能做出的迅速反應，就是在愣了一會兒後，把酒瓶藏到身後。

卡普夫人有點皮笑肉不笑地伸出了她的手。

我害怕了，將酒瓶交給了她。卡普夫人將瓶子夾在胳膊底下，一言不發地轉過身。我們跟在她後面，知道面臨的，將是對我們的處分。

「妳們以為一個班蹺掉了一半的學員，不會被發現嗎？」過了一會兒，她問道。

「蹺掉了一半？」

「很顯然，有一半的人同時選擇了在今天蹺課。也許是因為天氣太好了……有春天的氣息。」

我和莉莎慢吞吞地走著。自從卡普夫人上次治好了我的手，和她在一起時，我總是感覺怪怪的。

她古怪、可疑的行爲讓我覺得很奇怪，現在比以前更奇怪，而且可怕。最近我甚至不敢看她額頭上的那些紋身，雖然那些紋身被她深紅色的頭髮蓋住了，但有時也會露出來。有時候，會多出幾個新的紋身；有時候，舊的又會消失不見。

我的右邊響起一陣奇怪的振動翅膀的聲音，我們都停住了腳步。

「我猜，可能是妳們的某個同學。」卡普夫人轉身看向聲音傳來的地方。

但是當我們趕到後，發現地上躺著一隻黑色的大鳥。大部分的動物對我來說，都不會有什麼感覺，但是，我很喜歡鳥類光滑的羽毛和鋒利的嘴巴。這隻鳥可能會在三十秒內啄掉一個人的眼睛，如果牠不是快死了的話——果然，整個身體哆嗦了一下之後，這隻鳥徹底地死去！

「這是什麼？烏鴉？」我問道。

「太大了！」卡普夫人說，「這是大烏鴉！」

「牠死了嗎？」莉莎問。

我馬上接過話說：「對，一定死了，別碰牠。」

「也許是遭到了另一隻鳥的攻擊。」卡普夫人看了許久之後說，「有時牠們會因爲領地和資源而打架。」

莉莎跪在地上，一臉同情。我對此並不驚訝，對於動物，她一直這樣。在我發起了那次著名的倉鼠和寄居蟹大戰過後，她碎碎唸了好幾天。我將這種鬥爭看作是對合格對手的測試，但是在她看來，只覺得殘忍。

她呆愣愣地將手朝大烏鴉伸過去。

「莉茲！」我大喊，覺得很害怕。「牠身上可能有病菌！」

但是她仍然伸過手去，好像沒有聽到我的喊叫。卡普夫人站在一旁，像個雕像，她的臉色像鬼魂一樣蒼白。

莉莎的手指碰到了大烏鴉的翅膀，我又叫了她一次，朝她走過去，將她拉回來。突然，奇怪的感覺湧入了我的腦海，那是一種甜蜜又美麗的感覺，充斥著我整個人的心田，很特別，令我停住了動作。

然後，大烏鴉動了。莉莎輕輕地尖叫了一聲，收回了手。我們都張大了眼瞧著。大烏鴉拍拍翅膀，慢慢地調整自己想站起來。當牠設法站起來之後，轉過身來朝向我們，看著莉莎的眼睛根本就不像一隻鳥。牠和莉莎互相對視著，但是我無法通過心電感應知道莉莎的感受。很久很久以後，大烏鴉轉開了頭，飛上了天空，翅膀強有力的拍呀拍的，就這麼飛遠了。

風捲著地上的落葉，這是此時唯一的聲音。

「哦……我的天哪！」莉莎喘著氣說，「剛剛那是怎麼回事？」

「該死的我怎麼知道!?」我盡量掩飾心中的恐懼。

卡普夫人走過來抓住了莉莎的胳膊，用力將她轉過來，面對面地看著她。我很快衝過去，準備在卡普夫人對莉莎做出什麼瘋狂的舉動時，立刻阻止她，儘管我內心對於要和一名老師開戰感到緊張不已。

「什麼都沒發生。」卡普夫人的聲音有些緊張，她的眼睛使勁張著，「妳聽見我說的了嗎？什麼都沒發生。妳也不能對別人說妳看見了什麼，不管他是誰，妳們倆都是。答應我，答應我，妳們倆不會再想起這件事。」

莉莎和我不安地交換了一下眼色。

「好的。」莉莎說。

卡普夫人稍稍鬆開了手。「妳們也不能再這樣了，他們會發現、會來找妳們的！」她轉身對我說：「妳不能讓她這麼做，絕對不能再有下一次。」

廣場上，宿舍樓外，有人在喊我的名字。

「嘿！蘿絲，我叫了妳好幾百聲了呢！」

我忘記卡普夫人和大烏鴉，看著梅森。很顯然，剛剛我沉浸在自己的世界裡時，他已經陪我走了很長一段路。

「對不起。」我喃喃地說，「我沒聽見。我……呃……有點累！」

「昨天晚上太激烈了？」

我瞇起眼睛看著他。「沒有我搞不定的事。」

「我想也是。」他笑了，雖然聽起來並不高興，「聽起來是傑西搞不定。」

「他還不錯。」

「如果妳一定要這麼說的話。但是就我個人來說，我覺得這是一次很糟糕的體驗。」

我愣了一下，才說：「我覺得這事跟你一丁點關係也沒有！」

他生氣地看著我說：「妳讓這件事成爲了班上所有人的笑柄！」

「嘿！我不是有意這麼做的。」

「反正最後結果都一樣，傑西是個大嘴巴。」

「他不會說的。」

「對，」梅森說，「因爲他長得可愛，而且又生在那樣顯赫的家庭裡。」

「別再像個傻瓜一樣說話。」我罵他說，「爲什麼你這麼關心？嫉妒我約會的對象不是你嗎？」

他的臉瞬間漲得通紅，血液全部從腳底衝上了頭。「我只是不喜歡別人說妳的那些屁話，僅此而已，不久之後就會有很多噁心的笑話到處流傳！」

「我不在乎他們怎麼說我。」

「哦，對。妳很堅強，妳不需要任何人。」

我停了下來。「對，我不需要。我是這個倒楣的地方最好的實習生，不需要你像個騎士一樣衝過來保護我，別把我當成那種等著別人來救的女生。」

我轉身繼續向前走，他幾步就追上了我，眼中的悲哀就快要溢出來了。

「我並不想惹妳不高興……我只是擔心妳。」

我咧嘴朝他一笑。

「我是認眞的。等等……」他開始說，「我……呃……我昨天晚上去圖書館，想幫妳查查關於聖弗拉米爾的事。」

我再次停了下來。「眞的？」

「對，但是關於安娜的部分不是很多，所有的書寫的都差不多，只提了她怎麼給人治病、怎麼把他們從死亡的邊緣搶救過來的事。」

他的最後一句話令我心中一動。

「還有……還有其他的事嗎？」我結結巴巴地說。

他搖搖頭。「沒了。妳可能需要去找第一手資料，但是在這裡，我們找不到。」

「第一手什麼？」

他嘲弄的笑容掛在臉上，「除了傳紙條，妳什麼都沒做吧？前幾天安德魯的課堂上我們剛剛講過這個。那裡有妳想看的當時的人寫的書，另外還有一些現代的人寫的。如果妳看了那個人自己寫的書，可能會得到更多有用的資訊。或者特別瞭解他的人寫的也行。」

「哈！太好了！現在你是什麼？一個天才少年嗎？」

梅森用手肘輕輕打了我一下。「我比較認眞，僅此而已。妳神經太大條了，忽略了很多事！」

他緊張地笑了笑，「嗯，看……我對我剛才說的感到非常抱歉，我只是……」

嫉妒！我突然意識到。

我能夠從他的眼中看出來，可我怎麼從來沒有注意到過？看來我眞的是神經太大條了！

「沒關係，梅斯，忘了它吧！」我笑著對他說，「謝謝你爲我查這些資料。」他也對我笑了笑。

我走進宿舍，悲傷地發現我對他並沒有同樣的感覺。

11

「妳需要禮服嗎？」莉莎問道。

「嗯？」我看著她。

等著納吉先生來上斯拉夫藝術課時，我全神貫注地聽著米婭對別人否認有關她父母的傳言。

「他們並不是傭人！」她大聲說道，神色緊張，想盡量擺出高傲的姿態。「事實上，他們做的是顧問這一類的職務。多羅茨多夫家沒有他們，什麼決定也作不了！」

我吃吃地笑著，莉莎看到，搖了搖頭。

「妳太過得意忘形了吧！」

「這一幕太精彩了！對了，妳剛剛問我什麼來著？」

我在書包裡翻來翻去，胡亂找著我的唇膏，終於找到之後，我做了個鬼臉。這支已經差不多用光了，我不知道要去哪裡再買一支新的。

「我問妳晚上要不要穿禮服。」莉莎說。

「當然需要，不過妳的禮服沒有一件適合我穿的。」

「妳打算怎麼辦？」

我聳聳肩。「老樣子，臨時湊合吧！老實說，我並不是很在意，奇洛娃肯讓我去，我就已經很高興了。」

因為今天是十一月一日，紀念所有聖人的日子，也就是說，我們已經回來差不多有一個月了！今晚有個晚宴，一群皇家的人會來視察學校，包括塔蒂安娜女王，不過我對她其實並不感興趣。以前她也來這裡視察過，這沒什麼大不了的，也沒有聽起來那麼有意思。

而且，在經過了和人類生活那段日子，瞭解了大選以後，我就不太在乎那種死板的皇族傳統，我想去是因為所有人都會在那裡，這是和有呼吸的人待在一起的機會，而不必再被鎖在我自己的房間裡。為了這點自由，忍受坐在那裡聽無聊演講，也是值得的。

下課之後，我沒有像平時那樣再和莉莎聊一會兒天。

迪米特里答應過要對我進行特殊訓練，我也要遵守我的承諾。現在，我又多了兩個小時的訓練時間，一個在上課之前，一個在下課之後。我越是觀察他的一舉一動，越是明白他這個「神」的外號是怎麼得來的。他確實懂很多事情，那六個閃電的標誌就足以證明一切，我非常希望他把他知道的都教給我。

我到體育館的時候，發覺他今天穿了一件T恤和一條寬鬆的運動短褲，而不是平時穿的那件牛仔褲。

這身裝扮和他很配！太配了！

別看了！我立刻告誡自己。

他讓我站好位置，這樣我們可以面對面，接著雙臂交叉，開始詢問我：「妳和血族面對面的話，遇到的第一個問題是什麼？」

「他們不是人？」

「說點更具體的。」

比不是人還具體的？我思考著。「他們比我高、比我壯。」

大部分血族，除非他們是從人類變過來的，否則都和他們的莫里族表親一樣高大。血族在力量、速度和靈敏度這些方面，都比拜爾族要佔優勢，這就是守護者要努力訓練的原因，我們需要爲此制定自己的「學習曲線」。

迪米特里點點頭。「要突破這點很難，但也不是絕無可能。或許，妳正好可以從他們身高和體重方面的劣勢下手，去對付他們！」

他轉過去，示範了好幾種方法，演示出要怎麼移動、怎麼攻擊別人。看著他的動作，我恍然大悟爲什麼在平時的小組練習時，我表現得那麼一般。我很快就學會了他的技巧，迫不及待地想實際演練一下。

在快要結束的時候，他決定讓我試試。

「來，」他說，「試著打中我。」

不需要他再說第二次，我朝前移動，發動進攻，但是馬上被彈了回來，撞倒在墊子上。我全身上下沒有一處不痛，但拒絕就此作罷。我跳起來，希望趁他沒有防備的時候偷襲成功，但還是失敗了！

幾次嘗試均告失敗，我站起來做了一個休戰的手勢。「好吧！我哪裡做得不對？」

「沒有。」

我沒有覺得好過一點。「如果不是我做得不對，目前為止，我應該有一次是成功打到你的！」

「不是這樣。妳的行動都是對的，但這是妳第一次在實戰中用到它們，而我已經像這樣做了好多年了。」

我甩甩頭，又揉揉眼睛，看著他像年長智者一樣的風範——有一次他告訴我，他今年二十四歲！

「不管你怎麼說，老爺爺，我們再試一次吧？」

「今天沒有時間了。妳不想去準備準備嗎？」

我看著牆上落滿灰塵的鐘錶，精神重新振奮起來。

差不多到晚宴的時間了，這個發現讓我有點煩躁。我覺得自己好像是仙杜瑞拉，但是沒有合適的禮服。

「該死！對，我得去準備一下。」

他在我前面走著。我仔細看著他的背影，認為自己不應該放過這個千載難逢的好機會。我在他後面跳到合適的位置，按照他教我的那樣，一切都很完美，他甚至沒有發現我朝他撲過去。

但，在我碰到他之前，他以不可思議的速度轉過身來，以一種非常熟練的反應，像抓小雞一樣抓住我，把我丟飛出去，跌在地上爬不起來。

我低吼道：「我做得非常好！」

他漠然地看著我，抓住我的手腕，但是表情卻沒有上課時那麼嚴肅認眞，好像是在開玩笑地道：「妳的吼聲已經把妳的意圖暴露了！下次試試別出聲。」

「我保持安靜結果就會有什麼不同嗎？」

他想了想，然後說：「不，可能不會。」

我大聲地嘆了口氣，讓自己盡量心情好一點，不再那麼失望。

有了這樣喜歡踢人屁股的老師，我似乎有些進步，有時他的腳也會碰巧被我擋住。他的身材不是很笨重，但是他身上有很多堅硬、結實的肌肉。如果我能打敗他，我就能打敗任何人！

突然，我記起了他的手還沒有把我放開。他抓住我手腕的手非常溫暖，臉就停留在離我的臉大概幾英寸的地方，腿和身子完全壓在我的身上。幾縷深棕色的頭髮垂在他的臉旁，他看著我，像那天晚上在休息室時一樣。哦……天哪！他的味道眞好聞。我覺得呼吸困難，大腦停止了運轉，肺也快被壓碎了！

我願意花費任何代價來交換他現在在想什麼！

自從那晚在休息室之後，這是他又一次用同樣含有深意的表情看著我。這種表情在訓練時是看不到的，能看到的都是他公事公辦的樣子。但在訓練之前或之後，他有時會讓我們之間的氣氛變得稍微輕鬆一點，對待我的方式也比較友好。如果我非常、非常幸運的話，他還會對我微笑，眞正的微笑，不是那種我經常看到的，含著諷刺意味的冷笑。

我不想承認，包括對莉莎和我自己，有幾天我確實靠著他的微笑而活。笑容出現在他臉上時，「漂亮」已經不足以用來形容他。

我盡量讓自己顯得冷靜，試著搜刮出一些專業的、守護者之間會說的話，但我最後說出口的，卻是——

「那麼……嗯……你還有別的動作要教我嗎？」

他抿了抿嘴，有一刻我以為我能看到他的笑容，我的心狂跳起來。這時，很明顯可以看出他努力將笑容收回去，再次變成了我敬愛的老師。

他放開我，站了起來。「起來，我們該走了。」

我自己爬起來，跟在他身後走出了體育館。他走的時候沒有回頭，我自責了一路，直到回到自己的房間。

我迷上了自己的老師，比自己大很多的老師，我一定是瘋掉了！他比我大七歲呢！歲數大得都可以當我的……呃……好吧！什麼都當不了。但他年紀還是太大了！七歲是很大的差距，我出生時，他都已經學會寫字了；我學會寫字和朝老師扔書本的時候，他大概可以和女生親吻了……想到他看我的方式，也許，他吻過很多女生！

現在，我的生活確實不需要變得更複雜了！

我回到房間後，快速地沖了個澡，找了件還算湊合的毛衣穿上，然後穿過校園，來到迎賓處。

整座學院除了外部高聳的石牆、各種各樣的雕像和外牆上的砲眼，在內部的裝修還是很現代的，我們甚至有無線網路，還有你能想到的任何現代科技產品。

學生餐廳和我在波特蘭及芝加哥進去過的咖啡廳很相似，擺放的都是簡單的方形桌子，光滑牆壁塗成暗灰褐色，提供食物的地方只留出很小的空間讓人通過。牆上相框裡的黑白色相片，沿牆掛了一排，勉強算是裝飾，但是我真的不覺得花瓶和光禿禿的樹的照片就能算是藝術。

但是，今晚，這個普普通通的地方，卻要被變成一個貨真價實的餐廳！花瓶裡插滿了深紅色的玫瑰，間或點綴著白色的百合花，蠟燭的火苗上下跳動著，餐桌布等著被鮮血染成血紅色。

這樣巨大的改變真是驚人！很難相信這裡就是平時我吃雞肉三明治的地方，這裡看起來很適合……呃……女王！

桌子被擺成一排排的，中間留出了通往房間中心的走道。我們的座位都被安排好了，所以，我很難坐在莉莎的旁邊。她和其他的莫里族坐在前面，我和其他的實習生坐在後面，但是，當我走進來時，她還是看見了我，對我笑了一下。

她穿的是向娜塔莉借來的藍色真絲細肩帶小禮服，完美地襯托出她修長的身形。娜塔莉居然還有這樣好的衣服，真是令人難以置信，這讓我的毛衣有點黯然失色。

這種正式的晚宴一般都沒有什麼新意，主桌上面要擺放雛菊，擺在房間最前面，這樣我們才好在塔蒂安娜女王和其他皇室成員進餐時，發出配合的「哦」和「哇」等聲音。

守護者們沿牆站成一排，僵直嚴肅得像雕像一樣，迪米特里也在其中。我突然回想起在體育館裡發生的事情，感覺怪怪的。他看著前方，好像什麼都沒有在看，又好像一旦有事發生，他能看到房間裡發生的所有事。

此時，所有的皇族都走了進來，我們全部起立，尊敬地向他們行注目禮。他們緩緩從走道上走進來，我認識其中的幾個，大部分都是因爲他們的孩子也在這間學院上學。維克多·達什科夫是其中一個，他拄著手杖，步履非常緩慢。我很高興能見到他，所以幾乎是直盯著他一步一步地走進房間裡。

當這群人全都走進房間，四名身著紅黑色條紋外套的守護者，表情嚴肅地走進大廳。除了牆邊的守衛者，其他人都單膝跪地，用這種愚蠢的方式表達自己對女王的忠誠。

這麼多儀式、這麼多人在作秀，我不禁感到厭煩。莫里族的首領是由前任首領從各大皇室家族中挑選出來的，國王或者女王不能指定自己的子女爲接班人，而由貴族和皇族成員組成的議會如果有充分的理由，有權彈劾被選定的王儲，儘管這種事情從沒有發生過。

塔蒂安娜女王在這四名守護者之後走進大廳，她身穿一件紅色的絲綢長裙，外面有同色系的外套。她年紀大約六十出頭，頭上戴著一頂當選的美國小姐那樣的皇冠，深灰色的頭髮順著她的面頰垂下來。她慢慢走進大廳，好像是在散步。

邁著輕盈的步伐，她很快走過實習生所坐的那片區域，不時地微笑點頭。拜爾族雖然有一半是人類的血統，但是我們被告誡要將自己的一生都用來保護莫里族，為他們服務，因此，聚集在這裡的學生，年紀輕輕就殉職的可能性非常高，作為女王，必須對此表示出她的敬意。

當她走到莫里族的區域，停留的時間變得比較長，而且會和少數學員短暫地談上幾句。有幸能和女王談話是莫大的榮譽，這說明他們的父母很受女王的器重，所以，每個皇室的成員都打起十二萬分的精神。女王並沒有和他們談很多，也沒有表現得對他們很感興趣，大多只是平常的寒暄。

「瓦西莉莎．德拉格米爾。」

聽到女王叫了莉莎的名字，心電感應傳來一陣緊張。我顧不得什麼禮儀，從我的位子上衝出去，在人群中擠到一個視野不錯的位置。當女王和德拉格米爾家族的最後一個倖存者談話時，沒有人注意到我這個小小的舉動，每個人都迫切地想知道，女王會和這個落跑的公主說些什麼。

「我們聽說妳回來了，很高興再次見到德拉格米爾家的人，雖然妳是唯一的一個了。對於妳父皇和皇兄的逝世，我表示深深地遺憾，他們是莫里族優秀的人才，他們的逝去絕對是莫里族的一大損失。」

我從來不明白皇室口中所說的「我們」包括誰，但是不管怎麼說，事情好像還不壞。

「妳的名字很有意思，」女王繼續說，「在俄國的神話傳說中，有許多女英雄都叫『瓦西莉莎』。勇敢的瓦西莉莎、美麗的瓦西莉莎，她們是不同的年輕女生，有著同樣的名字和同樣的高貴品格，正直、富有智慧、遵守紀律和潔身自好。所有這些偉大的特質，讓她們戰勝強大的對手。

而且，德拉格米爾這個姓氏本身就有它自己的殊榮，德拉格米爾國王和王后在歷史上，以公正嚴明而著稱。他們用自己的權力完成了奇蹟，和自己的守護者一起，殺死了血族，無愧於他們皇族的身分。」

她說完，停了一會兒。我能感覺到大廳裡的氛圍變得很奇怪，莉莎也有些驚訝，臉上露出一絲羞澀和高興。學校裡的各種勢力平衡會因此而發生變化，我幾乎能夠想像，明天開始，會有人逐漸向莉莎示好。

「當然，」塔蒂安娜女王接著說下去，「妳的名字是雙重能力的象徵，它代表了人們偉大的行動和勇氣締結。」她停了一下，「但是，正如妳學到的，名字並不代表一個人，也不能保證叫這個名字的人，就一定能名符其實。」

這些話就像一記響亮的耳光，打在莉莎臉上。

女王說完，轉身繼續她的巡視，所有人都驚呆了。

我簡單想了一下，放棄了衝到走道上修理女王的想法。在我邁出五步遠之前，就會有超過半打的守護者衝上來把我按在地上。

整個晚宴中，我一直心神不寧，始終對莉莎所遭受的羞辱耿耿於懷。

晚宴結束後，莉莎悄悄溜到門邊，向外面的庭院走去。我跟在她後面，因爲要繞過那些聚在一起聊天的人們，避開他們的注意力，所以耽擱了些時間。

她想去外面緊挨著這裡的庭院，那裡的風格延續了整座學院宏偉的風格，帶有雕刻的屋頂上爬滿了藤類植物，覆蓋整座花園，上面分散著一些小洞，可以透過少許陽光，而陽光的強度又不至於傷害莫里族。

光禿禿的樹延伸一排，被種在通往其他花園、庭院和主要廣場的小路上。因爲是冬天，石塘乾涸了，它靜靜地縮在角落裡，中間坐落著聖弗拉米爾的雕像，雕像是用灰岩雕成，穿著長袍、長著落腮鬍。

轉過一個拐角，我看見娜塔莉在我之前走到了莉莎身旁，於是便停下了腳步。我在猶豫要不要打擾她們，爲了不讓她們發現我，我又後退了幾步。偷聽也許不太好，但我突然很好奇，想知道娜塔莉究竟會跟莉莎說些什麼。

「她不應該說那種話！」娜塔莉說。

她穿著一條和莉莎身上款式差不多的黃色裙子，但是卻體現不出莉莎那種優雅和泰然自若的神態。她也不適合黃色，黃色與她黑色的頭髮配在一起，很不自然。而且，她還將頭髮梳成了一個圓髮髻。

「她這麼做是錯的！」她繼續說，「別放在心上。」

「有點晚了。」莉莎直勾勾地盯著前面小路上的石頭。

「她說的不對。」

「她說的沒錯。」莉莎大聲說，「我的爸爸媽媽，還有安德烈……他們知道了我做的事，一定會恨死我。」

「不，他們不會的。」娜塔莉溫柔地說。

「逃跑實在是太傻了，根本就是不負責任。」

「那又怎樣？妳只是犯了個錯，而我一直在犯錯。有一天，我在做自然課的功課，應該是做第十章的，但我做了第十一章……」娜塔莉越說越小聲，突地停了下來，將談話拉回正題，「人是會變的，我們一直在改變，對不對？妳和當初的妳已經不一樣了，我和當初的我也不一樣了。」

事實上，在我看來，娜塔莉和當初沒什麼不同，但這無所謂，我越來越喜歡她了。

「再說，」她補充道，「逃跑就一定是錯的嗎？妳這麼做肯定有妳自己的理由。肯定有妳想要逃開的東西，對吧？妳碰上了很多糟糕的事情，不是嗎？還有妳的爸爸媽媽和哥哥……我想說的是，也許當時這麼做是對的。」

莉莎不爲人所察覺地笑了笑。我們倆都知道，娜塔莉在試探我們爲什麼離開，就像學院裡其他人一樣，但她這種偷偷摸摸的作法有點令人討厭。

「我不知道這是不是對的，眞的，」莉莎回答說，「我太軟弱了！如果是安德烈，他就不會逃跑，他太完美了，沒有他應付不來的事，他能和人打成一片，還會其他皇族所必會的鬼東西。」

「妳也可以的。」

「也許吧！但是我不喜歡。我是說，我喜歡和人聊天……但是他們做的事太虛僞了！這才是我不喜歡的。」

「特立獨行也沒什麼不好，」娜塔莉說，「我也不喜歡和那些人一起玩，但是看看我，我過得很好。爸爸說他不介意我是不是和其他的皇族一起玩，他只希望我開心。」

「所以，」我終於現出身形，「這就是爲什麼是他被軟禁起來，而不是王后那個賤人。他被人綁架了！」

娜塔莉跳起來差不多有十英尺高，我非常確信她接下來說出的話不是「天哪」就是「該死」。

「我一直在找妳。」莉莎說。

娜塔莉看看我，又看看她，突然覺得夾在我這對死黨中有點尷尬。爲了掩飾自己的尷尬，她用手捋了捋頭髮，將它們攏到耳後。

「嗯……我要去找爹地了。宿舍見！」

「宿舍見！」莉莎說，「謝謝。」

娜塔莉匆匆忙忙地走了。

「她眞的叫他『爹地』嗎？」

莉莎看了我一眼，「別捉弄她了，她人很好。」

「確實，她人很好。我聽見她說的了，雖然我不太願意承認，但我實在找不出可以挑來打趣的話，她說的都是眞的。」我頓了下，「我會殺了她的，妳明白，我是指女王，不是說娜塔莉。去他的守護者！我會殺了她的，不能就這麼便宜她。」

「老天！蘿絲，不許說這種話，他們會把妳逮起來關進監獄裡的，算了吧！」

「算了？在她當著那麼多人的面那麼對妳之後？」

她沒有回答我，甚至連看都沒看我一眼，只是心不在焉地把玩著因爲冬天而變得光禿禿的小灌木帶刺的樹枝，露出我所熟識的脆弱的表情——這正是我最怕看到的！

「嘿！」我壓低了嗓音說，「別這樣。她不知道自己在說什麼，好嗎？別爲了這件事傷心，別做妳不該做的事情。」

「還會發生的，不是嗎？」她抬頭看了看我，悄悄地說道，仍然抓著灌木的手有些顫抖。

「如果妳不想就不會。」我試著忽略她的手，「妳沒有……」

「沒有。」莉莎搖搖頭，眼睛眨呀眨的，就掉下淚珠來。「我不想的。狐狸事件讓我很生氣，但是情況還好。我喜歡原來的生活。我想念能見到妳的日子，雖然所有的一切都很好，我喜歡……」她不再往下說了。

我讀到了她下面要說的話。

「克里斯蒂安！」

「我希望妳沒有用心電感應，妳不該這麼做。」

「對不起！不過我需要再和妳進行一番『克里斯蒂安是個瘋子』的談話嗎？」

「妳已經說了十幾次，我記住了。」她喃喃自語說。

在我聽到高跟鞋踩在石頭上的聲音和一群笑聲之後，便開始倒數。米婭和幾個朋友向我們走來，但是艾倫不在其中。很顯然，我的反擊生效了！

米婭是她現在最不應該見到的人，莉莎的內心仍然因為女王的話而不安，羞愧和侮辱糾纏著她，她很尷尬，不知道其他人現在會怎麼看她？而且，她也一直在想她的家人對於她的逃跑有什麼看法。

我並不相信女王的話，但莉莎相信，她的負面情緒越來越深。她還沒有恢復，不管她多麼努力讓自己看起來正常一些，我很害怕她會做出一些魯莽的事情。

「妳想怎麼樣？」我問道。

米婭放肆地對莉莎笑著，無視我的問話。她向前走了幾步，「就想來看看特別重要、特別顯赫的皇族現在怎麼樣。女王和妳談話時，妳一定很得意吧？」

她身後的人群中爆發出一陣哄笑。

「妳站得太近了！」我攔在他們中間，米婭往後退了點，可能是害怕我會擰斷她的胳膊。「不過，至少女王知道莉莎名字的來歷，我認為妳肯定不知道自己名字的來歷，也不知道妳想成為皇室的表現有多麼明顯，我想……妳也說不出妳的父母是誰。」

我能看到她對此有多麼嫉妒。她想當個皇家的人想瘋了！

「至少我見過我的父母。」米婭繼續說，「至少我知道他們都是誰。妳的媽媽不過是個有點名氣的守護者，但是，她一點都不關心妳。人人都知道，她從來沒有來看過妳，說不定她還很高興妳離開了……如果她有注意到的話！」

這太傷人了！

我咬著牙說：「對，沒錯，但至少她還有點名氣。她是皇族和貴族的顧問，而不是他們的清潔人員。」

她背後的一個人發出了笑聲，米婭張大嘴巴，毫無疑問地想將爲了這個故事流傳開來而準備好的許多反駁統統倒出來。但是，突然之間，她想明白了！

「是妳！」她張大了眼睛說，「有人告訴我是傑西，但是他不可能瞭解那麼多。是妳告訴他的，在妳和他睡覺的時候。」

現在，她眞的惹我生氣了！

「我沒有和他睡覺！」

米婭指著莉莎，看著我說：「事情就是這麼一回事！妳替她做了那些骯髒的事情，因爲，她自己不可能這麼做。妳不可能一直保護她的，」她警告說：「妳自己也跑不了！」

虛張聲勢！

我湊上前去，盡可能讓自己的聲音聽起來很有威懾力，而以我現在的心情，這一點都不難。

「是嗎？現在妳動我一下試試看！」

我眞希望她這麼做，我想要她這麼做。我們現在的生活中最不需要的，就是讓她莫名其妙的復仇。她是個玩具，一個我現在非常想揍一頓的玩具。

我看見迪米特里朝這邊走了過來，好像在找什麼東西，或者是什麼人。我十分清楚他想找的人是誰。果然，他一看見我，便向我們這邊走來，這時才稍稍分神注意到，我們周圍還有一群人。

守護者能聞到一公里以外戰火的味道，而一個六歲大的守護者就能聞到我們這裡濃重的火藥味了。

迪米特里雙臂環胸地站在我旁邊。「這裡沒什麼事吧？」

「一切正常，貝里科夫守衛。」我微笑著說，但心裡有些火大，甚至可以算是怒火沖天。米婭這種面對面的挑釁，只會讓莉莎更難過！「我們只是在談論家史。你聽說過米婭的故事嗎？精彩絕倫！」

「走吧！」米婭對她的追隨者說。

她在帶頭離去之前，惡狠狠地看了我一眼。即使沒有心電感應，我也知道她想說的是什麼——這件事還不算完，我會找時機給妳們顏色看看的！

很好。來吧！米婭。

「我要帶妳回宿舍。」迪米特里冷冷地對我說，「妳剛才沒有挑事打架，對吧？」

「當然沒有。」我看著米婭消失的空蕩蕩門廊說，「我不會在人們看得見的地方打架的。」

「蘿絲。」莉莎低聲叫道。

「我們走吧！晚安，公主殿下。」

他轉過身，但是我沒有動。「妳會好好的吧？莉茲。」

她點點頭。「我沒事。」

這明顯是謊話，我不相信她沒有掩飾自己的不安，就算不透過心電感應，我也能知道她的眼裡噙著淚水。

我們不應該回到這裡來的！我萬分後悔地想。

「莉茲……」

她向我微微笑了一下，然後向迪米特里的方向點點頭。「都說了，我沒事，妳該走了。」

我不情不願地跟在他後面，他領著我走向花園的另一邊。「我看，需要再給妳加上自我控制的訓練。」他聲明說。

「我的自我控制很……嘿！」

我看見克里斯蒂安經過我們身邊，於是中斷了談話。

我沒有在歡迎晚宴上看見他，不過如果奇洛娃今晚給我解了禁，我想她也應該給他解了禁。

「你要去見莉莎？」我問道，將自己對米婭的怒火發洩到他的身上。

他雙手插在口袋裡，用那種壞男孩的表情看著我。「如果我說是呢？」

「蘿絲，現在不是時候！」迪米特里說。

但就是要在現在！莉莎已經無視我的警告好幾個星期了，是時候跟克里斯蒂安本人挑明，來結束他們這種荒唐的關係了！

「你幹嘛不離她遠點？難道你就那麼想和一個不喜歡你的人聊天嗎？」他的臉色變得很難看。

「你是個跟蹤狂，她知道這點。她對我說過你幹過的所有奇怪的事，你們怎麼一起在閣樓上約會、你爲了博取她的注意，怎麼讓拉爾夫的身上著了火。她覺得你是個怪物，但是因爲她太善良了，才不忍心說什麼。」

克里斯蒂安的臉色變得煞白，眼中閃過一絲陰鬱。「但是妳也太好心了吧！」

「對，我不想欺騙某人。」

「夠了！」迪米特里說著，強把我拉走。

「多謝妳的『幫忙』！」克里斯蒂安咬著牙說道，聲音中透出一絲憎恨。

「不客氣。」我回過頭對他說。

我們走了一會兒之後，我偷偷回頭看向身後。

克里斯蒂安正愣愣地站在花園邊上，盯著通往莉莎所在庭院的小路發呆。他的臉上被陰影所籠罩，好像在思考著什麼，想了一會兒之後，轉身向莫里族的宿舍樓走去。

12

那天晚上，入睡成了很困難的事！

我在床上輾轉反側，大概一個小時以後，我坐了起來，試著放鬆，釐清困擾我的情緒到底是什麼。

害怕、不安、脆弱……我想弄明白到底是什麼在困擾著莉莎，能想到的，只有晚上發生的事。

我從床上爬起來，快速穿好衣服，考慮我的下一步行動。

房間在三樓，不適合從窗戶爬下去，特別是卡普夫人已經不在這裡，沒人爲我包紮了，我也絕對不可能從大廳溜出去。

「合適」的通道只有一條！

「妳想去哪？」管理員從她的椅子上抬起頭問我。

她是負責監視整個大廳的管理員之一，坐在大廳的盡頭，緊挨著樓梯的地方。白天的時候，樓梯間是沒有人看管的；但是到了晚上，我們就像被關進了監獄。

我環起手臂。「我要見迪米……呃……貝里科夫守衛。」

「已經很晚了。」

「緊急情況！」

她上上下下打量了我一下。「妳看起來沒什麼問題。」

「如果明天人們知道是妳阻止我進行彙報，妳會有大麻煩的！」

「說說看。」

「這是守護者之間的機密。」

我盡可能用最嚴厲的表情看著她，這招大概起作用了，因爲最終她還是站起來，按了呼叫電話，用低到我聽不見的聲音和電話那邊的人交談著，我希望那是迪米特里。

我們等了一會兒，通往樓梯的門打開了，迪米特里出現在門邊，穿戴嚴整，全副武裝，但是我十分肯定，他是被剛才的電話叫起來的。

他看著我，我點點頭。他沒再多廢話，轉身朝樓下走去，我跟在他身後。

我們安靜地走過廣場，朝莫里族的宿舍走去。現在對吸血鬼來說是晚上，但對世界上其他的人來說，卻是白天，午後的陽光曬在我們身上。

我身上人類的部分很喜歡這樣，並多少有些遺憾，因爲莫里族本身對陽光的敏感，我們大部分的人生便要被迫生活在黑暗中。

莉莎宿舍的管理員將我們攔了下來，但是迪米特里的態度很強硬。

「她在洗手間。」我對他們說。管理員要求跟著我上去一起看看情況，我阻止了她。「她現在很傷心，讓我先單獨跟她談談。」

迪米特里思索了一下。「可以，給她們一點時間。」

我推開門。

「莉茲？」

裡面傳出了輕輕的抽泣聲，我查看了五個小隔間，發現有一個上了鎖，我輕輕地敲了敲。

「讓我進去。」我說，盡量讓自己的聲音顯得冷靜可靠。

我聽見有吸鼻子的聲音，一會兒之後，門鎖從裡面打開，我被眼前的景象嚇壞了！

莉莎站在我面前，滿臉是血……

我差點尖叫出聲，差點就要跑出去求救，但是當我更靠近細看時，發現她身上的血漬似乎是因爲她手上沾了血以後，又用它抹了自己一臉。她倒在地上，我也蹲了下來，一條腿跪在地上。

「妳還好吧？」我輕輕問道，「發生什麼事了？」

她只是搖著頭，但是我看見她的臉上好像有淚痕。

我握住她的手。「來，我幫妳洗乾淨。」

我停了下來，發現這些血竟然是莉莎的。血液從她手腕上一道傷口流出來，雖然沒有傷及要害，但也深得能夠流出大量的血，紅色的血液浸染了她的皮膚。

「對不起……我並不想……求求妳不要告訴別人……」她看著我，啜泣著說，「我看見它時，簡直嚇壞了！」她朝手腕點了點，「我能控制之前就已經是這樣了，我很傷心……」

「沒事的……沒事的……」我機械地說，心裡一直在想：「它」到底指的是什麼？

我聽見外面有人敲門。「蘿絲？」

「快好了！」我喊。

我領著莉莎走到洗手台旁，洗乾淨了她手腕上的血漬，抓過急救箱，用繃帶纏住她的傷口，出血的速度明顯放緩了。

「我們要進來了。」管理員喊道。

我快速脫下自己連帽的毛衣，把它交給莉莎。莉莎剛剛把它穿好，迪米特里和管理員就進來了。

迪米特里幾乎是馬上就跑到我們身邊，我下意識地藏住莉莎的手腕，但是我忘了她臉上的血漬。

「這不是我的。」看到迪米特里的表情，莉莎很快地說，「這是……是小兔子的……」

迪米特里抓住她，開始檢查，我希望他沒有看見莉莎的手腕。

他問道：「什麼兔子？」這也是我想問的。

莉莎微微發抖的手指向垃圾桶。「我已經打掃乾淨了，這樣才不會讓娜塔莉看見。」

我和迪米特里一起走過去，向垃圾桶裡看。

看見了裡面的東西，我馬上條件反射般地跳開，強壓住想吐的感覺。我不知道莉莎是怎麼看出來那是一隻兔子的，我看見的只有血和沾滿了血的紙巾，以及一團我不知道是什麼的、血糊糊的東西，散發出難聞的氣味。

迪米特里走回莉莎身邊，彎下腰和莉莎平視。「告訴我，發生了什麼事。」他遞給莉莎一疊紙巾。

「一個小時之前，我回到這裡，牠就已經在房間裡了。在中間的地板上……全被撕開，好像……爆炸了！」莉莎吸吸鼻子，「我不希望娜塔莉看見這些，也不想嚇到她……所以……所以我就自己把牠清理乾淨，然後，我就不敢……不敢再回去了……」她開始哭，肩膀一抽一抽的。

我能想到她沒有告訴迪米特里的部分——她發現了這隻兔子，把牠清理乾淨，嚇壞了，然後她割傷了自己。

但是，用這種方法令自己平靜下來很奇怪！

「不可能有人進入這裡的房間！」管理員大喊說，「這怎麼可能!?」

「妳知道是誰做的嗎？」迪米特里溫柔地說。

莉莎從睡衣的口袋裡掏出一團被揉得皺巴巴的紙團，上面也被血浸透了，她把紙團展開、鋪平，上面的字跡很難辨認——

我知道妳是誰，在這裡，妳很不安全，我發誓。現在就走！這是妳活命的唯一辦法。

管理員由震驚轉爲抓狂，她衝向門邊！「我去找愛倫。」

我想了一會兒才想起來，這是奇洛娃的名字。

「請轉告她，我們在門診部等她。」迪米特里說。在管理員離開之後，他轉向莉莎，「妳應該去躺一會兒。」

莉莎沒有動，我挽起她的胳膊，「我們走，莉莎，我帶妳離開這裡。」

她慢慢地、一步一步地在我們的帶領下來到了學院的門診部。通常這裡應該有兩個醫生在才對，但是在晚上這個時間，只有一個值班的護士。

那護士主動要去叫醫生，但是被迪米特里攔住了。「她只需要休息一會兒。」

莉莎在一張狹長的床上躺了一會兒，奇洛娃就到了。她後面還跟著其他人，準備問莉莎問題。我攔在他們中間，護住莉莎。「讓她一個人靜一靜！你們沒看見她不想談這件事嗎？先讓她睡一會兒！」

「海瑟薇小姐。」奇洛娃說，「和往常一樣，妳又逾界了！我完全想不明白，妳在這裡能幫上什麼忙？」

迪米特里向奇洛娃請求和她單獨談談，然後他們倆走進了大廳，我能聽到奇洛娃低低的聲音裡滿是憤怒，而迪米特里則冷靜多了。

當他們走回來時，奇洛娃氣鼓鼓地說：「妳可以和她待一會兒，我們會請清潔員將房間進一步清理乾淨，然後調查洗手間和妳的房間，德拉格米爾小姐。明天早上，我們會就更多的細節進行討論。」

「別吵醒娜塔莉，」莉莎喃喃說，「我不想嚇到她。我已經把房間都清理完了。」

奇洛娃對此表示懷疑。護士進來問莉莎，是不是想要吃點東西或者喝點東西，其他人看見這種情況便離開了。莉莎告訴護士，她什麼都不需要。

終於，房裡只剩我們兩個，我躺在她旁邊，輕輕地摟住了她。

「我不會讓他們發現的。」我感覺到莉莎對手腕上傷口的擔心，對她說：「但是我希望在我離開晚宴之前，妳就能對我說。妳說過，一旦有事，會第一個找我的！」

「但是那時這件事還沒有發生。」她張大無辜的眼睛說，「我發誓，那時什麼事都沒有。我是說，我雖然很難過……但是我覺得……我覺得我能處理好。我已經很努力了……眞的，蘿絲，我很努力了。然後我回到房間，就看見了牠，再然後……我就失控了。

這就像是最後一根稻草，妳明白嗎？我知道我必須得把牠清理乾淨，必須在別人看見、發現之前把牠清理掉，但是血太多了……在這些都做完之後，我再也忍不了了，我覺得我會……我不知道……爆發吧！這眞的令人太難以接受了，我必須要發洩，妳明白吧？我必須……」

我打斷了她的神經質：「沒事了、沒事了，我都明白。」

我說謊了！我不知道爲什麼她要用刀割傷自己，偶爾她會這麼做，自從那場事故以後，每次都把我嚇得不輕。

她曾經對我解釋過，她只是用這種方法作爲一種發洩，她說自己積壓的情緒太多了，這是一種身體上的釋放，是唯一能夠將心裡的傷痛釋放出來的方法，也是她唯一能夠控制的方法。

「爲什麼會發生這些事？」她將頭埋進枕頭裡，哭著說，「爲什麼我是個怪物？」

「妳不是怪物。」

「其他人就不會遇上這種事，也沒有人有我這樣的能力。」

「妳又使用那種能力了嗎？」沒有回答。「莉茲，妳試著去救活兔子了嗎？」

「我試了，只是想看看我能不能救活牠，但是牠流了太多血……我失敗了！」

她使用這種能力的次數越多，事情就更糟！莫里族的魔法是控制火和水、搬開岩石或者是其他屬性是土的東西，沒有人能治癒動物，甚至令牠們起死回生，除了卡普夫人。

必須在別人發現之前攔住莉莎，在別人發現之前把她帶走！離開這裡！

我討厭這個祕密，很大一部分的原因是我不知道該怎麼做，我不喜歡這種無能爲力的感覺。我需要保護她不受這件事的干擾，且不讓她庸人自擾，但是現在，我同樣需要保護她不被他們傷害。

「我們走吧！」我果斷地說，「離開這裡。」

「蘿絲……」

「同樣的事情再次發生了，而且更嚴重，比上次還糟！」

「妳害怕那張紙條。」

「什麼字條我都不怕，只是，這裡已經不安全了。」

突然間，我很懷念波特蘭，也許那裡比起風景如畫的蒙大拿來說，要髒一些、擁擠一些，但是至少能預見到未來會發生什麼，不像這裡。

在學院裡，每個人都在擔心，過去如此，現在也如此。也許這裡有漂亮的老牆和花園，但是裡面卻很不搭調地配著許多現代化的東西。這很像莫里族，表面上仍然是高高在上的皇室統治著一切，但是對此，人們已經變得越來越不滿了。

像克里斯蒂安那樣的莫里族想要和血族大戰一場，但是皇族仍然固守他們的傳統，並且勸說人們遵守他們的統治，覺得他們的統治就像學院雕花的大鐵門一樣，永遠不可撼動。

還有……啊哈！謊言和祕密，它們越過大牆，在角落裡流傳。在這裡，有人心裡已經對莉莎恨之入骨，但是臉上很可能還掛著微笑，假裝是她最好的朋友。

我不會讓這些人傷害她！

「妳需要好好睡一會兒。」我對她說。

「我睡不著。」

「不會的，妳能睡著，我在這裡陪著妳。」

雖然她還是覺得焦慮和害怕，但是最終她的身體還是敵不過自身的疲倦，過了一會兒，我便看見她睡熟了。她的呼吸變得和緩，心電感應也重新變得平穩。

我看著熟睡的她，強撐著不讓自己打瞌睡。大概又過了一個小時，護士再次走進來，跟我說我必須要離開了。

「我不能走。」我說，「我答應過她會陪著她的。」

護士的身材很高大，在莫里族之中也算是高的了，她有一雙棕色的眼睛。「她不會一個人，我在這裡陪她。」

我懷疑地看著她。

「我保證！」她說

我回到自己的房間，清理自己的情緒。

恐懼和驚嚇也讓我很疲憊，有一刻，我眞希望自己能有普通的生活，最好的朋友也是個普通人，但是，我馬上就推翻了這種想法。

事實上，沒有什麼是眞正普通的，我也永遠不可能找到比莉莎還好的朋友……但是，有時這種日子眞是難過！

我一覺睡到天亮，醒了之後，立刻趕去上第一節課，心裡卻在擔心昨天晚上的事可能已經傳出去了。

事實證明，人們確實在談論昨天晚上，但是話題都圍繞著女王和晚宴，他們對兔子的事一無所知。我差點忘了還有晚宴的事，這是理所當然的，對我來說，和莉莎房間裡發生的流血事件相比，其他事都不足爲道。

而且，我發現了一件奇怪的事，人們不再盯著莉莎看，而是開始盯著我看。

隨他們去吧！我才不理這些。

我四處尋找，看見剛剛進食完畢的莉莎。每當我看見她的嘴咬住餵食者的脖子、吸他們的血時，我總會不自覺地感到可笑的嫉妒。

一股細細的血流順著餵食者的喉嚨流淌，在白色的皮膚上非常顯眼。餵食者，或者說是人類，皮膚的顏色和失血過多的莫里族幾乎相同。餵食者似乎沒有注意到這點，他完全沉浸在被咬的快感當中。

我有些嫉妒，決定要去看一下心理醫生了！

「妳好點了嗎？」我們去上課的時候，我問莉莎。

她穿著長袖的衣服，這樣能夠擋住手腕上的傷口。

「嗯，但我還是會不自覺地想起那隻兔子……太恐怖了！我一直想著那一幕，還有我做的那些事。」她用力閉上眼睛，但是很快又張開了。「人們好像在議論我們。」

「我知道，別理他們。」

「我討厭這樣！」她生氣地說。

她變得非常生氣，憤怒經由心電感應傳達給我，這讓我有些害怕。我最好的朋友應該是心腸柔軟、心地善良的，她不應該有這樣的想法。

「我討厭這些無處不在的流言，這實在是太愚蠢了！他們怎麼這麼無聊？」

「別理他們就是了。」我快速地又說了一遍，「不再和他們一起混是我們最明智的決定。」

然而，想要不理他們變得越來越難，散播流言、對我指指點點的人變多了。在動物行爲課上，事情變得更加嚴重，連這堂我最喜歡的課，也沒有辦法完全集中注意力。

邁斯納夫人正在講關於進化論和適者生存的理論，還有動物們是怎樣挑選有良好基因的伴侶，我聽得很著迷，但是，最後她也沒有辦法繼續講課了，她不得不大聲要求下面的人保持安靜，注意聽講。

「這裡面肯定有文章！」休息的時候，我對莉莎說，「我不知道到底是怎麼回事，但是他們肯定在說我們不知道的事！」

「還有別的可說嗎？比女王討厭我還有意思的事？會是什麼事呢？」

「但願我知道。」

事情在上今天的最後一節課——斯拉夫美術課的時候，總算有進展了！起因是一個我不是很熟的男生，非常露骨、近似於冒犯地給我了一個建議。當時，所有人都低頭做著自己的作品，我非常有禮貌地回答他，讓他清楚地知道，提出這樣要求會有什麼下場。

他只是笑了笑。「得了，蘿絲，我可以替妳吸血。」

這時，響起了很大的竊笑聲，米婭蔑視地看著我們這邊。「等一下，應該是蘿絲要求你吸她血才對吧？」笑聲更大了。

我恍然大悟，猛地拉著莉莎跑開。

「他們知道了！」

「知道什麼？」

「我們的事。知道妳是怎麼……妳明白吧？我們離開時，是我給妳餵食的。」

她愣住了。「怎麼會……」

「妳覺得還會是誰說的？妳的『朋友』克里斯蒂安！」

「不！」她堅定地說，「他不會這麼做！」

「還有誰會知道呢？」

心電感應告訴我，她對克里斯蒂安非常信任，但是她不知道我做的事，她不知道昨晚我是怎麼羞辱他、我是怎麼讓他相信莉莎討厭他的。

這個人不可信，他到處散播我們最大的祕密，這絕對是報復！也許兔子事件也是他幹的，畢竟，這件事在我和他說完話的幾個小時後就發生了。

我不再聽莉莎幫他辯護，走到房間另一邊。和往常一樣，克里斯蒂安正在畫畫，我顧不得其他人正看著我們，隔著桌子湊過去，讓他和我面對面。

「我會殺了你的！」我說。

他的眼睛卻看向莉莎，眼中閃著渴望的光芒，隨後，他又換上了那副陰鬱的表情。「原因呢？這是守護者額外要修的學分嗎？」

「別用這種態度和我說話！」我警告他，接著降低了我的聲音。「是你說的！你告訴別人，莉莎的餵食者是我！」

「告訴她！」莉莎絕望地說，「告訴她不是這樣！」

克里斯蒂安將目光從我身上移到莉莎身上，當他們四目相對，我能感覺到中間有股強大的吸引力，希望這力量不會把我擊倒。

她的眼睛表明了她的心意，很明顯，他對莉莎也一樣，但是莉莎看不出來，特別是他仍然在生她的氣。

「可以停止了！妳明白我說的，」他說，「妳不用再裝下去了！」

莉莎熱切的表情消失了，他的話使她驚奇，也覺得很受傷。「我？我裝什麼了？」

「妳知道我說的是什麼，夠了！別再演了！」

莉莎看著他，眼睛張得大大的，露出受傷的神情。她對我昨天晚上對他說的事毫不知情！

「別再覺得你自己慘兮兮的了，告訴我們這到底是怎麼一回事？」我對他吼道，「到底是不是你說出去的!?」

他用很堅定的表情看著我。「不是，我沒說。」

「我不相信你！」

「我信！」莉莎說。

「我知道，一個像我這樣的怪物居然會保守祕密，的確是不太可能的事，特別是讓妳們倆相信，但是，比起四處散播愚蠢的謠言，我有更重要的事要做。妳想怪罪什麼人嗎？去那邊找妳的金髮男友興師問罪吧！」

順著他的目光，我看見傑西和拉爾夫那個笨蛋正有說有笑。

「傑西不可能知道。」莉莎肯定地說。

克里斯蒂安看著我。「但是他知道，對不對？蘿絲。他就是知道！」

我開始覺得胃痛。沒錯，傑西知道，在休息室那晚，他自己發現了。

「我覺得他……我覺得不會是他說的，他很怕迪米特里。」

「妳告訴他了？」莉莎質問我說。

「沒有，是他自己猜的。」我說得很沒有把握。

「很明顯，他還做了更多！」克里斯蒂安自言自語說道。

我轉向他。「你這話是什麼意思？」

「妳不知道？」

「我向上帝發誓，克里斯蒂安，下課之後我會擰斷你的脖子！」

「夥伴，妳真是開不起玩笑！」他用近乎愉快的口吻說，但是他下面說出來的話卻很嚴肅。他仍然是那種玩世不恭的表情、仍然很生氣，但是當他講話時，我能聽出他話中毋庸置疑的真誠。

「他好像說了很多關於妳的事情，還有很多細節。」

「哦，我明白，他說我們做愛了！」我不需要這種隱諱的用詞。

克里斯蒂安點點頭。

那麼，傑西是在炫耀？好吧！我能搞定這件事，他已經不是第一個拿這種事破壞我名聲的人了，所有人都相信我一直都有性伴侶。

「而且……呃……還有拉爾夫，他們說妳和他……」

拉爾夫？就算我喝得酩酊大醉，或者是進行違法的交易，我也不會找他！

「他們說我也和拉爾夫上床了!?」

克里斯蒂安點點頭。

「那個混蛋！我要……」

「還不只這些。」

「什麼!?我和整個籃球隊的人都睡過了嗎？」

「他說……他們倆都說……妳讓他們……呃……妳讓他們吸血。」

這是我沒有想到的，在上床時吸血，這是所有骯髒的事情裡最骯髒的一件！是最卑劣的行爲！比一個隨隨便便的蕩婦或者妓女還不如！比莉莎爲了活下去而吸我的血要嚴重上億倍！吸血妓女是最下賤的！

「他們瘋了！」莉莎喊道，「蘿絲絕對沒有！」

我沒有再聽下去，我有我自己的處事法則，我的法則就是穿過教室，走向傑西和拉爾夫的座位。

他們倆看著我，臉上的表情如果一定要形容的話，半是竊喜，半是……緊張。這並不讓人意外，因爲他們兩個都撒了謊。

全班的人都看著我，顯然，他們希望能夠看一齣好戲，我這個不好的名聲要被證實了！

「你們兩個混蛋都幹了些什麼好事？」我壓低嗓音，讓聲音聽起來充滿威脅。

傑西馬上從緊張轉為害怕，也許他長得比我高，但是我們兩個都知道，如果眞的動起手來，贏的人會是誰。

拉爾夫仍然對我傲慢地笑了笑，他的笑容變得冷酷。「妳不喜歡的事情我們都沒有做，妳也別想碰我們一根手指。如果妳找人打架，奇洛娃就會把妳趕出去，讓妳和其他的吸血妓女住在一起。」

其他人全都屏住了呼吸，等著看接下來會發生什麼事。我不知道納吉先生對於出現在他課堂上這麼戲劇性的一幕，會有什麼想法？

我想揍掉拉爾夫那一臉假惺惺的笑容，但不管他是不是個混蛋，他說的都是事實。如果我碰他們一下，奇洛娃馬上就會把我趕走，而如果我被踢出了這裡，莉莎就會很孤單。

我深吸一口氣，作出了這輩子最艱難的一個決定——

我轉身走開了！

剩下的時間變得很難熬，戰火熄滅，我準備好任人嘲笑。竊竊私語和諷刺的聲音響了起來，人人都直勾勾地盯著我，他們都在笑。

莉莎試著和我談話、安慰我，但是我連她都不想理。

我像殭屍一樣度過了後半堂課，一下課，我就用最快的速度衝出去，找迪米特里進行訓練。他疑惑地看著我，但是什麼都沒問。

回到房間之後，我終於哭了出來，這是這麼多年來的第一次。

當我發洩完畢之後，正打算換上睡衣，卻聽見有人敲門。

是迪米特里！

他仔細地看著我，隨後別開了目光，明顯是發現我哭過了。我敢打賭，那些流言最終也傳到他的耳朵裡去了。

「妳還好嗎？」

「我的感受並不重要，記得嗎？」我抬頭看他，「莉莎還好嗎？這肯定也令她很難受。」

他的臉上出現了哭笑不得的表情。我想他一定很吃驚——在這種時候，我居然還擔心著莉莎！

他示意我跟著他，領著我來到樓梯前，這裡一般是不讓學生接近的。

「五分鐘。」他提醒說。

我好奇地走了出去，莉莎站在那裡。我應該感應到她就在附近的，但是我因爲情緒失控而忽視了她。

她什麼都沒說，只是伸出手抱住了我，就這樣抱了一會兒，我差點又掉下了眼淚。當我們分開之後，她看著我的目光冷靜而理智。

「對不起。」她說。

「這不是妳的錯，會過去的。」

她很懷疑這種說法，我也是。

「是我的錯！」她說，「她的報復是衝著我來的！」

「誰？」

「米婭。傑西和拉爾夫還沒有聰明到能編出這種故事，妳自己也說過，傑西害怕迪米特里，所以什麼都不會說。而且，爲什麼要等到現在呢？事情已經發生很久了，如果他想四處宣傳，那時就已經說了。米婭這麼做是爲了要報復妳說她父母的事，我不知道她是怎麼知道的，但是，她才是始作俑者！」

我本能地知道，莉莎說的是對的！傑西和拉爾夫只是別人的工具，米婭才是幕後的主謀！

「現在沒什麼可做的了。」我嘆了一口氣。

「蘿絲……」

「忘了吧！莉茲。到此爲止，好嗎？」

她認眞地看了我一會兒。「我已經很長一段時間沒見過妳哭了。」

「我沒哭。」

心電感應傳來一陣心痛和同情的感覺。

「她不能這麼對妳！」莉莎說。

我苦笑了一些，也驚訝我自己的無奈。「她已經做了，她說過會給我顏色瞧。我沒法再保護妳，她成功了！當我回到班上……」

我覺得很難受。我本來想要奪回以前的朋友和尊重，不管付出多少代價，但現在努力全都白費了！這種時候，誰都不可能再回到過去。

一旦妳被認為是吸血妓女，妳就永遠是吸血妓女！而更糟的是，我身體中的某個角落，確實喜歡被吸血的感覺！

「妳不能總是想要保護我。」莉莎說。

我笑了。「這是我的職責！我是妳未來的守護者！」

「我知道，但是，我說的是，妳不應該為了我而受傷害。妳不能一直照顧我，雖然一直以來，妳都是這麼做的。妳帶我離開這裡，我們在外面時，妳細心安排每件事，就連回來以後……妳也總是一個人擔起所有的事。每次我出了問題，比如昨天晚上，妳都在我身邊。我太軟弱了，不像妳那麼堅強……」

我搖了搖頭。「這沒有關係。這些都是我應該做的，我不在乎。」

「對，但是看看都發生了什麼事。我才是她真正討厭的人，雖然我仍然不明白她為什麼討厭我，不過沒關係，她只能做這麼多了，從今以後，換我來保護妳！」

她的表情堅定，身上散發出強烈的自信，這讓我想起了事故之前的莉莎。同時，我能感覺到她的內心深處有種危險的意念，以前我也見到過她的這一面，我不喜歡她這樣，我不希望她牽扯進來，只想讓她安全無恙。

「莉茲，妳沒有辦法保護我。」

「我有！」她肯定地說，「比起摧毀我和妳，米婭更想要做一件事——她想得到認可。她想和那些皇室的孩子在一起，這樣她會覺得自己也是他們之中的一員。而我，可以讓她失去這一切！」

莉莎笑了笑。「我可以讓他們討厭她！」

「怎麼做？」

「只需要跟他們說說話就好了。」她眨了眨眼睛。

今晚我的大腦反應太遲鈍了，過了好一會兒我才明白過來。「莉茲，不！妳不能用催眠術！在這裡不行！」

「也許我該學著使用這些愚蠢的能力了。」

她使用這種能力的次數越多，事情就更糟。我必須在他們發現之前阻止她，在他們發現之前帶她離開這裡。

「莉茲，如果被發現……」

迪米特里探頭過來。「在別人發現妳之前，妳該回房間去了。」

我擔心地看著莉莎，但是，她已經下定決心了。

「這次我會注意每個細節的，蘿絲，每個細節。」

13

這個月剩下的日子裡，傑西和拉爾夫的謊言產生的可怕後果和我想的一樣，能讓我得救的唯一方法，就是裝作什麼事都沒有，忽視所有人、所有事。

這快把我逼瘋了，我討厭這樣！我好像隨時隨地都能哭出來，不光沒有食慾，睡眠也不好。

但是，不管我的情況有多麼糟糕，我更擔心的是莉莎。

她堅守著她的承諾，要扭轉局面。起初，效果很不明顯，但是漸漸地，我發現有一、兩個皇家的成員開始和她一起吃午飯、一起上課，還同她打招呼。她變得經常面帶燦爛的笑容，和他們有說有笑，好像他們是最好的朋友。

一開始，我不知道她是怎麼做到的。她對我說過，可能會用到催眠術來贏取其他人的心，最後一起排斥米婭。但是我沒發現她有用過催眠術，很有可能她根本沒有使用催眠術，這也不是不可能的。

不管怎麼說，莉莎風趣、聰明、善良，每個人都會喜歡她。但是直覺告訴我，她不是按照這種傳統的方法來交朋友的！

果然，真相最終還是被我發現了——

莉莎在我不在的時候，才用催眠術。一天當中，我們倆只有很少的時間能一起。她知道我反對這件事，所以只在我離開的時候，才使用這種能力。

在她祕密使用催眠術後的好幾天，我知道我要怎麼做了——我必須再次進入到她的意識當中。這次是我自覺自願的，之前我能做到，現在也可以。

但是，事情並沒有我想的那樣容易，有可能是因爲我太緊張，沒法放鬆，所以也不能敞開自己，進到她的意識當中。

還有一個問題——時機不對！莉莎現在很平靜，而只有當她情緒強烈波動的時候，我才比較好進入。

但是我仍然堅持嘗試之前的方法，努力回想我看見她和克里斯蒂安一起時的情景。先是冥想，然後放緩呼吸的頻率，閉上眼。

集中注意力對我來說還是不太容易，但最後，我還是成功地潛進了她的意識當中，能夠看見、感覺她所做的事情。

莉莎正在上美國文學課，現在是自由討論時間，但是，和大部分學生一樣，她沒有在做功課。她和卡米莉．康塔靠在教室離大家比較遠那邊的牆上，小聲地交談著。

「太噁心了！」卡米莉狠狠地說，漂亮的臉上全是厭惡。她穿著一條仿天鵝絨的藍色短裙，露出她修長的美腿，很能引起別人的遐想。「如果妳們倆已經做過，我一點都不驚訝她和傑西也會這麼做。」

「她和傑西什麼都沒有做！」莉莎堅持說，「而且這也不代表我們兩個發生了關係。我們只不過找不到其他的餵食者，僅此而已。」莉莎集中全部注意力看著卡米莉，並且對她微笑。「這沒什麼大不了的，大家只不過是反應過度而已。」

卡米莉對此有些懷疑，但是，她看著莉莎的時間越長，眼神就越渙散，最後表情變得呆滯。

「對吧？」莉莎用柔柔的聲音問道，「這沒什麼大不了的。」

卡米莉臉上的厭惡又回來了，她想試著擺脫催眠術的影響。事實上，能做到這種程度已經很不容易了，正如克里斯蒂安所說，對莫里族使用催眠術是聞所未聞的事。

卡米莉想努力反抗，但最後還是敗下陣來。

「對。」她慢慢地說，「這確實不是什麼大不了的事。」

「而且，傑西是在吹牛皮！」

她點點頭。「不折不扣的大牛皮！」

莉莎使用催眠術的時候，大腦在高速運轉，這已經產生了很大的影響，但是，她並沒有結束。

「今天晚上妳們有什麼消遣？」莉莎問道。

「我和卡莉打算在她的房間裡復習功課，爲馬特森先生的課堂測驗作準備。」

「我也去。」

卡米莉想了想。「妳想和我們一起復習？」

「當然，」莉莎對她笑著說。

卡米莉也對莉莎笑了笑。

莉莎中斷了催眠術，緊接著她便覺得頭暈，現在的她很虛弱。

卡米莉看了看四周，有點驚訝，隨後便甩甩頭，想擺脫這種奇怪的感覺。「那麼，晚餐以後見。」

「晚餐以後見。」莉莎小聲說，然後看著她離開。

卡米莉離開後，莉莎將頭髮攏起來，梳成一個馬尾。她的手沒法攏住全部的頭髮，這時，另一雙手伸了過來，幫她將頭髮攏住固定好。

莉莎轉過身，迎上克里斯蒂安淺藍色的眼睛，她猛地推開他。

「別這樣！」莉莎大聲說，因爲意識到他的手指碰到了她而微微顫抖。

克里斯蒂安慵懶而隨意地輕笑了一下，將擋在臉上的幾縷髮絲用手撥開。「妳是在請求我還是在命令我？」

「別說了！」莉莎看看周圍，一半是爲了躲開他的目光，一半是爲了確定沒有人看見他們在一起。

「怎麼？擔心妳的奴隸們看見妳和我說話會亂嚼舌根？」

「他們是我的朋友。」莉莎更正說。

「哦，好吧！當然，我是說，就我所看到的，卡米莉可能願意爲妳赴湯蹈火，對嗎？妳們是生死之交。」他將雙臂環在胸前。

莉莎在生氣之餘，還是分神注意到，他穿的銀灰色襯衫和他的黑髮藍眼有多麼相配！

「至少她不像你。她不會假裝是我的朋友，然後又無緣無故不理我。」

克里斯蒂安的臉上閃出一絲懷疑。自從上週的晚宴，我對他大吼了一通之後，他們之間的關係就變得緊張、充滿火藥味。

克里斯蒂安相信了我所說的，不再跟莉莎說話。如果莉莎主動跟他說話，他也會用很粗魯的態度回應。莉莎覺得又傷心又奇怪，她不再試著和他友好相處，他們之間的關係越來越糟。

透過莉莎的眼睛，我能夠看出來，克里斯蒂安仍然關心她，對她仍然有感覺。但是，他的自尊心受到了傷害，他不想示弱。

「是嗎？」他用低低的聲音絕情地說道，「我以為這是你們這些皇家的成員常見的把戲，妳做得確實很好。也許妳只是用催眠術，讓我以為妳是個雙面人，眞正的妳不是這樣的，但是，我很懷疑……」

莉莎聽到「催眠術」這個詞很緊張，再次緊張地看了看周圍，然後決定不再上他的當，和他繼續爭論。

她冷冷地看了他一眼，然後轉身加入了一群正在做功課的皇室成員當中。

我從她的意識裡退出來，呆呆地看著教室，想著我剛才所看到的。

我開始有點小小小的愧疚，覺得有些對不起克里斯蒂安，但是，只有很小一部分，很容易就被忘掉了。

第二天一早，我去找迪米特里。

現在，我每天最喜歡的時候，就是訓練的時候了。可能是因爲我沒大腦地對他越來越感興趣，也有可能是因爲我被隔在人群之外。

我們和平常一樣，從跑步開始，他陪著我一起靜靜地跑。

他的指導很紳士，可能是怕觸及某些敏感問題。他聽說過流言的事情，但是從來沒有提過這件事。

當我們結束跑步之後，他開始指導我進行對抗訓練，我可以使用任何武器來攻擊他。令我驚訝的是，雖然我設法給了他幾下，但是這對我自己的傷害似乎比他還大。衝擊力經常會把我震得站不穩，但是他卻紋絲不動。

但，這並沒有嚇住我，我還是一直進攻、進攻，幾乎是不要命地打。我不知道這一刻我究竟是在打誰，米婭？傑西？還是拉爾夫？也許都是。

迪米特里終於宣佈可以休息一下，我們收拾好場地上的器械，將它們放回器材室。當我們將東西全部歸位之後，他看著我，表情凝重。

「妳的手……妳的手套呢？」

我低頭看看自己的手。

幾個星期以前我就受傷了，今天的訓練讓舊傷變得更嚴重。寒冷的天氣令我的手凍出了口子，現在有的地方已經開裂，滲出了血絲，磨出的水泡也破了。

「我沒有手套，在波特蘭不需要戴手套。」

他又罵了幾句，然後找出急救箱，將我按在椅子上。

他用濕毛巾拭去血漬，粗暴地對我說：「現在妳需要了。」

我低頭，看著他忙著處理我的雙手。「這只是開始，對不對？」

「什麼的開始？」

「變成亞伯塔。像她和其他所有的女守護者一樣，她們都很結實、剽悍，一直在打鬥、訓練，並且一直在室外……她們變得不再漂亮了！」我停了一下，「這……這種生活毀掉了她們，我是說她們的外表。」

他猶豫了一會兒，抬起頭看著我，那雙注視著我的棕色眼眸，令我覺得胸口湧起一股暖意。

該死的！我不能對他有這種感覺！

「妳不會變成那樣的！妳的美麗像是……」他搜尋著合適的詞語。

我想像著各種他可能說出的辭彙，女神？或者辣妹？

他放棄了思索，只是簡單地說：「妳不會變成那樣。」說完，他將注意力重新放在我的手上。

他……他覺得我漂亮嗎？我不懷疑自己對同齡男孩的吸引力，但是對他，我沒有把握。我突然覺得呼吸有些困難。

「我媽媽就是這樣。她原來很漂亮，也許她現在還是很漂亮，但沒有原來漂亮了。」我有些痛苦地補充說：「我已經很長時間沒有見到她，她可能已經變成我完全不認得的樣子了！」

「妳不喜歡妳的媽媽？」他敏感地指出。

「被你發現了，哈！」

「妳不怎麼瞭解她。」

「她拋棄了我，把我放在學院寄養。」

他已經將我裂開的傷口清理乾淨，然後找出一條藥膏，塗在粗糙的皮膚上。他的手撫摸著我的手，令我有點恍惚。

「雖然是這樣沒錯，但是，除了這麼做，她還能有什麼其他的辦法呢？我知道妳很想成為一名守護者，也知道這件事對妳有多麼重要，但妳有沒有想過，也許她也一樣呢？妳有沒有想過，如果妳要在這裡接受訓練，她就不得不放棄對妳的撫養？」

我不喜歡這種分析。「你是說，我有被迫害幻想症嗎？」

「我是說，妳不應該對她太苛刻。她是個十分令人尊敬的拜爾族女性，而她也在用同樣的方式訓練妳。」

「來探望我一下又不會死，」我小聲說，「不過也許你說得對。情況並沒有我想像的那麼糟，至少，我不是被一群吸血妓女撫養長大。」

迪米特里看著我。「我在一個拜爾族的社區被一群吸血妓女撫養長大，她們沒有妳想的那麼壞。」

「哦……」突然間，我覺得自己幹了件蠢事，「我不是那個意思……」

「沒關係。」他又低頭處理我的手。

「那麼，你……你的家在那裡囉？你跟她們住在一起……」

他點點頭。「和我母親還有兩個妹妹，不過，在我進了學校之後，就沒很少見到她們了，但是我們還有聯絡。大部分的時候，社區都是以家庭爲單位，那裡的人相親相愛，不管你身上有什麼樣的故事。」

我的痛苦又回來了，但是我盡量將它隱藏起來。比起我和我那位「令人尊敬」的守護者媽媽來說，迪米特里和他的家庭或許更幸福一些。至少，他瞭解他的媽媽，而我卻不是。

「對，但是……這不是很奇怪嗎？會有很多莫里族的男性去那邊……是吧？」

他的手在我手上畫著圈圈。「有時候。」

他的語氣裡隱含著一絲危險的味道，直覺告訴我，這不是個受人歡迎的話題。「我……我很抱歉！我不應該讓你想起不愉快的事……」

過了好一會兒，他才又開口：「妳也不知道妳的爸爸是誰，對吧？」

我搖搖頭。「對，我只知道他的髮型非常酷。」

迪米特里抬起頭，目光掃視著我，「對，一定很酷。」他繼續幫我擦藥，小心翼翼地說：「我知道我爸爸是誰。」

我愣住了。「眞的？大部分的莫里族人不會承認……我是說，有的人會承認，但是你知道，一般他們都只是……」

「他喜歡我媽媽。」他說「喜歡」這個詞的時候並不太友善。「常常來找她。他也是我妹妹的爸爸，但是他……呃……他對我媽媽並不好，有時候會做出很可怕的事。」

「比如說……」我有些猶豫，不知道話題應該深入到什麼程度。「在上床的時候吸血？」

「他會打她。」迪米特里平靜地回答。

他已經將我的手用繃帶全部包紮好了，但是並沒有放開。我不知道他是不是注意到了這點，但是我注意到了。

他的手又大又溫暖，手指長而優雅。如果他不是守護者，也許會成爲一名鋼琴家。

「哦，老天！」我說。這眞可怕！我緊緊地握了握他的手，他也用力握了握我的手。「這太可怕了！你媽媽……她就放任你爸爸打她？」

「對。」他的嘴角露出了一絲狡猾的微笑，「但是我不會。」

我變得有些激動。「快說、快說，你是不是狠狠地揍了他一頓？」

他笑得更開心了。「沒錯！」

「哇哦！」我從不認爲迪米特里可以做這麼酷的事，事實證明我錯了。「你揍了你的爸爸！我是說，發生的那些事……確實很可怕，不過……哇哦！你眞的是神耶！」

他眨了眨眼。「什麼？」

「啊！沒什麼。」我很快就轉移了話題。「當時你多大？」

他對於那個神的評價仍然很困惑。「十三。」

哇塞！絕絕對對的神啊！

「你在十三歲的時候揍了自己的爸爸？」

「沒有妳想的那麼難，我比他強壯，而且我們倆差不多高。我不能放任他繼續這麼做，他必須知道，雖然他是皇室、是個莫里族人，但是這並不意味著他可以隨心所欲，不管是對誰，哪怕是吸血妓女！」

我瞪著他，不相信他會這麼形容自己的媽媽。「對不起！」

「沒關係。」

事情的眞相開始一點一點拼湊起來。

「這就是爲什麼你那麼氣傑西的原因，對不對？他是另外一個想要佔拜爾族女孩便宜的皇室。」

迪米特里避開我看向他的目光。「我生氣有很多原因，不管怎麼說，妳違反了規定，而且……」

他的話沒有說完，重新對上我的目光，我們倆都感到有一股暖流在彼此之間流動。

想起傑西，我突然變得有些消沉，覺得自己很不幸。我看著他，「我知道你聽見別人說的，說我……」

「我知道那不是眞的！」他打斷了我的話。

他快速肯定的回答讓我有些驚訝，我不能原諒我居然問出這麼愚蠢的問題。「對，但你是怎麼……」

「因爲我瞭解妳！」他平靜地說，「我知道妳的性格，知道妳會成爲一名優秀的守護者！」

他信誓旦旦的話讓我的心重新溫暖起來。「我很高興有人相信我，每個人都認爲我不可能稱職。」

「只要看到妳擔心莉莎超過擔心妳自己……」他搖搖頭，「不，妳比那些比妳年紀大得多的守護者都要瞭解妳的職責，妳會達成心願的。」

我想了想，說道：「我不認爲我能達成心願。」

他酷酷地挑起一邊的眉毛。

「我不想剪短頭髮。」我解釋說。

他不太明白。「妳不必剪短頭髮，沒有這種要求。」

「所有的女守護者都是短髮，這樣才能露出她們的紋身。」

毫無預警地，他放開我的手，湊了過來。慢慢地，他抓住了我的一綹頭髮，纏在手指上，若有所思。

我呆住了，過了好一會兒，我的世界裡一片空白，只除了他把玩我的頭髮這件事。

然後，他鬆開了頭髮，似乎對自己的所作所爲有些驚訝……和尷尬。

「不要剪。」他說。

我總算想起要怎麼開口說話了。「如果我不剪，別人就看不到我的紋身了。」

他朝門口走去，唇邊帶著一絲笑容。

「把它盤起來。」

14

接下來的幾天，我一直在監視莉莎的行爲，每次都有很強的罪惡感。以前我無意中潛進她的意識裡的行爲，她都很討厭，何況現在我是故意這麼做的。

慢慢地，我發現她重新融入到那些皇家子弟當中，一個一個慢慢攻克。她沒有辦法同時催眠一群人，但是逐個擊破還是很奏效的，只不過速度比較慢。

而且說眞的，有很多人根本無需她再費力說服他們和她在一起，他們並沒有那麼膚淺，他們還記得莉莎，並且很喜歡她這個人。他們追隨莉莎，雖然現在距離我們回到學院只有一個半月，但情況變得好像莉莎從未離開過一樣。

憑藉著她的名聲，莉莎開始爲我打抱不平，對米婭和傑西進行反擊。

一天早上，我再次潛進莉莎的意識中時，她正準備吃早餐。

她已經花了二十分鐘將頭髮吹乾、拉直，但是還沒有全部弄完。娜塔莉坐在房間裡的床上，好奇地看著她。

莉莎開始化妝的時候，娜塔莉開口說話了：「嘿！下課以後，我們會去艾瑞恩的房間看電影，妳想來嗎？」

我一直取笑娜塔莉的無趣，但是她的朋友艾瑞恩更加枯燥。

「可能不行，我跟卡米莉要幫卡莉染髮。」

「現在妳大部分時間都給了她們了！」

「對，是這樣沒錯。」莉莎塗著睫毛膏，她的眼睛馬上變得更大了。

「我以為妳不喜歡那些人。」

「我改變想法了。」

「她們現在好像也特別喜歡妳，我的意思不是她們之前不喜歡妳，但是妳剛回來的時候不怎麼和她們講話，她們也就不怎麼理妳了。我聽她們說過很多關於妳的壞話，但是妳不覺得現在突然這麼喜歡妳很奇怪嗎？比如說，我聽說她們在做什麼事之前，都要先等著聽聽妳的意見，而且現在還有很多人在為蘿絲辯護，這眞是太不可思議了！我不相信關於蘿絲的傳言，但我也從來沒想過會出現這種情況……」

娜塔莉不著邊際的閒聊背後，是她對這件事的懷疑！莉莎發現了這一點。

娜塔莉作夢也不會想到這是催眠術，但是莉莎並不天眞，她不能冒險讓這粒懷疑的種子發芽壯大。

「妳知道嗎？」莉莎打斷她說，「也許我下課之後會去艾瑞恩那看電影，我打賭，卡莉的頭髮不會弄很長時間的。」

這個建議轉移了娜塔莉的注意力。

「眞的？那眞是太好了！她一直在對我說，妳不和我們一起玩了以後，她有多麼難過。後來我就對她說……」

就像這樣，莉莎一直繼續著她的催眠計畫，重新變得受大家歡迎。

我每次都是靜靜地看著，一直暗暗地擔心，不過她的計畫確實奏效了，關於我的流言開始平靜下來。

「妳會引火自焚的！」一次在教堂裡做禮拜的時候，我小聲對她說。「肯定會有人懷疑，提出質疑的！」

「別說得那麼誇張。在這裡，力量是隨時在改變的。」

「但不是以這種方式！」

「妳不相信憑藉我自己的力量也能做到這點？」

「當然相信，但是如果克里斯蒂安到處散佈，別的人就會……」

這時，有兩個人在他們的座位上突然竊笑起來，打斷了我們的談話。我抬起頭，發現他們正盯著我看，一點都不掩飾他們得意的笑容。

我轉過頭，裝作看不見，突然希望牧師趕快開始佈道。但是莉莎看了回去，臉上突然出現怒色。她什麼都沒說，可是那兩個人的笑容在她嚴厲的注視下，越來越小。

「向她道歉！」莉莎對他們說，「直到她接受爲止。」

一會兒之後，他們開始眞誠地向我道歉，請求我的原諒。

我簡直不敢相信！莉莎在公眾場所也敢使用催眠術，而且還是同時對兩個人進行催眠，這可是在教堂啊！

他們開始不停地道歉，但是莉莎並不滿意。

「你們只能做到這種程度嗎？」莉莎生氣地說。

他們都驚恐地張大了眼睛，害怕自己惹火了莉莎。

「莉茲。」我拉著她的胳膊，飛快地說，「這樣可以了！我……呃……接受他們的道歉。」

她還是眉頭緊皺，但最後還是點了點頭，這兩個傢伙頓時鬆了一口氣。

呼……我從來沒有像這樣因爲勸架而鬆了一口氣，心電感應告訴我，莉莎比較黑暗的心理得到了滿足。

這不像她！我不喜歡這樣的她！

爲了不再想她種種有問題的行爲，我開始研究其他人。如同往常一樣，在附近，克里斯蒂安大膽地盯著莉莎，臉上充滿了問號。當他看見我，便轉過頭去。

迪米特里和平時一樣坐在最後，掃視每個角落，隨時準備排除危險。他暗暗警戒，但是外表看不出來。我一直不明白爲什麼他也要來教堂，好像他一直在和什麼事做抗爭。

最前排，牧師開始講關於聖弗拉米爾的事跡：「他的精神力量非常強大，是上帝眞眞正正賜予的天賦。當他碰觸人們，跛子能行了、盲人能見了。他走過之處，鮮花盛開……」

我差點忘了關於聖弗拉米爾的事。梅森上次說過，弗拉米爾可以令人起死回生，當時我想到了莉莎，但是後來有別的事情令我分了心，我再沒有想起過聖徒和他的「影吻守護者」，還有他們之間的心電感應。

我怎麼能忽略這點呢？我突然想到，卡普夫人不是莫里族唯一一個和莉莎一樣，擁有能夠治癒別人力量的人，弗拉米爾也是。

「那個時候，所有的人都圍繞他、愛戴他，渴望聆聽他的教誨、聽他宣講上帝的眞理……」

我轉過頭看著莉莎，她不解地看著我，「怎麼了？」

我沒有機會說出我的想法，因爲在禮拜結束後，我就要馬上回到關著我的那個監獄裡面去了。再說，我也不知道要怎麼說。

我回到房間，上網查找有關聖弗拉米爾的資料，但是沒發現有價值的訊息。眞見鬼！梅森也已經查遍了圖書館，但是關於他們之間的記錄也很少。

我還能去哪裡找呢？似乎再也沒有辦法讓我獲得更多關於這個古代聖徒的訊息了。

對了！克里斯蒂安說過，教堂的閣樓上放著一個舊箱子，裡面藏著許多關於這座被保佑的瘋狂的聖弗拉米爾學院的文章。

我需要拿到這些資料！但是，怎麼拿呢？我不能向牧師要，如果他發現了有學員去過那裡，會有什麼反應？那裡不會再成爲克里斯蒂安的祕密小窩。

也許……也許克里斯蒂安本人能夠幫我。

今天是星期日，我要等到明天下午才能見到他。就算我見到他了，也不知道是不是有機會和他單獨說話。

過一會兒，我要去進行訓練了。我停止胡思亂想，打算下樓到廚房抓一把巧克力棒。在我下樓的時候，經過了兩個實習生——邁爾斯和安東尼。邁爾斯看見我，吹了聲口哨。

「最近怎麼樣？蘿絲，覺得寂寞嗎？想不想找個伴？」

安東尼笑了起來。「我不會咬妳，但是我可以給妳其他妳想要的。」

我必須要經過他們站著的門廊，才能走到樓下。我盯著他們，打算繞過去，但是邁爾斯抓住了我的手腕，他的手開始滑向我的臀部。

「在我把你的臉揍扁之前，把你的手從我屁股上拿開！」我對他說，跳到了一邊，但這麼做的結果，是撞到了安東尼。

「來吧！」安東尼說，「我覺得妳同時和兩個男生上床也沒問題。」

突地，一個新的聲音響起：「如果你們兩個現在不走，我就兩個一塊兒揍。」

是梅森！我的英雄。

「你太認眞了，亞希弗德。」邁爾斯說。

他比安東尼要高，所以他放開我，擺出要和梅森大打一架的架式。安東尼站在我身後，似乎對他們倆會不會眞的打起來很感興趣。空氣中充滿了濃濃的火藥味，我想，我需要個防毒面罩。

「你也和她睡過了嗎？」邁爾斯問著梅森，「想不想分享一下？」

「你再多說一句她的壞話，我就把你的頭擰下來！」

「哦？她只不過是個低賤的吸血……」

梅森揍了他一拳，儘管這不能把邁爾斯的頭擰下來，甚至不能讓他骨折或流血，但確實打疼了他。

邁爾斯瞪大眼睛，向梅森衝過去。此時，大廳的門被打開，發出了很大的聲響。實習者打架會惹大麻煩的！

「可能是哪個守護者進來了！」梅森嚇唬他說，「想讓他們知道，你們爲了一個女生爭風吃醋嗎？」

邁爾斯和安東尼交換了一下眼色。

「算了！」安東尼說，「我們走，我們才沒有時間浪費在這上面。」

邁爾斯緊跟著說：「以後再找你算帳，亞希弗德。」

他們走開以後，我看著梅森。「爲了女生爭風吃醋？」

「妳很受歡迎。」他酸溜溜地說。

「我不需要你幫忙！」

「當然，妳自己也能搞定。」

「他們只是趁我不備，就這樣，我一會兒就能處理好。」

「不要把對他們的怒火發洩到我身上。」

「我只是不喜歡被當成一個……女生。」

「但妳是個女生，而且，我只不過想幫忙。」

我看著他，發現他說的是實話，他確實是這麼想的。在我憎恨了許多人之後，沒有必要再多他一個。

「嗯……謝謝，很抱歉我拿你出氣。」

我們聊了一會兒，我希望他多說點現在學校都流傳著什麼閒言碎語。他也注意到莉莎最近很受歡迎，但是並不覺得這中間有什麼蹊蹺。

我在和他談話時，發現他的臉上一如既往的充滿了對我的迷戀。他這麼對我，讓我覺得心裡很不好受，可以說是愧疚。

和他約會很難嗎？我想著。他人很好，幽默，長得也很帥氣，我們的關係一直不錯。明明是一個這麼完美的對象，我爲什麼還要去和那些亂七八糟的人約會呢？爲什麼我不能給他一點回報呢？

在我還沒對自己問完所有問題之前，我的心裡就已經有了答案。

我不能做梅森的女朋友，因爲在我的想像中，如果有人抱著我、在我耳邊說一些調情的話，他一定是操著一口俄國口音的。

梅森仍然愛慕地看著我，很明顯也在想我剛剛想的事。看著他，我忽然想到了可以好好運用一下自己的優勢。

我覺得有點抱歉，但還是開始用一種調情的口吻和他說話，也看到了梅森有些喜出望外。我和他並排靠在牆上，這樣我們的胳膊可以不時碰在一起。

我懶懶地朝他笑了笑，說：「你知道，我還是不喜歡你那種英雄情結，不過你確實把他們嚇跑，這就算扯平了。」

「但是妳不喜歡……」

我用手輕觸他的胳膊。「不，我是說，這想法很好，但是眞的這麼做就不太好了。」

他笑了起來。「沒有那麼糟！」他抓住我的手，用一切盡在不言中的表情看著我。「我覺得有時候妳很喜歡被人保護，只是不願意承認而已。」

「我覺得是你自己太享受保護別人的感覺，只是不願承認而已。」

「我不認爲妳知道我喜歡什麼，能保護妳這樣的閨秀是我的榮幸。」他溫柔地說。

聽到他居然用了「閨秀」這個詞，我都快吐了。

「那麼證明給我看。幫我一個忙，這件事很重要。」

「當然。」他馬上說，「儘管吩咐。」

「我需要你幫我給克里斯蒂安．歐澤拉帶個口信。」

他的熱情冷卻了。「什麼口……慢著！妳不是在開玩笑吧？」

「當然不是，絕對不是。」

「蘿絲……我不能和他說話，妳知道的。」

「你剛剛說過會幫忙的！你還說能幫助『閨秀』是你的榮幸。」

「我不覺得做這件事能有什麼榮幸。」

我盡可能陰沉著臉看著他，他投降了。

「好吧！妳想讓我轉告他什麼話？」

「告訴他我需要關於聖弗拉米爾的書，在閣樓裡的那些，他必須盡快交給我，這是爲了莉莎。還有，告訴他……告訴他那天晚宴之後的事，是我說謊了，」我猶豫了一下，「跟他說我覺得很抱歉！」

「我不明白。」

「你不用非得明白，照說就行了。求求你！」我再次變身爲微笑著的漂亮公主。

我再三跟梅森確認，他已經記住了要說的話，才讓他去吃午飯，而我也準備去訓練。

15

梅森沒有辜負我的期望！

他在第二天一早找到了我，帶著一箱子的書。

「我拿到了！」他說，「快點拿去，不然被人看到妳和我講話，妳就有麻煩了。」

他把箱子遞給我，我接了過來，很重。「是克里斯蒂安給你的？」

「對。我想方設法在不引起別人注意的情況下才和他說上話。他有些踐踐的，妳發現了沒？」

「對，我也發現了。」我回以梅森一個微笑，他受寵若驚。「謝謝，這幫了大忙！」

我將這些東西一路拖回房間，心裡暗自好笑——一個曾經非常痛恨學習的人，如今卻要埋頭於一堆來自十四世紀的故紙堆中。但是，當我打開第一本書的時候，發現這些東西絕對是翻印再翻印再翻印的版本，因爲如果它眞有這麼老的話，不可能沒有掉頁的情況。

我一本本地查看這些書，發現它們可以被分爲三類：一類是在聖弗拉米爾死後才寫的，一類是聖弗拉米爾還活著時，別人寫的；還有一類是近似於他自己寫的日記，後兩類才是我需要的。

不管是誰重新印了這本書，他絕對改寫過了，免去了看古英語的痛苦……也可能是俄語，我猜測著，畢竟聖弗拉米爾也曾經在那個古老的國家居住過。

今天，我治好了一位居住在薩瓦河邊的母親，她飽受胃痛的折磨，現在，她的病已經好了。但是上帝並沒有允許我公開地做這件事，我身體很虛，頭也很暈，這種愚蠢的行為正滲入到我的意識裡。我要每天感謝上帝，感謝他賜予了我「影吻者」安娜，如果沒有她，我覺得堅持不了這麼久！

又是安娜！又是「影吻者」！他總是提起她，就像我在教堂聽到的。

在我現在讀的這本日記裡，他記下了每天發生的事情。如果他不是自己在胡說八道編故事，那麼能肯定的是——他隨時隨地都在治療別人。病人、受傷的人，甚至植物，他將人們從生死邊緣搶救回來。有些時候，他只是爲了好玩，就讓花一朵一朵都開了。

我越往下讀，越覺得有安娜在老弗拉身邊是件好事，他的狀況太糟了！他越是使用自己的能力，人們越是依賴他。他有時會莫名其妙的生氣或者難過，他將這歸咎於魔鬼或者自己的愚蠢，但其實很明顯是因爲他被憂鬱症所困擾。有一次，他在日記中承認了這點，他曾經試圖想要自殺，是安娜阻止了他。

稍後，在一本認識弗拉米爾的人寫的書中，我讀到以下這段文字——

許多人也認為，被上帝保佑的弗拉米爾展現在其他人面前的能力，是一種奇蹟。莫里族和拜爾族聚集在他周圍，聽他講道，為能接近他而感到幸福。有些人認為是那些瘋狂的行為駕御了他，而不是那神聖的精神，但更多的人則愛戴他，願意為他做任何事。這是上帝寵愛他的方式，但如果藏在這些後面的是幻覺和絕望，那麼這會對他展現在人們面前的領袖魅力蒙上一點點瑕疵。

這和牧師說的好像差不多，但是我感應到了「贏得個人魅力」之後的東西。人們愛戴他、願意爲他做任何事……沒錯，弗拉米爾一定對他的追隨者使用了催眠術，我打賭。

在催眠術被禁之前，許多莫里族人都知道催眠術，但是他們不會對莫里族或者拜爾族使用。

我合上書，倚在床上。弗拉米爾治好了植物和動物，他能對一大群人使用催眠術，而這一切的代價，是讓他變得瘋狂和絕望。

還有一件事也很怪，每個人在形容他的守護者時，都使用了「影吻者」這個詞，這種描述令我想起了我第一次聽見這個詞時的情景——

「妳是個『影吻者』！妳必須要保護她！」卡普夫人對我吼道，她的手揪住我的襯衫，猛地將我拉向她。

這件事發生在兩年前的一個晚上，當時我正要到高級學院還一本書，已經快到宵禁，整個大廳空蕩蕩的。突然，我聽見一聲騷動響起，卡普夫人哭著從角落走出來，看起來有些嚇人。

她將我推到牆邊，仍然揪住我不放。「妳明白嗎？」

我有足夠的自我保護格鬥技巧可以將她推開，但是我因爲太過震驚，整個人都傻掉了。「不明白。」

「他們已經來找我了，他們也會找她的。」

「誰？」

「莉莎。妳必須要保護她！她使用這種能力的次數越多，事情就更糟！阻止她，蘿絲，在他們發現之前阻止她，在他們發現之前把她帶走，帶她離開這裡。」

「我……妳是什麼意思？帶她離開……妳是指離開學院？」

「對！妳們必須走，妳們有心電感應。現在輪到妳了，帶她離開這個地方！」

我認爲她在胡言亂語，沒人離開過學院。但是，當她抓著我，看著我的眼睛，我開始有奇怪的感覺。我的腦海裡響起嗡嗡聲，她對我說的一切突然變得合情合理，好像世界上其他理所當然的事一樣。

對！我必須帶莉莎離開，帶她……

走道裡響起腳步聲，一群守護者走了過來。我不認識他們，他們不是學院的人。他們在我面前帶走卡普夫人，不顧她強烈的反抗。有人走過來問我身體是否安好，但我唯一能做的，就是瞪著卡普夫人。

「別讓她使用這種能力！」她尖叫道，「保護她，別讓她使用這種能力！」

守護者後來對我解釋說，她精神狀況不好，需要去別的地方休養。她會很安全，也會被精心照顧，他們向我保證，她會好起來的。

除非她根本沒病。

我將思緒拉回現實，眼睛盯著書，想把這一切都拼湊起來。莉莎、卡普夫人，聖弗拉米爾……我應該怎麼做？

有人敲門，我猛地清醒過來。自從我被人孤立以來，就沒有人來邀請過我，甚至連校工都沒有。

當我打開門，看見梅森站在外面。

「你一天找了我兩次？」我問道，「你是怎麼爬上來的？」

他眨眨眼笑了起來。「有人在洗手間其中一個的垃圾桶裡點了一小把火，眞丟人！工作人員現在正忙著呢！快來，我帶妳出去。」

我搖搖頭。放火顯然是個新的招數，之前是克里斯蒂安，現在是梅森。

「對不起，今晚不行，如果我被抓住的話……」

「這是莉莎的命令。」

我閉上嘴，讓他帶我悄悄從宿舍裡出去。

他帶我前往莫里族的宿舍，奇蹟地帶著我走到莉莎的房間，而沒有被人發現。我很想知道，這裡是不是也被人放了一把火？

莉莎的房間裡正在開派對。莉莎、卡米莉、卡莉、艾倫，還有其他幾個皇室的孩子坐在那裡，房間裡放著聲音很大的流行音樂，他們一邊笑一邊聽，輪流傳著一瓶威士忌喝。

米婭不在，傑西也不在，我看了一會兒，才發現娜塔莉也在這群人之中，很明顯不知道該怎麼和周圍的這些人打成一片，她的尷尬顯而易見。

莉莎走路有點搖晃，心電感應傳來的眩暈感表明，她已經喝了一陣子了。

「蘿絲，」她向梅森燦爛地笑了一下，「妳來了！」

梅森誇張地挑高了眉毛。「時刻聽候您的差遣。」

我希望他是因爲激動，而不是被催眠的緣故。

莉莎挽過我的手臂，將我朝其他人中間推去。「和他們一起慶祝吧！」

「慶祝什麼？」

「不知道，也許慶祝妳今晚成功出逃？」

其中幾個人舉著塑膠的杯子，碰杯並爲我祝賀。贊德．巴蒂卡又另外倒了兩杯給我和梅森，我笑著接過自己的一杯，總覺得今天晚上這些事有些不對勁。

不久之前，我肯定會喜歡這樣的派對，也肯定會在三十秒之內喝完手中這杯酒，但是現在我心裡裝了太多的事情，比如，這些皇室的人都對莉莎奉若神明，比如沒有人記得我曾經被誣蔑爲吸血妓女，比如在莉莎的笑容和笑聲之後，是完完全全的悲哀。

「你們從哪弄到威士忌的？」我問。

「納吉先生那裡。」艾倫說。他和莉莎坐得非常近。

所有人都知道，納吉先生在下課後總會喝點，而他也總會在學院裡藏上那麼一點。雖然他不斷地變換著藏酒的地點，但是學員們總能找到。

莉莎靠在艾倫的肩膀上。「艾倫幫我溜進他的房間去偷酒。納吉先生將酒藏在了他衣櫃壁畫的下面。」

其他人笑了起來，艾倫用充滿愛慕的眼神看著她。我覺得有些好笑，莉莎完全不必對他使用催眠術，他是如此爲她著迷，一直以來都是這樣。

「你怎麼不喝？」過了一會兒，梅森在我耳邊悄悄問道。

我看了一眼手中的杯子，有些驚訝地發現它居然還是滿的。「不知道。可能是我覺得守護者不應該在她保護的人面前喝酒吧！」

「她還不是妳要保護的人，妳沒有這個義務。妳好久都沒有沾過酒了，什麼時候妳變得這麼有責任心了？」

我其實並不覺得這是因爲自己的責任，但我一直記著迪米特里對我說的關於享樂和責任之間的關係。放任自己和莉莎在最近這種動蕩的時刻一起縱情聲色，似乎是不對的。

我從她和梅森中間擠了出去，走到娜塔莉身邊坐了下來。

「嗨，娜塔莉，今天晚上妳很安靜。」

她手中的酒杯和我一樣都沒有動過。「妳也是。」

我輕輕地笑了。「也許吧！」

她抬起頭，看著梅森和其他的人，他們像是在做科學實驗。我到了這兒以後，他們又喝了很多酒，一個一個都變得有些神志不清。

「很奇怪吧！過去妳一直是大家的焦點，現在換成了她。」

我有些驚訝地眨眨眼。這種想法我從來沒有過！

「也許吧！」

「嘿！蘿絲。」贊德說，他向我走過來的時候，將手裡的酒一飲而盡。「那是什麼感覺？」

「什麼什麼感覺？」

「讓人吸血？」

其他人都安靜了下來，他們也露出了好奇的表情。

「她沒有那麼做。」莉莎的聲音充滿了警告的意味。「我告訴過你。」

「對，對，我知道她和傑西、拉爾夫之間什麼都沒發生，但是妳們倆這麼做過，對吧？在妳們離開學院的時候。」

「忘了吧！」莉莎說。催眠術在臉對臉的時候，功效才會發揮到最大，而贊德現在的注意力在我身上，沒有看向莉莎。

「我是說，這些事很酷！妳們是迫不得已才這麼做的，對吧？這不代表妳是個餵食者。我只是想知道那是什麼感覺？丹妮爾曾經讓我咬過她一下，但是她說並沒有什麼特別的感覺。」

所有女生都發出了「嘔」的聲音。和拜爾族一邊做愛一邊吸血的行爲很骯髒，莫里族之間這麼做，可是滅絕人性的。

「你這個吹牛鬼！」卡米莉說。

「才不是！我說的是真的，只咬了一小口，她並沒有像餵食者那麼興奮。妳呢？」他用空閒的胳膊摟著我的肩。「妳喜歡嗎？」

莉莎仍然陰沉著臉，酒精減低了心電感應傳遞過來的她的感覺，但是我還是知道她現在的感受。一股邪惡、恐怖的想法潛入我的腦海，同時還有惱火。和我不一樣，她通常能夠將自己的情緒控制得很好，上次她出現這樣的情緒，是在和今天情況差不多的一次派對上，那時距離卡普夫人被帶走，只有幾個星期——

克雷格．達什科夫——娜塔莉的一個遠房表親，在他的房間裡舉行派對。很明顯，他的父母有一些門路，因爲他住的房間是整個宿舍樓裡最大的。在意外發生之前，他和莉莎的哥哥是好朋友，幾乎是求之不得地將安德烈的小妹妹列入自己交往的名單。克雷格也很喜歡叫我一起參加，那天晚上我們倆個形影不離。對於一個二年級的學員，能和莫里族的皇室在一起，極大地滿足了我的虛榮心。

那天晚上我喝了許多酒，但仍然可以分心注意莉莎的一舉一動。和這麼多人在一起，她總是會有一絲焦慮，不過從來沒有人注意到這點，因爲她在人們面前掩飾得非常好。內心接收到許多從她那裡傳來的焦躁，但是看她似乎還撐得住，我就不再擔心了。

我和克雷格正在接吻，他突然放開我，看向我的身後。我坐在他腿上，也轉過頭想看看是怎麼回事。

「怎麼了？」

他搖搖頭，有點火大。「韋德帶了個餵食者來！」

我順著他的目光，看見韋德·沃達站在那裡，挽著一個和我年齡差不多的、很虛弱的女生。她很漂亮，是個人類，留著大波浪的金色捲髮，由於失血過多，臉色顯得十分蒼白。幾個男生圍繞在她周圍，和韋德一起談笑，並撫摸她的臉和頭髮。

「今天她已經餵食很多次了。」我看到她的臉色和已經完全迷失的表情後說。

克雷格用手撫著我的脖子，轉而將注意力重新放在我身上。「他們不會傷害她的。」

我們又繼續親吻了一會兒，突然，有人拍拍我的肩膀。「蘿絲。」

我抬起頭，看見莉莎的臉，她焦慮的神色令我十分驚訝，因爲我並沒有感應到這些。看來我是喝得太多了！我跳下了克雷格的腿。

「妳去哪？」他問。

「我馬上回來。」

我將莉莎拉到一旁，突然間希望我是清醒的，「怎麼了？」

「他們……」她朝圍著那名餵食者的人群揚了揚頭。

那群人仍然圍繞著她，當她轉頭看向他們其中的一個人時，我看見了有鮮紅色的血液從她脖子上流下來。他們在集體進食，輪流咬她，還有人在一旁出壞主意。而她顯然很享受這一切，讓他們爲所欲爲。

「他們不能這麼做！」莉莎對我說。

「她是個餵食者，沒有人會去阻止他們的。」

莉莎用懇求的眼神看著我，她覺得難過，爲他們的暴行而生氣。「妳會嗎？」

我從來都是行動的那一個，從我們很小的時候就在照顧莉莎了。現在莉莎就站在我面前，那麼難過、那麼希望我能主持公道，雖然這有點超出了我的負責範圍……

我向她堅定地點了點頭，醉醺醺地向那群人走去。

「你因爲抑鬱過度，所以現在拿這個女生當藥吃嗎？韋德。」我問道。

他將嘴唇從女生的脖子上移開，看著我。「怎麼？妳和克雷格搞完了，想要換人了嗎？」

我摀住嘴，希望自己看起來平靜一些。事實上是，我喝得太多了，有些想吐。

「世界上還沒有藥能讓我吃完以後想要找你。」我對他說。他的幾個朋友笑了起來。「但是也許你可以去找那邊的檯燈發洩一下，它的光線也許更能滿足你，從此以後，你就不再需要她了。」又有一些人笑了起來。

「這不關妳的事！」他火大地說，「她不過是我的午飯。」

「這裡不是進食室，沒人想在這裡看你吃東西。」

「對，」一個高年級女生同意說，「太噁心了！」她的幾個朋友也點點頭。

韋德看了看我們，特別是我。「好吧！你們不會看見的。來吧！」他抓起人類女生的胳膊，猛地將她拉開。她笨拙地和他一起走出房間，輕柔地發出呻吟聲。

「我已經盡我所能了。」我對莉莎說。

她看著我，渾身發抖。「他只是換到自己的房間去，在那裡，他可能做出更加過分的事！」

「莉茲，我也不喜歡他這麼做，但是這不意味著我可以追到他的房間裡去。」我揉揉額頭，「我可以扁他一頓，但是我得先去吐一下。」

她的臉沉了下來，咬住自己的嘴唇。「他不能這麼做！」

「很抱歉！」

我回到克雷格的身邊，對於剛剛發生的事不太高興。我也和莉莎一樣，不願意看見這個餵食者被人佔了便宜，這讓我想起來，許多莫里族的男生也是這麼對拜爾族的女生的。但是，我也無法贏得這場戰爭，特別是今晚。

一會兒之後，克雷格換了個姿勢，以便於吻到我的脖子。這時，我發現莉莎不見了，我馬上清醒了過來，跳下克雷格的腿，四處尋覓。

「莉莎去哪了？」

他又湊向我。「也許去洗手間了。」

我的心電感應什麼反應都沒有，酒精已經完全佔了上風。我走出走廊，用力呼吸，從大聲的音樂和嘈雜的人生中解脫出來。外面很安靜，除了不遠處一個房間裡傳來的聲音。那房間的門是虛掩著的，我推開門走了進去。

人類女孩蜷縮在房間的角落裡，充滿恐懼。莉莎環抱著手臂站在一旁，臉上滿是憤怒，看起來很可怕。她死死地盯著韋德，韋德也盯了回去，像是被施了魔法一般。他手裡還拿著一根棒球棍，看樣子他已經揮過了，因爲房間裡一片狼藉，書架、音響、鏡子……

「把窗子也打破。」莉莎輕輕地對他說，「快，這沒什麼大不了。」

他就像夢遊一樣，一直走到大大的、被染了顏色的玻璃窗前。我看著這一切，嘴巴都快掉到了地上，他揮起球棒，將玻璃打了個粉碎。碎玻璃片落得到處都是，原本被擋在外面的凌晨的陽光照射進來。當韋德看見陽光的剎那，面部抽搐起來，但是他並沒躲開。

「莉莎，」我叫道，「停下來！讓他停下來！」

我幾乎認不出莉莎，從沒有見過她這麼生氣，也從來沒見她像現在這樣。我馬上就意識到——催眠術！而我也預料到，她的下一步就是讓韋德將棒球棍向自己頭上揮去。

「拜託！莉莎，別再繼續下去，拜託！」

我忍著頭暈和醉酒之後的嗡嗡聲，想潛進她的想法。邪惡、憤怒、殘忍……這些驚人的情緒集中在曾經甜蜜、好脾氣的莉莎身體裡。在幼稚園時我就認識她了，但是在那一刻，她變得那麼陌生。

我很害怕！

「拜託！莉莎，」我不停地說，「他不值得，放過他吧！」

她根本就沒有看我，冒著怒火的眼睛還是牢牢地盯著韋德。慢慢地、小心翼翼地，韋德舉起了棒球棒，將它舉到了自己頭頂上方。

「莉茲，」我乞求她。哦，天哪！我必須阻止她，或者做些什麼讓她停下來。「不要！」

「他應該停下的。」莉莎平靜地說。球棒在慢慢地移動，現在已經移到揮棒的最佳位置了。

「他不應該這麼對她，就算她是餵食者也一樣。」

「但是你嚇到她了！」我溫柔地說，「看看她……」

起初，什麼都沒有改變，然後莉莎用眼角瞥了一眼餵食者。這個人類女孩仍在角落裡發抖，保護性地用胳膊抱住自己。她的藍眼睛瞪得大大的，滿是淚痕的臉上閃著淚光，害怕得抽噎了一下。

莉莎的表情仍然冷漠，但是在她的心裡，我能感到正在進行一場爭鬥。其中一方不想傷害韋德，但是另一方狂熱的憤怒又充斥著她。

她皺起了臉，眼睛用力閉了起來，右手緊緊攥住左手的手腕，用力掐，指甲深深地陷入了肉裡。她因爲疼痛而有些退縮，但是我能感應到，疼痛讓她不再將注意力放在韋德身上。

她收回了催眠術，韋德丟掉了棒球棒，看著周圍，很是迷惑。

我終於鬆了一口氣！

走道裡響起了腳步聲。我剛才沒有關門，響聲驚動了別人。其他宿舍的人都跑來這裡，當他們看見房間的樣子都驚呆了。

「發生什麼事了？」

其他人面面相覷，韋德完全一頭霧水。他看著房間、看著球棒，然後又看看了莉莎和我。

「我不知道……我想不……」他看著我，突然間怒火沖天。「這是妳幹的！妳爲了剛剛那件事報復我。」

管理員一臉疑問地看著我，我在幾秒鐘之內作出了決定。

妳必須要保護她！她使用這種能力的次數越多，事情就更糟！阻止她，蘿絲，在他們發現之前阻止她，在他們發現之前把她帶走，帶她離開這裡……

我腦海裡浮現出卡普夫人的面容，她瘋狂地拜託著我。

我向韋德傲慢地笑了笑，很有把握地知道沒有人懷疑我這麼做是爲了保護莉莎。

「對，沒錯，如果你放了她，」我對他說，「我就不會做這些了。」

保護她，別讓她使用這種能力！

那天晚上之後，我就再也沒喝過酒，我不想喪失保護莉莎的資格。

兩天以後，我本應爲「破壞公物」而關禁閉反省，但是，我帶著莉莎逃離了學院。

我的思緒回到莉莎的房間，贊德的胳膊正摟著我，莉莎憤怒地看著我們。

我不知道她是不是又做了什麼過分的事情，但是眼前的情況讓我想起了兩年前發生的很多事情，我知道我必須阻止她。

「只是一點點血，」贊德正滔滔不絕地說著，「我不會吸很多的。我只是想知道拜爾族是什麼味道，這裡沒人會當眞。」

「贊德，」莉莎低吼著說，「放開她！」

我滑出贊德的胳膊，笑了笑，試著用開玩笑而不是挑釁的口吻對他說：「得了！」我揶揄著他，「上一個對我說這種話的人，已經讓我揍了一頓，你比該死的傑西更像小白臉，我可不想毀了你這張臉！」

「小白臉？」他問道，「我知道自己很性感，但絕不是小白臉！」

卡莉笑了起來。「不，你很漂亮，托德告訴我，你還買了法國的髮膠。」

贊德像許多喝醉的人那樣容易分心，他轉身過去爲自己的名譽反駁，完全忘了我，優雅地回應著關於他頭髮的玩笑。警報解除！

房間的另一邊，莉莎放鬆地看了我一眼。她笑著對我點點頭，表示感謝，然後又將注意力放在艾倫身上。

16

第二天，傑西及拉爾夫事件的結果得到了逆轉，這是我完完全全沒有想到的。對某些人來說，我仍然是人們交頭接耳和指指點點必不可少的對象；對於莉莎的死黨們來說，我獲得了他們的友誼和偶爾爲我進行的辯護。但是整體來說，我班上同學們的興趣已經不在我身上，這絕對是千眞萬確的，因爲又有新的事情吸引了他們的目光，那就是莉莎和艾倫。

很明顯，米婭聽說了派對上的事情，在她得知艾倫居然背著她，自己一個人去參加之後，便火山爆發了。她和艾倫大吵大鬧，並告訴他，如果他想和她在一起，就不能和莉莎一起出去。

所以，艾倫決定甩了她，不再和她交往。那天早上，他就與米婭分手，現在，他和莉莎整天形影不離。

午休時間，他們倆站在大廳裡，互相挽著手臂，有說有笑。心電感應告訴我，莉莎對他的興趣只有一般般，除了她看向艾倫的時候，在心中感嘆他是這個計畫中多麼完美的一環。

這些都是演戲給別人看的，而艾倫對此一無所知，他幾乎隨時都準備在她腳下修建一座神龕！

至於我？我覺得很難受，不過比起米婭來，我的感覺就不算什麼了。

吃午飯的時候，米婭坐在離我們遠遠的大廳另一頭，眼睛直直地看著前面，完全無視坐在她周圍的那些朋友。她的臉上塗了粉色粉底，圓圓的腮紅，眼圈也紅紅的。我經過的時候，她沒有說一句刻薄的話。

沒有尖酸的笑話，也沒有諷刺的注目，莉莎摧毀了她，就像米婭對我們所做過的一樣。

唯一一個比米婭還慘的人，是克里斯蒂安。和米婭不同，他一臉怨恨地看著這對幸福的情侶時，十分鎮靜。和往常一樣，除了我，沒有人注意到他。

在看到莉莎和艾倫親熱了不下十次之後，我提早結束了午餐，跑去找卡馬克夫人，她教我們的自然元素基礎課。我想問她一些問題，已經憋了很長時間了。

「蘿絲，對吧？」她看見我似乎很驚訝，但是不像最近那些老師，他們有一半的人看見我之後，緊接著的表情就是生氣或者鄙視。

「對。我有個關於……呃……魔法的問題想要請教妳。」

她揚起了一條眉毛，因為實習生是不用修魔法課的。

「妳想知道些什麼？」

「我聽牧師講過關於聖弗拉米爾的事情……妳知道他擅長什麼元素嗎？我是說弗拉米爾，不是牧師。」

她想了想。「奇怪了！他在這裡這麼有名，但卻沒有人問過這樣的問題。我不是專家，但是從我聽過的所有故事來說，我不知道他特別擅長哪種元素，也沒有人曾經有過這方面的記錄。」

「那麼他治癒別人的能力呢？」我追問道，「有沒有哪種元素可以讓人變成像他一樣？」

「沒有，我所知道是沒有。」她揚起了唇角笑了一下，「信仰他的人會說，他的能力是上帝賜予的，而不是什麼關於自然元素的魔法。總之，所有故事裡強調的事情只有一件，那就是他是『充滿信念的』。」

「有沒有可能他什麼都不擅長？」

卡馬克夫人的笑容不見了。「蘿絲，妳問的眞的是關於聖弗拉米爾的事嗎？還是在問莉莎的事？」

「也不完全是……」我囁囁著說。

「我知道這對她來說很艱難，特別是在她的同學面前，但是她需要耐心。」她溫柔地解釋說，「總會來的，這件事是躲不掉的。」

「但是有時候這種事並不會發生。」

「太少了，而且我不認爲她會是其中之一。她對這四元素的總體掌控能力要高於一般人，儘管還沒有一個能特別突出，但是總有一天會有的。」

這讓我有了個新的想法。「有沒有可能，有人擅長不只一種元素？」

她大笑起來，搖了搖頭。「不，那樣的能力太強了！沒有人能夠掌握所有的魔法，除非他瘋了！」

「好的，謝謝。」我準備離開，這時，我又想起了別的事。「對了！妳還記得卡普夫人嗎？她擅長什麼呢？」

卡馬克夫人露出了其他老師聽到這個名字以後，都會出現的那種不舒服的表情。「事實上……」

「什麼？」

「我已經忘得差不多了。我想她確實屬於那些沒有特殊能力的人，她對這四種元素的掌控能力都太低了！」

剩下的一整個下午，我都在想著卡馬克夫人的話，試著將它們印證在我的「莉莎、卡普、弗拉米爾理論」當中。

我也在觀察著莉莎。太多人想要和她說話，她幾乎注意不到我的沉默。但是，我還是能常常看見她向我這邊望，然後對我笑一下。她的眼神裡充滿疲憊，顯然和她不是特別喜歡的人說笑、八卦，讓她很難受。

「任務已經完成了。」放學後我對她說，「我們可以停止洗腦計畫了。」

我們坐在庭院的長椅上，她前後搖晃著雙腿。「妳這是什麼意思？」

「妳已經做到了！妳阻止了人們繼續讓我的生活水深火熱、妳摧毀了米婭、妳偷走了艾倫。再和他玩兩個星期，然後甩了他和其他的皇族，那樣妳會比較開心。」

「妳認爲我現在不開心嗎？」

「我知道妳不開心。有些派對很有意思，但是妳討厭和妳不喜歡的人假裝成爲朋友，他們大多數人妳都不喜歡。我知道那天晚上贊德讓妳多生氣。」

「他是個意外，但是我能處理。如果我不再和他們在一起，所有的事情又會回到原點，米婭可能東山再起。維持現在這樣，她就不會再打擾我們了。」

「但如果有事情讓妳這麼操心，那件事就不值得去做。」

「沒有事情讓我操心。」她有些小小的自我辯解。

「是嗎？」我意有所指地問，「因爲妳愛艾倫愛得無法自拔？因爲妳迫不及待地想和他再度良宵？」

莉莎瞪著我。「我有沒有說過，有時候妳是個不折不扣的壞蛋？」

我沒有理會這句話。「我只是想說，如果沒有這些事，妳就不用擔心那些狗屁問題了。妳使用催眠術，這個耗盡妳所有的精力。」

「蘿絲，」她擔心地看看四周。「小聲點！」

「可這是事實，無時無刻不在使用它會傷害妳的！我說眞的！」

「妳不認爲妳有點頭腦發昏了嗎？」

「卡普夫人的事怎麼解釋？」

莉莎的表情一僵，「她怎麼了？」

「妳和她一樣！」

「不！我沒有！」那雙綠眼噴出了火苗。

「她也能治好別人。」

聽著我說完，莉莎吃驚極了。這個話題在我們心中已經憋了好久，但是我們從來沒有談起過它。

「這什麼也說明不了。」

「妳這麼想？妳還認識其他可以這麼做的人嗎？或者其他能夠對拜爾族或莫里族施行催眠術的人？」

「她從沒使用過催眠術。」莉莎爭辯道。

「她做過。她在被帶走的那天晚上，曾經對我那麼做過。一開始很管用，但是他們在她催眠完之前帶走了她。」

或者是已經催眠成功了？不管怎麼說，那件事發生的一個月以後，我就帶著莉莎離開了學院，我一直以爲這是我自己的主意，但也許卡普夫人的話才是眞正的原因。

莉莎交叉起她的手臂，似乎完全不相信，但是她的情緒有了波動。

「好吧！那又怎樣？所以，她和我一樣是怪物囉？這什麼問題都說明不了。她只是瘋了……呃……她本來就是瘋子。」

「不只是她！」我慢慢地說，「還有其他人和妳一樣，我找到了！」我猶豫著說，「妳知道聖弗拉米爾……」

我把所有的事都全盤托出，我告訴莉莎，她、卡普夫人和聖弗拉米爾都有治癒能力，也都有超級催眠能力。儘管這些話讓她不舒服，我還是對她說了他們三人變得有多麼容易發怒、多麼容易出現自殘行爲。

「他曾經自殺。」我避開莉莎的目光說道，「我還注意到卡普夫人手上的傷痕，以及她臉上自己抓傷的傷痕。她曾經想用頭髮把傷痕遮蓋起來，但是，她在弄新傷口的時候，我看見了那些舊的。」

「這還是什麼都說明不了。」莉莎堅持說，「這……這些都只是巧合！」

聽起來她很想相信這些，她的內心有一部分眞的十分想要相信。那一部分，是她感到憂鬱、長時間以來渴望知道自己不是怪物、並不孤獨的一部分。就算這些是壞消息，至少她知道自己也有同類了。

「他們每個人都沒有特別擅長的元素，這難道也是巧合嗎？」

我把和卡馬克夫人的對話源源本本講給她聽，然後解釋了我關於擅長所有元素能力的理論。我也告訴了她，卡馬克夫人說這些能讓人變瘋的評論。

聽我講完以後，莉莎揉揉眼睛，這令她的妝容有些糊掉了。她弱弱地向我笑了笑，「我不知道哪件事是最瘋狂的，是妳剛剛告訴我的，還是妳爲了找到這些而讀了書？」

我咧開嘴笑了，爲她終於能夠開玩笑而鬆了一口氣。「嘿，我也是會讀書的人。」

「我知道妳是，我還知道妳花了一年的時間才看完《達文西密碼》。」她笑了起來。

「這不能怪我，妳也別想轉移話題。」

「我沒有。」她笑著說，然後又嘆了一口氣，「我只是不知道該怎麼消化這些。」

「沒什麼可想的。別做會讓妳不高興的事情就行了。記得劃清界限嗎？重新回到界限裡面，這樣妳會比較好過。」

她搖了搖頭。「我不能回去，現在不行。」

「爲什麼？我不是告訴過妳……」我停了下來，奇怪自己爲什麼之前沒有想到過。「這不是爲了米婭。妳是覺得妳應該這麼做，妳還是想接替安德烈的位置。」

「我的父母肯定希望我這麼做！」

「妳的父母肯定希望妳能過得開心！」

「這並不容易，蘿絲。我永遠都沒有辦法不理那些人，我也是皇室的一員。」

「他們大部分的人都令人噁心。」

「他們大部分人也能幫我統治莫里族，安德烈知道這點，他也不喜歡那些人，但是他不得不這麼做，因爲他知道這些人的重要性。」

我重新靠在長椅上。「好吧！也許這才是問題所在。我們僅憑家族決定什麼是『重要』的，所以，我們的決定要依靠這些討厭的人。這就是爲什麼莫里族的人數不斷減少，也是爲什麼塔蒂安娜那樣的賤人能夠成爲女王的原因。也許最有必要的，是產生一個新的皇室體系。」

「拜託，蘿絲，事實就是事實，這種制度已經沿襲了好幾百年了，我們一直這麼過的。」我輕蔑地聽著。「好吧！那麼這麼做怎麼樣？」她繼續說，「妳擔心我會變得像他們，就是卡普夫人和聖弗拉米爾一樣，對嗎？她說過我不應該使用這種能力，如果我這麼做了，事情會變得更加糟糕。那如果我不再使用這種能力呢？催眠術、治癒、任何事。」

我瞇起了眼睛。「妳能辦到？」這是我一直以來希望她做到的，事故之後，她的憂鬱和那些能力幾乎是同時出現，我有理由相信，這些是有關聯的，特別是經過卡普夫人的警告之後。

「當然。」

她的臉非常沉著，表情嚴肅而堅定。她的頭髮梳成了乾淨清爽的法式小辮，洋裝外面套著羊皮外套，她現在看起來就能代表家族，取得議會的席位。

「妳必須放棄所有能力。」我提醒她說，「不能去治療，不管那個小動物有多麼可愛、抱起來有多麼舒服，也不能再對那些皇家的莫里使用催眠術。」

她認眞地點點頭。「我能做到。這讓妳覺得好受一點了嗎？」

「對，如果妳停止使用魔法，繼續和娜塔莉一起玩的話，我會覺得更舒服。」

我不能讓她脫離這些，目前不行，但是得知她不會再使用那些能力，讓我覺得輕鬆了很多。

「好吧！」我說，撿起扔在地上的背包。我訓練已經遲到了，又一次！「妳可以和那些討厭的人一起玩，只要妳控制得住『那些東西』。」我猶豫道，「妳知道，關於艾倫和米婭的事，妳已經做得很好，不用非得在那些人面前和艾倫在一起。」

「爲什麼我一直覺得妳不再像以前那樣喜歡他了？」

「我還是喜歡他，好嗎？和妳對他的喜歡程度差不多。我不認爲妳要在妳只覺得『還可以』的人面前，打扮得那麼性感可愛。」

莉莎張大她的眼睛，掩飾自己的驚訝。「這眞的是從蘿絲瑪麗·海瑟薇的嘴裡說出來的嗎？妳被洗腦了嗎？還是妳已經有了比『還可以』還喜歡的人了？」

「嘿！」我不太舒服地說，「我只是爲妳著想，而且我之前從來沒發現，艾倫十分無趣！」

她聳聳鼻子。「妳認爲每個人都很無趣。」

「克里斯蒂安除外。」在我意識到之前，這句話就從我嘴裡溜了出來。

她十分意外。「他是個例外。他只不過是某一天，沒有理由的就不跟我講話了。」莉莎環起胳膊，「妳不是很討厭他的嗎？」

「討厭他和認爲他很有趣是兩碼子事。」

事實上，我開始覺得，關於克里斯蒂安，我也許犯了個錯誤！他很孤僻、陰鬱、喜歡放火燒別人，這毫無疑問，但是另外一方面，他很聰明也很有趣，而且他能讓莉莎冷靜下來，這十分奇怪。但是，我搞砸了這一切，我讓嫉妒和憤怒沖昏了頭腦，生生拆散了他們。如果那天晚上，我讓他去庭院見莉莎，也許她就不會生氣，也不會割傷自己，更也許他們現在已經在一起，遠離學院的風暴。

命運絕對和我想的一樣，因爲，在我告別莉莎五分鐘以後，我在經過廣場時遇見了克里斯蒂安。在我走過他之前，我們對視了好一會兒，我幾乎就要走過去了，幾乎！

我深吸一口氣，停下了腳步。

「等等……克里斯蒂安。」我叫住了他。該死！訓練我已經遲到很長時間了，迪米特里會殺了我的！

克里斯蒂安轉過身來看著我，他的手還是插在他黑色長風衣的口袋裡，姿勢痞痞的，帶著蠻不在乎。

「有事？」

「謝謝你的書……你給梅森的那些。」

「哦，我以為妳說的是其他的書。」

聰明的混蛋！

「你不想問問這些書我用來做什麼嗎？」

「那是妳的事，我認為妳可能是被關禁閉，太無聊了。」

「我之前曾經做過比看那些書更無聊的事！」

他聽了我的笑話並沒有笑。「妳想怎麼樣，蘿絲？我還有事要做。」

我知道他在說謊，但是我的嘲諷好像沒有以前有用了。「我希望你……呃……再和莉莎一起出去。」

「妳是說眞的？」他走近仔細看著我，一臉懷疑，「在妳對我說了那些話之後？」

「對，嗯……梅森沒有對你說嗎？」

克里斯蒂安的嘴勾起一絲弧度。「他對我說了一些事。」

「然後？」

「然後我不想從梅森嘴裡聽到。」看到我瞪他，他又笑了，「妳派他來替妳道歉？妳應該自己親口說的。」

「你是個混蛋！」我提醒他說。

「對，而妳是個謊話精！我想看見妳嚥下妳的驕傲。」

「我已經嚥下驕傲有兩個星期了。」我低吼道。

他聳聳肩，轉身想要離開。

「等等！」我叫道，伸手扳住他的肩膀。他停了下來，再次看向我。「好吧！好吧！關於她的感覺，我對你撒謊了。她從來沒有說過你的不好，行了吧？她喜歡你，而我這麼做只是因爲我不喜歡你。」

「現在妳希望我和她講話？」

當以下的話從我嘴裡溜出來，我幾乎不敢相信這是我自己說的。「我認爲……你可能……對她比較有好處。」

我們互相看著彼此，看了很長一段時間，他又微微揚起了嘴角。我想，沒什麼能令他感到吃驚，除了這句話。

「對不起，我沒聽清楚，妳能再說一遍嗎？」他最終開口問道。

我幾乎想朝著他的臉打一拳。「你已經不想和她說話了嗎？我希望你能再和她一起出去。」

「不。」

「聽著，我已經對妳說了，我撒謊……」

「我指的不是這個。妳認爲我現在還能跟她講話嗎？她又是莉莎公主殿下了。」他惡狠狠地說，「我無法走近她，當她周圍都是那些皇室的時候，我沒有辦法。」

「你也是皇室。」這句話，與其說是對他，不如說是對我自己說的。我差點就忘記歐澤拉也是十二個皇室家族之一。

「跟血族扯上關係的皇室就什麼都不是，對吧？」

「但是你不是……等一下！這就是爲什麼她喜歡和你一起。」我恍然大悟。

「因爲我是個將要變成血族的人？」他嘲諷地問。

「不……因爲你也失去了雙親，你們都親眼看見他們死掉。」

「她看見了她父母死掉，我看見的是我父母被殺。」

我有些心虛。「我知道，對不起！這肯定是……好吧！我不知道你是什麼感覺。」

那雙碧藍色的眼睛逐漸模糊了焦距。「那就像是看見一個軍隊的死神闖進我的家。」

「你是說……你的父母？」

他搖搖頭，「來殺死他們的守護者。我是說，我的父母很可怕，但是他們仍然是我的父母，只不過看起來更白一點。他們的眼睛帶著血絲，但是他們說話和走路的方式還和以往一樣。我不知道他們有什麼變化，但是我的阿姨知道。她在他們死後，一直照顧著我。」

「他們沒想過把你也變成血族嗎？」我已經忘記了自己最初的目的，完全沉浸在他的故事當中。「你當時確實很小。」

「我想他們可能想等我長大一點，再將我變成血族，不過塔莎阿姨不會讓他們這麼做。他們試著和她講道理，也想改變她，但是她不聽，於是他們便想使用暴力。塔莎阿姨和他們打了起來，那一架眞的很慘烈，然後，那些守護者就出現了。」

他重新看向我，笑了起來，但是笑容中並沒有一絲開心。

「就像我說的，死神的軍隊。我認爲妳瘋了，蘿絲，但是如果妳變得和他們一樣，總有一天妳會造成非常大的破壞的，就連我都不能阻攔妳！」

他的人生很悲慘，我覺得有點恐怖，我必須帶點好的東西給他。「克里斯蒂安，我很抱歉搞砸了你和莉莎之間的事，這太蠢了！她想和你在一起，而我認爲她現在還是這麼想。如果你能……」

「我說過了，我不能。」

「我很擔心她！她和那群皇室的人混在一起，只是爲了報復米婭。她是爲我才這麼做的！」

「妳不覺得榮幸嗎？」他的嘲諷又回來了。

「我很擔心，她無法一直控制這種狡猾的遊戲，這對她不好，但是她不聽我的，我只能……只能找人幫忙了。」

「她需要幫助。嘿！別這麼驚訝，我知道發生在她身上的事情很好笑。我說過她手腕上的事嗎？」

我跳了起來。「是她告訴你的嗎？」一定是的！她對他毫無保留。

「她不需要開口。」克里斯蒂安說，「我有眼睛。」

我看起來一定很呆，因爲他嘆了口氣，用手扒了扒頭髮。

「如果莉莎一個人獨處時，我會試著和她談一談，但是老實說……如果妳眞的想要幫她……嗯，我知道妳可能會認爲我反對所有的權威，但是妳或許可以從其他人那裡得到更好的幫助，比如奇洛娃，或者妳的守護者，找那些知道某些事的人、找那些妳信任的人。」

「莉莎不喜歡這樣。」我考慮說，「我也不喜歡。」

「對，沒錯，但是我們必須要做自己不喜歡的事，這就是人生。」

我呆呆的表情再次浮現出來。「你是誰？下課後的導師嗎？」

他的臉上閃過詭異的笑容。「如果妳不是這麼瘋瘋癲癲，也許是約會的最佳人選。」

「眞有意思！你也給我這種感覺。」

他沒有再說其他的，但是臉上一直帶著笑容，隨後轉身離開了。

17

幾天以後，莉莎在學生餐廳外面找到我，告訴了我一個非常令人震驚的消息。

「週末維克多叔叔打算帶娜塔莉離開學院，到米蘇拉（注⑫）購物，這之後還要舉辦一個舞會，他們說我也可以一起去。」

我一言不發。

對於我的沉默，她非常驚訝。「這不是很酷嗎？」

「我想，對妳來說確實如此。但我的未來裡，再也沒有商場和舞會了。」

她聽完後笑了。「他對娜塔莉說，除了我以外，可以再帶兩個人一起去。我說服她帶著妳和卡米莉一起去。」

我絕望地說：「嗯，謝謝，但是下課以後我連圖書館都不能去，沒有人會同意讓我去米蘇拉的。」

注⑫：美國蒙大拿州的一個郡。

「維克多叔叔認為他可以說服奇洛娃校長大人同意妳去，迪米特里也幫得上忙。」

「迪米特里？」

「對，如果我離開學院的話，他必須和我一起。」莉莎停了一下，發現我對迪米特里的興趣和對逛街一樣濃。「他們幫我查看了一下我的帳戶，我的津貼又回來了！所以除了裙子，我們還可以買許多其他東西。如果他們讓妳去購物的話，肯定也會同意妳去參加舞會的。」

「我們現在就去嗎？」我說。參加學院資助者的社交活動？這樣的事情我們之前從沒遇到過。

「當然不是，但是妳知道，舉辦舞會的時候會有許多祕密派對，我們可以在舞會開始以後溜出去。」她的惋惜中帶著愉快，「米婭一定嫉妒極了！因為她根本沒有機會參加。」

她接著又講了我們要去的商店、我們要買的所有東西。我承認，買幾件新衣服這件事令我有些興奮，但我懷疑奇蹟是不是能夠出現，我是不是能夠獲得允許，得到幾天假期。

「嘿！」莉莎激動地說，「妳該看看卡米莉借我的這幾雙鞋子，我從來不知道我們倆穿同一個尺碼……」她打開背包，然後開始在裡面翻找。

突然，她尖叫起來，把背包扔了出去，課本和鞋子掉了出來……還有一隻死掉的鴿子！

這是一隻暗棕色的悲慘鴿子，牠和那些經常站在學院枝頭和電線上的鴿子是一夥的。但現在牠渾身是血，讓人找不到傷口在哪裡。誰能想到這麼小的東西，身上也會有那麼多的血？

莉莎摀住嘴，瞪著眼睛，什麼都說不出來。

「可惡！」我咒罵著，毫不猶豫地抓起一根樹枝，將這個小東西的屍體捅向一旁。當牠離我們遠一點之後，我開始將她的背包徹底翻找一遍，想看看裡面是不是還有其他死了的東西。「爲什麼這些該死的一直……莉茲！」

我靠過去抓住了她，將她推到一邊。她已經跪在地上，伸出雙手想要去捧起那隻鴿子，我想她對自己要做的事毫無意識，是她強烈的本能讓她做出了這種舉動。

「莉莎，」我說，緊緊抓住她的手，她仍然想要向那隻鳥湊過去。「不要！別這麼做！」

「我可以救活牠！」

「不！妳不能！妳答應過的，記得嗎？有些東西必須死去，隨牠去吧！」我仍然能夠感覺到她的緊張，我請求她。「拜託，莉茲，妳答應過的，不再使用治癒能力。妳說過妳不會的，妳答應過我。」

過了一會兒之後，我覺察到她放鬆了下來，將身體靠在我身上。「我討厭這樣，蘿絲，我討厭這所有的事。」

娜塔莉正從裡面走出來，很明顯，外面有恐怖的一幕正等著她。

「嘿，妳們倆……哦！我的天哪！」她看見鴿子，尖叫起來。「那是什麼？」

我扶著莉莎站起來，「另一個……呃……惡作劇。」

「牠……死了嗎？」她的臉皺起來，似乎覺得很噁心。

娜塔莉看出我們有些緊張，看了看我，又看了看莉莎。「還有什麼事嗎？」

「沒了，」我將書包遞給莉莎，「這只不過是某人愚蠢的惡作劇，我會去告訴奇洛娃，讓她將這裡清理乾淨。」

娜塔莉走開了，看起來有些懷疑。「爲什麼妳們總是能碰上這種事？這太可怕了！」

莉莎和我交換了一下眼色。

「我不知道，」我說。

去找奇洛娃的時候，我開始思索這個問題。

狐狸事件發生的時候，莉莎就覺得肯定有人知道了大烏鴉的事，我並不相信這種說法。那晚，只有我們倆在樹林裡，卡普夫人不會把這件事告訴任何人。但是如果確實有人看見了呢？如果有人持續這麼做的目的並不是想要嚇唬她，而是爲了確認她是不是能再次治好那隻可憐的小動物呢？兔子事件裡那張紙條上是怎麼說的來著？*我知道妳是誰*。

我並沒有對莉莎說起這些，我知道，她不太能接受我這些陰謀論，而且，第二天我再看見她的時候，她已經差不多忘記了鴿子的事，腦子裡只想著一個特大的好消息——奇洛娃同意我參加週末的旅行。對於去購物的期待能夠掃去許多陰影，連被殺的動物也不例外，我只好將擔心放在自己的心裡。

只是，當那一刻來臨的時候，我發現我的假釋是有附帶條件的。

「奇洛娃校長大人認爲妳在回來之後，表現得很好。」迪米特里對我說。

「除了在納吉先生的課堂上放火嗎？」

「她並沒有爲那件事怪罪妳……不是完全怪罪，我跟她說妳需要休息，而且妳可以利用這個機會進行一下實際練習。」

「實際練習？」

當我們走去和其他人匯合的路上，他給我做了更加詳盡的解釋。

維克多．達什科夫站在那裡，和以往一樣虛弱，他的身邊跟著他自己的守護者。娜塔莉跑過去撲向他，他笑著給了她一個小心的擁抱，擁抱結束後，維克多就劇烈地咳嗽起來。娜塔莉等著他咳嗽完，張大的眼裡充滿了關心。

我們要乘坐學院的車，顛簸兩個小時才能到達米蘇拉。許多莫里族住在遠離人類的地方，但也有許多和混跡在人類之中。在人類世界的商店裡購物時，就要按照人類的時間到達。校車只在後面的車窗上有一扇特別小的窗子，能夠將陽光擋在外面，把可能對吸血鬼造成的傷害降到最小。

我們這一群人一共有九名成員：莉莎、維克多、娜塔莉、卡米莉、迪米特里、我，還有其他三名守護者。其中兩個是常年跟在維克多身邊的，一個叫班、一個叫斯皮里迪恩，第三個是學院的守護者斯坦，他就是我第一天回來時，羞辱我的那個混蛋。

「卡米莉和娜塔莉現在還沒有自己的守護者。」迪米特里對我解釋說，「她們都在自己家族守護者的保衛之下，作爲學院的學生，離開校園時，需要學院的守護者來保護他們，那就是斯坦。我跟著是因爲我被指定給莉莎，是她的守護者。大部分莫里族的女孩在她這個年紀時，是不能擁有自己的私人守護者的，不過她的情況比較特殊。」

我和他還有斯皮里迪恩一起坐在車的後面，這樣他們可以教給我守護者需要的知識，這也是

「實際練習」的一部分。本和斯坦坐在最前排，其他的人坐在中間。莉莎和維克多兩個人聊得很愉快，一直在講一些新鮮事。卡米莉端著她傳統皇室禮貌的笑容，一路不停微笑、點頭。而娜塔莉一直向左邊看，想將她父親的注意力吸引過來，不過她的努力是徒勞的，很明顯，維克多沒有理會她的滔滔不絕。

我看向迪米特里。「她應該有兩名守護者才對，王子和公主都是這樣的。」

斯皮里迪恩和迪米特里差不多大，他金色頭髮剃成平頭，態度更加平易近人。拋開他希臘式的名字不說，他有一種南方懶洋洋的氣質。「別擔心，時機到了，她會有很多守護者的。迪米特里已經是其中一個，奇怪的是，妳也會成為其中一個，這就是妳今天能出現在這裡的原因。」

「訓練需要？」我猜測說。

「對，妳會成為迪米特里的搭檔。」

「守護者的搭檔。」迪米特里突然接下去說，但也許他腦子裡正想著其他類型的搭檔。

「對。」斯皮里迪恩同意說。

很顯然，迪米特里很緊張，他開始解釋成為搭檔的守護者是如何配合的。這是有嚴格標準的，我的教科書裡有相關內容，但是現在，這意味著我有機會在眞實的情況中進行這件事。

莫里族按照對象的重要程度指定守護者，一般都是兩人一組，一個守護者離被保護的人近一些，另外一個則負責偵查四周。他們的稱謂很無聊，一個叫作近身守衛，一個叫作遠處守衛。

「妳應該是負責近身守衛的那一個。」迪米特里說，「妳是女生，而且妳和公主殿下年紀一樣，和她在一起，不會引起別人的懷疑。」

「我不能讓視線離開她。」我補充說，「或者是你。」

斯皮里迪恩再次笑了起來，他用手肘給了迪米特里一下。「你有了個明星學員！你給她銀樁了嗎？」

「沒有，她還沒有準備好。」

「如果有人教給我怎麼使用，我會準備好的。」我爭辯說。我知道這部車裡坐著的每個守護者都有銀樁，另外還有一把槍。

「比佩戴銀樁更重要的是，」迪米特里用老先生的口吻說，「妳還是要打敗他們，告訴妳自己要殺死他們。」

「爲什麼我不願意殺死他們？」

「大部分血族都是莫里族自願變成的，有時候，也有莫里和拜爾被迫成爲血族。這不重要，妳有的是機會見識到他們。妳能夠殺死一個妳以前認識的人嗎？」

一瞬間，這次旅行就變得不那麼有趣了。

「也許吧！我必須這麼做，不是嗎？如果他們想對莉莎不利……」

「妳還是會猶豫，」迪米特里說，「這種猶豫會令妳還有莉莎喪命的！」

「你怎麼能保證自己不會猶豫呢？」

「妳必須對自己不停地說，他們不是妳認識的人！他們已經變得邪惡、沒有人性！他們已經不正常了！妳必須迎上去攻擊，這麼做是對的。如果他們還能恢復之前的意識，他們會感激妳的！」

「感激我殺了他們？」

「如果有人把妳變成了血族，妳會怎麼想？」他問道。

我不知道該怎麼回答，所以我什麼都沒說。

他沒有看我，繼續逼問：「如果妳本來不想，但最後還是被變成了血族，妳會怎麼想？如果妳知道自己會喪失掉之前所有的心智，和對正義與邪惡的認識，妳會怎麼想？如果妳知道妳的餘生將在殺害無辜的人當中度過，而這就是妳日後的正常生活，妳會怎麼想？」

整個車廂都陷入了一種不太舒服的沉默，我看著迪米特里，心裡想著所有問題，突然間，我明白了我和他之間為什麼會產生奇怪的吸引力了。

我從來沒有見過另外一個人對待守護者這項工作如此認真、如此明白生與死之間的區別。當然，在我這個年紀不會有人徹底明白，梅森不可能理解我為什麼在派對上不能放鬆、喝酒。迪米特里曾經說過，我比一些成年守護者更加理解守護者的職責，特別是他們比我見到過更多的死亡和危險，當時我不明白他為什麼這麼說。但是這一刻，我知道他說中了，我對生與死、正義與邪惡之間的關係有了更深的瞭解。

他也是。有時我們會覺得很孤獨。我們也許不得不把自己「有趣」的一面隱藏起來，我們也許不能和自己希望的人生活在一起。但這便是守護者需要做到的。我們互相理解，理解我們都有自己要守護的人，我們的生活永遠不會輕鬆。

在這種情況下作出選擇，就是其中的一部分。

「如果我變成血族……我想我會希望有人能夠殺掉我。」

「我也一樣。」他靜靜地說。我敢打賭，他剛剛產生了和我一樣的感覺，感覺到了我們兩個之間的羈絆。

「這讓我想起了米哈伊爾追捕索婭的情形……」維克多喃喃地說，一臉若有所思的表情。

「米哈伊爾和索婭是誰？」莉莎問。

維克多很驚訝。「爲什麼這麼問？我以爲妳知道索婭．卡普。」

「索婭．卡……你是說卡普夫人？她怎麼了？」她看了看我，又看了看她的叔叔。

「她……她變成血族了！」我說，沒敢看莉莎的眼睛。「自願的。」

我知道，總有一天莉莎會發現的。這是關於卡普夫人傳說的最後一部分，一個我藏在心裡很久的祕密，一個令我經常想起、十分擔心的祕密。

無論是莉莎的表情，還是心電感應，都表示她爲這個消息所震驚，在她意識到我一直知道這件事，卻從來沒對她說過後，情緒變得很激動。

「但是我不知道米哈伊爾是誰。」我補充說。

「米哈伊爾．坦恩。」斯皮里迪恩說。

「哦，坦恩守護者，我們離開之前他還在學院裡。」我皺了皺眉頭，「他爲什麼要追捕卡普夫人？」

「為了幹掉她！」迪米特里平靜地說，「他們是戀人。」

和一個我曾經認識的人變成的血族打仗是一回事，但如果是要和一個……一個我愛的人打仗，又是另外一回事了。好吧！我不知道遇到這種事應該怎麼辦，就算理論上來說，這是一件正確的事。

「也許我們可以談點別的。」維克多紳士地說，「今天不應該總是談論那些沉重的話題。」

我想，車裡所有的人應該都鬆了一口氣。

我們在走進一家又一家商店的時候，我從守護者的角色中脫離出來，一直陪伴在莉莎身邊，看著那些最新的款式。

重新回到公共場所的感覺眞好，這就像又回到了過去的時光，我很懷念單純的出遊、很想念自己最好的朋友。

儘管現在才十一月中旬，但是百貨商場已經掛滿了金光閃閃的節日飾品。

我承認，自己確實有疏漏的地方，因為傳統的守護者要酷酷的，不需要交流就能彼此明白。我正為此難過，迪米特里勸我說，有不足才能有進步的空間，如果我能夠按照傳統的方式保護好莉莎，就能勝任任何事。

迪米特里和班成扇形站開時，維克多和斯皮里迪恩便和我們待在一起，他們想努力使自己看起來不像是偷看年輕女孩的怪叔叔。

「這太適合妳了！」在梅西百貨裡，莉莎拿給我一條上半部分綴滿了蕾絲的低胸背心。「我買給妳。」

我很喜歡它，甚至已經在幻想穿上它會是什麼樣子了！

習慣性地看了迪米特里一眼，我隨即搖搖頭，重新回到我的角色。「冬天就要到了，穿它太冷了！」

「妳從不在乎。」她聳聳肩，將衣服重新掛回去。

她和卡米莉在一排排衣服前面快速掃貨，豐厚的津貼讓她們不必太在意價格。莉莎說，我可以買任何我喜歡的東西，從小到大，我們對彼此一直都很慷慨，於是，我一點也沒有猶豫地接受了，而我的選擇令她大吃一驚。

「妳挑了三件抓絨外衣和連帽衫，」她一邊對我說，一邊翻著一疊BCBG（注⓭）的牛仔褲，「妳太令我掃興了！」

「嘿！我也沒看見妳買性感的上衣。」

「我不是最適合穿這些的那個人。」

「謝謝。」

「妳知道我的意思，妳甚至把頭髮都盤了起來。」

注⓭：BCBG是美國服裝的一個時尚品牌。

這倒是事實。我聽從了迪米特里的建議，將頭髮高高地盤了起來，在見到他以後，贏得了他一個讚賞的微笑。如果我也有閃電紋身，這樣就能露出來了。

她看了看周圍，確定沒有人能夠聽到我們的談話。心電感應告訴我，事情可能很嚴重。

「妳知道卡普夫人的事？」

「對，我在她離開差不多一個月之後聽說的。」

莉莎抖了抖手上那條緊身牛仔褲，沒有看我。「妳爲什麼不告訴我？」

「妳不需要知道。」

「妳認爲我沒法接受這件事？」

我一直保持面部毫無表情，看著她，思緒回到了兩年以前——

當時，我正在因爲破壞韋德房間的事而被禁足，這時，有一群人來訪問學院，我被允許參加那次晚宴，但是卻嚴加看管了起來，以防我「試著幹點什麼」。

學生餐廳裡，兩名守護者看管著我，他們隔著很長的距離，小聲地聊著天。

「她殺死了她的主治醫師，還在逃出去的時候，打傷了一半以上的病人和護士。」

「他們知道她逃去什麼地方了嗎？」

「不知道，他們正在追捕她。」

「我從沒想過她會這麼做！她不像是這種人。」

「對，沒錯，索婭是瘋了。你沒看見最後她變得有多強大嗎？根本沒人能夠阻擋她。」

原本一直痛苦地在一旁走來走去，聽到這裡，我猛地抬起頭。

「索婭？你們是說卡普夫人？」我問道，「她怎麼了？」

兩名守護者彼此交換了一下眼色，最後，其中一個嚴肅地說：「她已經變成血族了！蘿絲。」

我停下了腳步，看著他。「卡普夫人？不……她不會的……」

「恐怕就是這樣。」另一個回答道，「但是……妳聽聽就算了，這是個悲劇，不要在學院裡到處八卦。」

那晚剩下的時候，我的腦海裡一片茫然。卡普夫人殺別人，變成了血族……我不敢相信這些。

當晚宴結束後，我想方設法擺脫了看管我的守護者，偷偷和莉莎待了一小會兒。心電感應變得非常強烈，我不用看她的表情，都知道她有多麼心煩意亂。

「出什麼事了？」我問她。我們躲在走道的一個角落，就在學生餐廳外面。

她的眼神空蕩蕩的。我能感到她有些頭疼，這痛楚也傳達給我。「我……我不知道，我只是有種很奇怪的感覺，覺得好像有人跟蹤我，我要非常小心，妳明白嗎？」

我不知道該說什麼，我不認爲她確實是被跟蹤了，但是卡普夫人曾經說過同樣的事情，她一直有這種幻想。

「也許是妳的幻覺。」我輕輕地說。

「也許吧！」她同意道，眼睛突然眯了起來。「但是韋德不是。他不肯閉上嘴，一直在說那天發生的事，妳一定不相信他是怎麼說妳的。」

事實上，我能，但是我不在乎。「別管他，他什麼都不是！」

「我討厭他！」莉莎說，聲音有些不自然的尖銳。「我和他都在募集基金的委員會，我討厭每天聽他張著那張肥嘴巴不停地說，也討厭看見他和其他女生噁心的調情。妳應該好好修理他一頓，這絕對是他自找的。」

我的嘴巴有點乾。「其實還好……我不在乎。冷靜點！莉莎。」

「我在乎！」莉莎生氣地說，將怒火發洩在我身上。「我眞希望有辦法還以顏色，像他中傷妳一樣，讓他也嘗嘗同樣的滋味。」她將雙手背在身後，前前後後不停地來回走動，非常用力，每一步都有意識地、狠狠地踩在地上。

她的身體裡充滿憤怒和仇恨，我能夠感應到，這感覺像是一陣風暴，讓我從心底徹底感到寒顫。暴風裡裹挾的，是一種猶豫的、不堅定的想法，莉莎不知道要怎麼做，只知道自己感到絕望，想要做點什麼，任何事都行。

我的腦中快速閃過球棒事件那晚發生的事，隨後，我想起了卡普夫人。她變成血族了！

這是我一生中最害怕的時候，比看見莉莎在韋德的房間裡還要害怕；比看見莉莎能夠治癒大烏鴉還要害怕；比我可能被守護者抓回去還要害怕，因爲在那一刻，我認不出我最好的朋友了。

一年以前，我肯定會大聲嘲笑那些說她可能變成血族的人；一年以前，我肯定會大聲嘲笑那些說莉莎想要割腕，或者對某些人「還以顏色」的人。

在那一刻，我突然相信她也許會做這些不可能的事，我必須確保這些不會發生，我必須保護她，別讓她使用這種能力！

「我們走，」我說著，拉住她的胳膊，向大廳走去。「馬上！」

困惑暫時代替了她的憤怒。「去哪裡？」

我沒有回答。我的態度或者是說的話肯定是嚇到她了，因爲她沒有異議地任我拉住她，走出學生餐廳，穿過學院，一直走到停車的地方。那裡停著許多屬於今晚來訪者的車子，其中一輛是加長的林肯車，我看見司機正在發動車子。

「有人要提前離開。」我蹲在灌木叢裡，從樹枝的縫隙看了看他，又看了看我們後面，什麼都沒有發現。「他們隨時可能來到這裡。」

莉莎有些明白了。「妳剛才說『我們走』的意思是……不，蘿絲，我們不能離開學院！我們不能通過警衛區和那些檢查站！」

「我們不必做這些。」我篤定的說，「他來。」

「但是他怎麼會幫我們？」

我深吸了一口氣，有些後悔自己必須要說的話，這跟魔鬼差不了多少。「妳還記得妳上次對韋德做的嗎？」

莉莎是點點頭。

「我需要妳再做一次！走到那個人跟前，然後要他把我們藏在他的後車廂裡。」

她不明白發生了什麼，感到很害怕，非常害怕。她已經害怕了好幾個星期了，變得很脆弱，但是，就算如此，她還是相信我。

她相信我會保護她的安全！

「好吧！」她說。她向他走了幾步，然後回過頭看我。「爲什麼？爲什麼我們要這麼做？」

我考慮了一下莉莎的憤怒，她想要不計代價地報復韋德的決心，我也想到了卡普夫人，美麗、脆弱的卡普夫人，變成了血族……

「我在保護妳，」我說，「其他的事，妳不必去管！」

在米蘇拉的百貨商店裡，在一排排衣服架之間，莉莎又問了同樣的問題：「爲什麼妳不告訴我？」

「妳沒有必要知道。」我回答說。

她走向更衣室，仍然對我低聲說：「妳害怕我會失去控制？妳擔心我也會變成血族嗎？」

「不！不可能！只有她會這樣，妳絕不會變成血族！」

「如果我也瘋了呢？」

「不會的。」我說，想試著開個玩笑。「妳只會剃掉所有頭髮，和三十隻貓住在一起。」

莉莎的情緒更低沉了，但是她沒有再說什麼，只是停在更衣室外面，從衣架上拿下了一條黑色的裙子。

她似乎高興點了。「這簡直就是爲妳而做的裙子！我才不管妳現在穿的多麼實用。」

這條黑色裙子是眞絲質的，沒有吊帶，光滑極了！長度及膝，儘管裙襬的地方有一些微微的喇叭口，但是其他部分絕對是非常貼身的，超級性感！也許挑戰了學院的極限。

「這是我的裙子，」我承認。這是一條可以改變整個世界的裙子！那種可以開闢一種全新的信仰的裙子！

莉莎找到了我的尺碼。「試一試。」

我搖搖頭，將它放了回去。「我不能。這是對妳的妥協，一條裙子並不值得讓妳冒生命危險。」

「我們只好在妳沒有試的情況下買下它了！」莉莎付了帳。

這些事下午還在繼續，我發現自己有點疲憊了。一直保持高度警惕、無時無刻不觀察周圍的行爲變得有些乏味，因此，當我們抵達本次旅行的最後一站——一家珠寶店時，我覺得非常高興。

「看看。」莉莎邊說，邊指著其中一個櫥窗說，「這條項鏈很配妳的裙子！」

我看過去。一條細細的金鏈子上帶著一朵鑲鑽的金玫瑰吊墜，在鑲鑽部分特別做出了強調。

「我討厭跟玫瑰有關的東西！」

莉莎一直喜歡送我關於玫瑰的東西，就爲了看我的反應——我是這麼想的。當她看了看項鏈的價格，笑著走開了。

「哦，看看，妳也有買不起的時候。」我揶揄地說道，「妳的瘋狂購物終於有盡頭了！」

我們等著維克多和娜塔莉逛完，很明顯，他在替娜塔莉挑著什麼，娜塔莉高興的樣子像是如果她長了翅膀，肯定會飛起來。我也很高興，她終於引起了他的注意，希望他能買些超級貴的奢侈品來補償她。

我們在回去的路上都很疲倦，誰都沒有說話。我們的就寢時間被白天的旅行打亂了！

我坐在迪米特里旁邊，靠在座位上不停地打著哈欠，非常敏感地注意到我們的胳膊會不時地碰在一起，一種親密的感覺在我們中間蔓延。

「那麼，我永遠都不能試衣服了？」我悄悄地問他，不想吵醒其他人。

維克多和他的守護者都醒著，但是女孩們都已經睡著了。

「當妳沒有值勤的時候可以，妳可以在妳的閒暇時間做這些事。」

「我不想有閒暇時間，我想一直照顧莉莎。」我又打了個哈欠。「你看見那條裙子了嗎？」

「看見了。」

「喜歡嗎？」

他沒有回答，我認爲他是默認了。

「如果我穿著它去舞會，會有損我的名譽嗎？」

當他開口說話的時候，我幾乎已經聽不清了。

「妳會危害整個學院……」

我微笑著進入了夢鄉。

當我醒來的時候，頭正靠在他的肩膀上。他的那件長風衣，或者說是抹布，像毯子一樣蓋在我身上。

車已經停了，我們回到了學院。我將抹布掀開，跟在他後面下了車，突然覺得無比清醒和高興。

眞遺憾，我的自由就要結束了！

「重回監獄……」我嘆了口氣，和莉莎肩並肩向學生餐廳走去。「也許妳可以假裝心臟病突發，那麼我就能休息一會兒。」

「不試穿衣服嗎？」她遞給我一個紙袋，高興地搖晃著。「我已經等不及要看妳穿上它了。」

「我也是，如果他們讓我參加的話。如果我表現得好，奇洛娃說她可以考慮。」

「給她看看妳買的那些乏味的衣服，她一定會昏過去。我已經準備好看熱鬧了。」

我大笑起來，跳上了一排木頭長椅，在上面和她一起往前走。「它們沒有那麼乏味。」

「我眞是不知道該怎麼看這個全新的、有責任感的蘿絲了。」

「我沒妳說的那麼有責任感。」

「嘿！」斯皮里迪恩叫道，他和其他人走在我們後面，「妳還在值勤期間，不允許有說有笑的。」

「我們沒有。」我回他道，聽得出他話中的調笑。「我發誓——該死！」

我正走在第三張長椅上，就快走到盡頭時，肌肉突然緊張起來，我準備跳下來，但是，我的腳卻不聽使喚。本應堅硬和結實的木頭，此時在我腳下破開，就像紙一樣脆弱，我的腳陷了下去，腳踝卡在洞裡，我的身體卻向著和腳完全相反的方向而去。

長椅卡住了我，我的腳踝向完全不可能的方向彎了過去。我摔倒了，並且聽見一聲不像是木頭發出來的喀嚓聲。

這輩子都沒感受過的疼痛流竄在我身體裡，然後我眼前一黑，什麼都不知道了。

18

醒來之後，我盯著急診室裡雪白的天花板。

爲了照顧到莫里族的病人，照在我身上的光線十分柔和。我覺得有些奇怪、有點迷糊，發覺自己並沒有受傷。

「蘿絲。」

聲音像拂過我皮膚的絲綢一般溫柔，我轉過頭，迎上了迪米特里深棕色的眼睛。他坐在我躺著的病床邊的椅子上，棕色的頭髮垂在前傾的肩上，擋在他臉的兩側。

「嘿……」我說，嗓音啞啞的。

「妳覺得怎麼樣？」

「有些奇怪……頭有些暈！」

「奧蘭德斯基醫生給妳用了些止痛藥，妳被送進來的時候似乎傷得很嚴重。」

「我不記得了……我昏過去多久了？」

「幾個小時。」

「那一定傷得不輕！現在也很嚴重吧？」我想起了一些事情。

長椅、我的腳踝卡住……後面的事情我就不記得了。我覺得好像一陣熱、一陣冷，然後又一陣熱，試探地動了動自己的腳趾，用它碰了碰我沒受傷的那隻腳。

「它根本沒問題！」

「對，因爲妳沒怎麼傷到。」

我又記起了聽見我踝骨骨折的聲音。「你確定？我記得剛摔倒時的情景，不對！肯定有哪裡摔壞了！」我想坐起來查看一下我的腳踝。「至少是扭到了。」

他起身阻止了我。「小心！妳的腳踝沒有問題，但是妳可能還需要休息一會兒。」

我小心翼翼地移到床邊，看了看我的腳。我的牛仔褲被捲了起來，腳踝處有些發紅，但是沒有瘀青或者其他特別嚴重的傷痕。

「老天，我眞是走運！如果我眞的受傷，訓練就要暫停一陣子了。」

他笑著坐回椅子上。「我知道。我抱妳過來的時候妳一直這麼說，妳很擔心。」

「你……抱我過來的？」

「我們把長椅拆掉，才把妳的腳救出來。」

老天，我錯過了很多事呢！比想像迪米特里抱著我更好的事情，就是想像他赤裸著上身抱著我。

這種畫面令我爲之一震！

「我被長椅打敗了。」我呻吟著說。

「什麼?」

「我在莉莎身邊守護了一整天,你們都說我幹得不錯,但是,我回來以後,卻因爲一把長椅失了手!你明白這有多令人尷尬嗎?而且你們大家都看見了。」

「這不是妳的問題。」他說,「沒人知道長椅爛掉了,它看起來還挺好的。」

「還是我的問題,我應該和其他人一樣走便道的。我回去以後,其他實習生會笑話我的!」

他又笑了起來。「也許幾個禮物能讓妳振作一點。」

我坐直了身子。「禮物?」

他收起了笑容,交給我一個小盒子,還有一張小紙片。

「這是維克多殿下送給妳的。」

我很驚訝。維克多居然會送我東西!我看了看紙條,上面只寫了幾行,字跡十分潦草——

蘿絲:

我很高興妳傷得不是很嚴重,說真的,這可真是個奇蹟!妳的生命力驚人,瓦西莉莎有妳在身邊很幸運!

「他眞是好人!」我說著,打開了盒子,然後看見了裡面的東西。「哇哦!眞不錯。」

盒子裡是那條玫瑰項鏈,莉莎想買給我,但是買不起的那條。我拿起它,將項鏈纏在手上,玫瑰上的鑽石閃閃發光。

「這很適合當一份祝賀痊癒的禮物。」我補充說，又想起了它的價格。

「事實上，他是爲了獎勵妳在第一天正式出勤就表現得這麼好。他看見妳和莉莎看中這條項鏈了。」

我只能說：「哇哦！我不覺得自己表現得有那麼好。」

「我覺得不錯。」

我笑著將項鏈放回盒子裡，把盒子放在一旁的桌子上。「妳剛才說『幾個』小禮物，對吧？看來不止一個囉？」

他笑出了聲，笑聲包圍著我，令我感到很窩心。

老天！我愛死了他的笑聲！

「這是我送給妳的。」

他遞給我一個小小的、不起眼的盒子。我又迷惑、又興奮，動手打開了它。是支唇膏，我喜歡的顏色。

我曾經向他抱怨過很多次自己有多麼落伍，但我從沒想過他會記在心上。

「你是怎麼買到的？在商店裡我一直看著你呢！」

「守護者的祕密。」

「那這又是爲了什麼？慶祝我的第一次？」

「不是，」他簡單地說，「因爲我覺得妳可能會很高興。」

我連想都沒想，撲過去給了他一個大大的擁抱。「謝謝你！」

根據他現在僵硬的姿勢，我的擁抱讓他很驚訝，而且，呃……事實上，我自己也很驚訝。但是過了一會兒，他放鬆下來。當他回抱我，將手放在我的後背上的時候，我覺得自己快要死了。

「我很高興妳沒事。」他說。他的嘴唇就在我的頭髮邊，在我耳朵上面。「當我看見妳摔下來……」

「你肯定在想：哦，這個沒用的傢伙！」

「我現在是這麼想的了。」

他坐了回去，這樣更方便看著我，但是，我們什麼話都沒有再說了。他的眼神是那樣深邃，我想一直這麼看下去。

這樣盯著他看，讓我渾身發熱，好像身體裡被點燃了一把火。慢慢地、小心翼翼地，他修長的手指拂上了我臉頰的邊緣，然後是我整個臉頰。他的皮膚剛剛接觸到我的，我便不由得顫抖起來。他將我的頭髮纏在手指上，就像上次他在體育館裡做的那樣。

我吞了下口水，看著他的唇，想著：吻他會是什麼滋味？這種想法讓我又激動又害怕，這多蠢啊！我曾經吻過許多男生，沒有一次有這種想法，就算他比我大幾歲，也不是什麼大不了的事。

這時，他似乎也有了這種想法，慢慢地向我靠過來，整個世界開始旋轉。

這時，響起了輕輕的敲門聲，我馬上坐了回去。

奧蘭德斯基醫生探頭進來。「我好像聽見你們在談話。妳覺得怎麼樣？」

她走過來，讓我平躺著，檢查了我的腳踝，碰碰這又彎彎那，查看它是不是受了傷。最後她搖搖頭，結束了檢查。

「妳很走運！妳來的時候又喊又叫，我以爲妳骨折了，現在看來，也許只是受驚過度。」她後退了幾步，「如果妳明天能參加平時的訓練，我就完全放心了。另外，妳現在的情況已經可以出院了。」

我如釋重負地嘆了一口氣。我不記得我的幻覺，還有當時摔下來後的尷尬，但我確實知道，如果我骨折了或是扭傷了，確實會很困擾。我不能在這裡浪費時間，我需要在春天的時候完成訓練，順利畢業。

奧蘭德斯基醫生對我做了一個沒問題的手勢，然後走出了房間。

迪米特里走到另外一把椅子那裡，拿了我的鞋子和大衣。我看著他，想著剛剛醫生走進來之前發生的那一幕，覺得溫暖又甜蜜。

他看著我穿上鞋子。「妳肯定有一個守護天使！」

「我不相信什麼天使。」我對他說，「我只相信自己。」

「隨妳怎麼說，妳的身體眞是不可思議！」

我疑惑地看著他。

「我是說，妳居然能恢復得這麼快！我聽說過那次事故……」

他並沒有明確說是哪次事故，但是我知道他指的是什麼。

我很不喜歡談論那件事，但是對迪米特里，我覺得我可以毫無保留。

「每個人都說，我能活下來很不可思議。」我對他解釋說，「根據我坐的位子和車子撞向樹的角度，莉莎是唯一一個坐在安全地方的人。但我和她一樣，身上都只有幾處擦傷。」

「這樣妳還不相信天使和奇蹟!?」

「不，我……」

沒錯，那是個奇蹟。妳擁有一個平順無災的生活……

突然之間，無數想法衝進我的腦海。也許……也許我確實擁有一個守護天使……

迪米特里馬上發現了我情緒的變化。「怎麼了？」

我努力集中注意力，想試著擴大心電感應的範圍，擺脫止痛藥所帶來的影響。然後，我感應到更多關於莉莎的情緒，焦慮、不安……

「莉莎在哪？她在這裡嗎？」

「我不知道她在哪裡，我把妳帶進來的時候，她一直都在妳身邊。在醫生進來之前，她一直守在妳的床邊。只有她在妳身邊，妳才平靜了下來。」

我閉上眼睛，感到一陣暈眩。莉莎在我身旁我才平靜下來，那是因爲是她給我止了痛，她治好了我……

就像她在發生事故那晚所做的一樣。

現在，所有的事情都能說通了。我本來是不可能活下來的，每個人都這麼說。誰知道當時我到底傷成了什麼樣？內出血、骨折。這都無所謂，因爲莉莎都已經治好了，就像她治好其他東西一樣。這就是爲什麼我醒來之後，第一眼看見的人就是她。

這也可能是爲什麼他們一把莉莎帶進醫院，她就昏倒的原因。她那天已經精疲力竭了。而這也是她心情低落，變得抑鬱的開始。這看起來似乎是她失去家人之後的正常反應，但是現在我認爲裡面有更深沉的原因，比如治好了我就是其中一個。

我再次放鬆，開始尋找她，我必須要找到她。如果她治好了我，很難說她現在是什麼情形。她的情緒和能力是相連在一起的，這是使用能力之後的副作用。

藥效似乎已經退去，不再對我有影響，這樣我可以更專注的去找到她。這變得十分容易。如潮水般的情緒湧向我，比她作噩夢那晚還要厲害，之前我從來沒有從她那裡感應過這麼強烈的情緒。

她坐在教堂的閣樓上，低聲哭泣。

她根本不知道自己爲什麼要哭。

看見我沒有大礙，她能夠治好我，讓她既高興又如釋重負。同時，她覺得身體和意識都變得很虛弱。

她體內一陣灼燒，好像失去了一部分的自我。

她擔心我會因爲她使用了能力而生氣。

她討厭即將到來的明天，又要假裝她喜歡和一群只對花家裡的錢、取笑那些長相普通，不怎麼受人歡迎的人感興趣的人在一起。

她也不喜歡和艾倫一起參加舞會，看著他仰慕自己的樣子，也不喜歡他碰自己，她只當他是朋友。

這些明明是很平常的想法，卻令她十分困擾。我猜比一般人要困擾的多。她不知道要如何走出這種情緒，釐清這些想法。

「妳還好嗎？」

她抬起頭，將垂在臉頰兩側的頭髮攏到耳後。克里斯蒂安站在閣樓的門口，她甚至沒有聽見他走上樓的腳步聲，她太過於沉浸在自己的悲傷裡了。

「我還好。」她快速地說。吸吸鼻子，她擦乾眼淚，不想讓他看見自己軟弱的樣子。

克里斯蒂安靠在牆上，環抱雙臂，表情複雜的看著她。「妳……妳想聊聊嗎？」

「哦……」她大聲地笑了起來，「現在你想聊聊了？在我嘗試過許多次以後——」

「我也不想那麼做！是蘿絲——」

他突然閉上了嘴，我哆嗦了一下。我真是個不折不扣的混蛋。

莉莎站了起來，向他走去。「蘿絲怎麼了？」

「沒什麼。」他又戴上了冷漠的面具。「忘了吧。」

「蘿絲怎麼了？」她又向前逼近了一步。就算她現在很生氣，克里斯蒂安仍然對她很著迷。突然間，莉莎明白了。「蘿絲讓你這麼做的，對吧？她讓你不要再跟我說話。」

他機械地點點頭。「這可能是最好的辦法。我可能會給妳帶來麻煩。妳看看妳現在的樣子。」

「你什麼意思？」

「妳覺得我是什麼意思？老天。現在只要妳一聲令下，就能決定一個人的生死，公主殿下。」

「你說的太誇張了。」

「是嗎？每一天，我都聽見人們不停地在談論妳在做什麼、想什麼、穿什麼；妳要去哪裡，妳喜歡誰，妳討厭誰。他們成了妳的玩偶。」

「事實不是這樣的。而且，我必須這麼做，爲了報復米婭……」

克里斯蒂安的眼睛轉了一下，他撇開臉沒有看她。「妳甚至不知道自己是爲了什麼而報復她。」

莉莎非常火大。「她讓傑西和拉爾夫說蘿絲的壞話！我不能讓她做了這些之後，一點代價都不付。」

「蘿絲很堅強，她可以挺過去的。」

「你沒有看見她的樣子。」莉莎固執地回答，「她都哭了。」

「所以？人人都會哭的。妳也在哭。」

「蘿絲不行。」

他視線轉回莉莎臉上，嘴角帶著邪惡的笑容。「我從來沒見過像妳們兩個一樣的人。妳們時刻都在擔心對方。我知道她的理由，那種奇怪的守護者責任，但是妳也那麼擔心她。」

「她是我的朋友。」

「也許就是這麼簡單吧。我不知道。」他嘆了口氣，想了一會，突然又變成了那種玩世不恭的樣子。「不管怎麼說，關於米婭，妳想要報復她對蘿絲所做的事，但是妳忘了一個關鍵，她爲什麼要這麼做？」

莉莎皺了皺眉。「因爲她嫉妒我和艾倫——」

「可不止那些，公主殿下。她爲什麼要嫉妒？她已經擁有艾倫了。她不需要挑釁妳，讓妳再把他奪走。她只需要時刻和他在一起，然後展現給人們看就好。就像妳現在所做的。」他挖苦地說。「好吧。那麼，還有其他什麼理由嗎？她爲什麼想要毀掉我的生活？我從來沒有招惹過她，我是說，在這些事之前。」

他向前湊了過去，碧藍的眼睛直視著莉莎。

「妳說得對。妳沒有，但是妳哥哥有。」

莉莎推開了他。「你根本一點都不瞭解我哥哥。」

「我知道他玩弄了她，實際上。」

「別說了，別再騙人了。」

「我沒有。我向上帝，或者是妳相信的任何東西發誓。我曾經和米婭聊過幾句，那時她還是個新生。她並沒有很受歡迎，但是她十分聰明。現在也很聰明。她曾經爲許多皇室的委員會工作過，比如舞會之類的。關於這點，我知道的不太多，但是她在其中一個派對上認識了妳的哥哥，然後他們倆就在一起了。」

「他們沒有。如果是這樣的話，我肯定知道。安德烈會告訴我的。」

「沒有。他誰都沒有說。他還告訴米婭，也不要對其他人說起。他勸她說，這是兩個人之間羅曼蒂克的小祕密。但是，實際上，他只不過不想讓自己其他的朋友知道，自己正和一個不是皇室的新生睡在一起。」

「如果這些是米婭告訴你的，她肯定是在撒謊。」莉莎大聲說。

「對，也許，但是我不認爲她在哭著告訴我這些時，是在撒謊。幾個星期以後，妳哥哥對她厭倦了，就把她甩了。理由是她太小了，而且他也不可能眞心的和一個出身不好的人談戀愛。根據我的理解來說，他甚至沒有好好提出分手，連那種『我們還可以做朋友』的鬼話都沒說。」

莉莎抬頭迎上克里斯蒂安的臉。「你根本不瞭解安德烈！他絕對不會做出那種事！」

「不瞭解他的人是妳。我知道，他對自己的小妹妹肯定會非常好；我也十分肯定，他愛妳。但是在學院裡，在他的朋友之中，他和另外那些皇室子弟一樣，是個混蛋。我看著他，因爲我看著所有發生的事。對一個沒人注意的人來說，這很容易。」

莉莎抽噎了一下，不知道該不該相信他。「所以這就是米婭討厭我的原因？」

「對。她因爲妳的哥哥才討厭妳。還有，因爲妳是皇室，而她在皇室中間很沒有安全感，畢竟她辛辛苦苦才得到今天的地位，成爲他們的朋友。我想她最後跟妳的前任男友在一起，只不過是個巧合。但是現在妳回來了，這有可能破壞他們之間的感情。妳們可以選擇偷走她的男友，或者是抖出她的身世，但妳們卻選了一個最能傷害到她的辦法。幹得眞好。」

莉莎覺得有一絲愧疚。「我還是認爲你在說謊。」

「我幹過許多事情，但從不說謊。那是妳們擅長的，還有蘿絲。」

「我們沒有——」

「編造出關於別人家庭誇張的故事？說妳討厭我？假裝和妳覺得是個蠢貨的人是好朋友？和妳不喜歡的人約會？」

「我喜歡他。」

「喜歡，還是喜愛？」

「哦，這有什麼區別嗎？」

「當然。喜愛就是和一個金髮大個傻子約會，然後嘲笑他說的愚蠢笑話。」

這時，不知怎麼回事，他彎下身吻了她。這是一個熱情、快速和狂烈的吻。克里斯蒂安長久以來壓抑在心裡的渴望和激情，都爆發了出來。莉莎從來沒有被這樣吻過，我感應到她的回應，回應這個吻，回應他。克里斯蒂安讓她覺得自己充滿活力，這些是艾倫和其他人都不能給她的。

克里斯蒂安從這個吻中抽出身來，但仍然貼著她的臉。

「這是妳和喜歡的人做的。」

莉莎的心怦跳得厲害，又生氣又難過。「好吧，我不喜歡，也不喜愛你。我認爲關於安德烈的事情，你和米婭都在說謊。艾倫從不會編出這樣的謊話。」

「那是因為艾倫從不能說出多於一個音節的詞。」

莉莎推開他。「滾。滾離這裡！」

他滑稽地看看四周。「妳不能把我轟出去。我們對這裡都有使用權。」

「我、說、滾！」莉莎大喊道，「我恨你！」

克里斯蒂安揚起眉。「遵命，公主殿下。」別具深意地看了她最後一眼，他離開了閣樓。

莉莎跪在了地上，看著他的背影，任由眼淚滾落下來。我幾乎不知道這些事究竟哪件讓她最傷心。老天只是讓我生氣，比如傑西那件事，但是他沒有讓我遇上這些事。這些事糾纏著她的內心，撞擊著她的心靈。關於安德烈的事、米婭的仇恨、克里斯蒂安的吻、治癒我。這些，讓我明白了真正的絕望是什麼樣子，真正的憤怒是什麼樣子。

這些痛苦超過了莉莎所能負荷的，她做出了唯一能做的一件事。唯一一件能讓她將這些情緒全都宣洩出來的事——她打開手提包，從裡面拿出了那把她總是隨身攜帶的小刀……

儘管我覺得噁心，但是無法避開不看。

我感應到她割破了左胳膊，劃出了一道非常漂亮的傷口，然後看著血液順著她白色的皮膚流淌。

和以往一樣，她避開了主動脈，但是這次的傷口比上回要深。割開的傷口很恐怖，但是只有這麼做，她才能將注意力放在身體的疼痛上，不再去想那些讓她痛苦的事，這樣她覺得自己便可以控制住情緒了。

血液一滴一滴地墜落在滿是灰塵的地面上，她的世界開始旋轉。

她看著自己的血液，產生了很大的好奇心。長到這麼大，她一直吸取別人的血液，我的、餵食者的。現在，就在這裡，她的血液正往外流。她緊張地笑了笑，覺得這麼做非常好玩。也許除了可以讓這些血流出來，她也可以喝下那些從別人身上偷來的血液，不然她就是在浪費，浪費那些別人爲之著迷的、令人崇拜的拜爾族的血液。

我強行進入了她的意識，而現在我無法抽離了。她的情緒太強大、太有力量了，它們緊緊拽著我。但是我必須退出來，我的每一個細胞都清楚地知道這一點。我必須阻止她。她使用過能力以後已經很虛弱了，現在又流了這麼多血。是時候告訴別人這件事了。

終於，我逃了出來，回到了急診室。迪米特里的手握著我的手輕輕搖晃，嘴裡溫柔地叫著我的名字，一遍又一遍，好喚醒我的意識。奧蘭德斯基醫生站在他旁邊，沉重的表情充滿關切。

我看著迪米特里，非常清楚他有多麼擔心和關心我。克里斯蒂安說讓我去尋求幫助，去找我信賴的人幫助莉莎。我沒有理會他的建議，因爲除了莉莎，我不相信任何人。但是，現在看著迪米特里，感覺到我們之間互相理解，我知道我另外找到了可以信賴的人。

我在張口說話的時候，覺得喉嚨有些發緊。「我知道她在哪。莉莎，我們得去救她。」

19

很難說最後是什麼讓我做了這個決定。

長久以來，我保守住了無數祕密，都是因爲我相信這樣做是爲了保護莉莎。但是守住她割傷自己手腕這個祕密，對保護她毫無意義。

我無法阻止她這麼做，而且，打從心底，我認爲她會這麼做，都是因爲我的關係。在事故中她把我救活之前，這些事從來沒有發生過。如果她就放任我受傷不管呢？也許我也會復原，也許她今天就不會發生這麼多事情。

迪米特里跑去找亞伯塔的時候，我留在急診室裡。我告訴他莉莎在什麼地方之後，他一秒都沒有耽擱；我說莉莎遇到了危險，他馬上衝了出去。

這之後的每件事，都像是放了慢動作的噩夢。我在等待的時候，度日如年。當他終於帶著莉莎回來的時候，莉莎已經失去了意識。急診室裡刮起了一陣旋風，每個都不要我插手。她已經失血過多，片刻之後，他們就找來一名餵食者，強迫莉莎吸取了足夠恢復意識的血液。現在，學院時間還不到午夜，他們告訴我說，我已經可以去探望莉莎了。

「這是眞的嗎？」當我走進房間後，她問道。她躺在床上，手腕上纏著厚厚一層繃帶。我知道他們給莉莎輸了很多血，但是對我來說，她的臉色仍然過分蒼白。「他們說是妳，是妳告密的。」

「我必須這麼做。」我說，不敢離她太近。「莉莎……妳割傷了自己，比上次還要嚴重。而且妳剛剛治好了我……緊接著又碰上了克里斯蒂安……妳自己無法控制，妳需要幫助。」

她閉上了眼睛。「克里斯蒂安……妳都知道了。噢，妳當然知道，沒有事情能逃過妳的眼睛。」

「對不起，我只是想要幫妳。」

「那麼卡普夫人說的話呢？她說不要把這些事告訴別人。」

「她指的是其他事情。我不認爲她也希望把妳割傷自己的事情，當作一個祕密來守住。」

「妳告訴他們『其他事情』了？」

我搖搖頭。「現在還沒有。」

她冷冰冰地看著我。「『現在』，但是將來妳會告訴他們。」

「我必須如此。妳能治好其他人……但是這會害了妳。」

「我治好了妳。」

「我可以自己慢慢好起來的。折斷的腳踝會復原的。這不值得妳這麼做。而且我認爲我知道這一切發生的原因……在妳第一次治好我的時候……」

我向她解釋了我的理論，關於那次事故之後，她的能力和情緒便開始有了關聯。我還告訴她，我們之間的心電感應，是怎樣在事故時候開始形成的，儘管我沒有完全弄明白爲什麼會這樣。

「我不知道還會發生什麼，但是這已經超出我們的能力範圍之外了。我們需要別人的幫助。」

「他們會把我帶走的。」她平靜的說，「就像他們帶走卡普夫人一樣。」

「我覺得他們會想法幫助妳。他們確實都很擔心，莉莎。我這麼做都是爲了妳。我只想要妳平安無事。」

她轉開了臉。「出去，蘿絲。」

我照做了。

第二天一早，他們幫她辦理了出院，條件是她必須每天晚上都去做心理治療。迪米特里告訴我，他們還打算利用藥物來控制莉莎的憂鬱症。我對藥物沒有什麼好感，但是只要能幫助她，無論什麼我都很歡迎。

不幸的是，有幾個二年級學生爲了治療哮喘來到了急診室。其中一個看見了莉莎跟著迪米特里和亞伯塔走了進來。他不知道爲什麼莉莎這個時間會出現在這裡，但是這並不能阻止他在大廳裡到處告訴別人他所看見的事情。然後，這些人又在早餐的時候告訴了其他人。到了午休時間，所有上院的人都知道急診室這個夜間的神祕訪客。

更重要的是，大家都知道了莉莎不再和我說話。

事實就是如此，不管我怎麼努力想與她和好。她並沒有直接譴責我，但是她的沉默已經說明了一切，人們也效仿她的態度對待我。

一整天，我都在學院裡像個遊魂一樣到處遊走。人們看著我，偶爾和我交談幾句，但是沒有人想和我多說幾句話。他們都在莉莎的領導之下，仿效她的沉默。沒有人公開對我說難聽的話，他們可能不願意冒險，萬一有一天我們兩個又和好了呢？但是，還是有人在竊竊私語的議論我，叫我吸血妓女，他們以為我聽不見。

梅森很歡迎我午餐的時候和他坐在一起，但是他的朋友態度就不那麼友好了。我不想引起他們之間的任何不快，所以我選擇了娜塔莉。

「我聽說莉莎想要再次逃跑，是妳阻止了她。」娜塔莉說。沒人知道為什麼她要去急診室。我希望事情到此為止。

逃跑？這到底是從誰那裡傳出來的？「她為什麼要逃跑？」

「我不知道。」娜塔莉用刻意壓低的聲音回答我。「她之前為什麼要逃跑？這只是我聽說的。」

隨著時間過去，故事越編越荒唐，所有傳言都是關於莉莎為什麼要去急診室。懷孕和墮胎是流傳最廣的說法，也有傳言說她可能被傳染了維克多那樣的疾病。所有猜測都離事情眞相十萬八千里。

我在上完最後一堂課之後，盡可能迅速的離開教室。看見米婭向我走過來，我感到十分驚訝。

「妳想幹嘛？」我問道。「今天我不能出去玩，小妹妹。」

「妳現在的態度確實很像一個今天已經不在這裡的人。」

「這也惹到妳了嗎？」我問道。我想起克里斯蒂安說過的話，感到有一點點內疚。但是這點內疚在我看清她的表情以後，就徹底消失了。

也許她是個犧牲品，但是現在的她是個怪物，既冷血，又狡猾，和從前那個悲傷絕望的人已經不可同日而語了。在安德烈那麼對她之後，她沒有一蹶不振——如果那是眞的，不過我相信它的眞實性——而我懷疑她會這麼輕易向莉莎認輸。米婭很頑強的。

「她已經拋棄了妳，妳的高傲可能讓妳不願意承認這點。」她的藍眼睛發出特別的光芒。「妳不想報復她嗎？」

「妳的腦子比平常更不清楚了嗎？她是我最好的朋友。還有，爲什麼妳還在跟蹤我？」

米婭嘖嘖稱奇。「她的行爲可不像。來吧，告訴我急診室發生了什麼事，肯定是個非常轟動的事件，對嗎？她眞的懷孕了，對不對？告訴我發生了什麼。」

「走開。」

「如果妳告訴我，我就讓傑西和拉爾夫承認他們是在吹牛。」

我停下了腳步，仔細看著她的臉。她有點害怕，向後退了幾步。她肯定記起了我曾經的暴力行爲。

「我已經知道是他們造謠了，因爲我根本沒做過。如果下次妳再試著想讓我背叛莉莎，那麼傳言就會是妳流血了，因爲我把妳的喉嚨撕開了！」

我的聲音越來越大，最後幾個字幾乎是吼出來的。米婭又退了幾步，顯然非常害怕。

「妳眞是瘋了，怨不得她不要妳了。」米婭聳聳肩，「隨便吧。沒有妳，我自己也會找出事情眞相的。」

當週末的舞會來臨，我眞的不想去參加。一開始的部分愚蠢極了，我只對派對散場之後的事情感興趣。但是沒有了莉莎，我連這些都提不起精神。取而代之的是，我寧願縮在房間裡，試著做功課，但是嘗試失敗。通過心電感應，我感應到她心中各種情緒混雜在一起，特別是焦慮和激動。和妳不喜歡的男生約會，還要待上一整晚，確實是件很難過的事。

舞會開始後十分鐘，我決定做個大掃除，然後洗澡。當我從大廳的浴室走回房間，一條毛巾蒙住了我的頭。我看見梅森站在我的房間門口。他並沒有穿著很正式，但是穿的也不是牛仔褲。這眞是奇蹟。

「妳在這，派對女皇。我本來都已經放棄了。」

「你又放了一把火嗎？這裡男生是不許進來的。」

「管它呢。反正結果沒有什麼不同。」這倒是眞的。學校也許在防衛血族上有一套，但是他們在阻止學員之間互相往來這方面，做的卻十分糟糕。「讓我進去。妳應該已經準備好了。」

好一會我才反應過來他說的是什麼。「不，我不想去。」

「來吧，」他堅持說，跟著我走進了屋裡。「就因爲妳和莉莎吵架了？妳們兩個很快就會和好的。妳沒有理由整個晚上都待在這裡。如果妳不想在她周圍，艾迪晚些時候會在他的房間辦個小型聚會。」

我之前那種喜歡找樂子的精神，在這時猛地又冒出頭來。沒有莉莎，也許就沒有皇室的人。「眞的？」

梅森看到他的勸說奏效，咧開嘴笑了。我看著他的眼睛，再次意識到他有多麼喜歡我。我不禁再一次想，爲什麼我不能有一個正常一點的男朋友？爲什麼我要喜歡我那熱辣、歲數偏大的導師，何況他最後一定會甩掉我？

「只有實習生。」梅森繼續說，這正合我意。「我們到了以後，我會給妳一個驚喜。」

「是放在瓶子裡的嗎？」如果莉莎不想看見我，我沒有理由讓自己這麼痛苦。

「不，那是艾迪的禮物。快點換上衣服，我知道妳不會穿這樣去的。」

我看了看我破舊的牛仔褲和俄勒岡大學的T恤。沒錯，肯定不會穿著這身衣服去。

十五分鐘以後，我們穿過廣場，走向學生餐廳，大聲笑說著，這個禮拜我們一個笨手笨腳的同學，是怎麼在訓練的時候，給自己弄出了一副黑眼圈的事情。穿著高跟鞋快速走過冰冷的地面，並不是一件輕鬆的事，他一直扶著我的手臂，讓我不至於摔倒，幾乎是半拖著我在走。這讓我們笑得更大聲。

我再次覺得開心起來，我並沒有完全從莉莎給我的傷痛中恢復過來，但這是個開始。也許我沒有了她和她的朋友，但是我有我自己的朋友。但這不代表我今天晚上會喝得醉醺醺，這並不是解決我問題的最佳方式，但今晚一定會過得很開心的。

沒錯，我的生活不會更糟了。

這時，我們碰見了迪米特里和亞伯塔。他們也在去什麼地方的路上，彼此談論著工作上的事。亞伯塔看見我們笑了起來，看著我們的表情是那種老一輩人發現年輕人做蠢事尋開心時，那種縱容的神情。她可能覺得我們很可愛。我有些緊張。我們急忙停住，但是慣性讓我差點摔倒。梅森扶住我的手臂，讓我站穩。

「亞希弗德先生，海瑟薇小姐，我很驚訝你們還沒有進去學生餐廳。」

梅森回了她一個天使般的、上帝的寵兒一樣的微笑。「我們遲到了，彼得羅夫守衛。妳知道女孩子的想法的，總想讓自己看起來很完美。妳肯定對此深有感觸。」

換做平時，我肯定會用胳膊捅他一下，不讓他說出這麼愚蠢的話來。但是今天我看著迪米特里，什麼話都說不出來。也許更重要的事情是，他也正看著我。

我穿著那件黑色洋裝，效果和我想像中的一模一樣。事實上，眞希望亞伯塔沒有拉住我，問著關於這件洋裝的事。

洋裝緊貼著我身體的每一處，沒有一個莫里族女孩的胸部能夠撐起這件衣服。維克多送的玫瑰項鏈掛在我的脖子上，我匆匆吹乾的頭髮披散下來，我知道迪米特里非常喜歡我這種髮型。我沒有繫上腰帶，因爲這條裙子的合身程度，實在不需要腰帶累贅。我腳上踩著高跟鞋，被凍得冰涼。所有這些都讓我看起來非常完美。

儘管我十分確信自己看起來絕對漂亮，但是迪米特里並沒有露出特別的表情。他只是看著我，看了又看。也許這就代表了他對我的外表想說的話。

我記起梅森的手還扶著我，匆忙將手從他手中抽了出來。他和亞伯塔結束了他們的玩笑話，我們幾個分開來，向各自的目的地走去。

我們走進學生餐廳以後，音樂聲震耳欲聾，這是白色聖誕之夜，舞廳的彩球是這個黑暗的房間裡唯一的光亮。

在舞池中旋轉飛舞的，大部分都是一、二年級的學員，和我們差不多大的人，都成群結夥的站在牆邊，等著尋找合適的時間悄悄離開。一個看起來像是監護者或者是守護者的莫里族老師，來來回回地走著，如果看到跳舞的人出現太過分的舉止，就走過去打斷他們。

我看見奇洛娃穿著一件無袖格子花呢洋裝，我轉身對梅森說：「你確定我們都沒有喝多吧？」

他偷偷笑了起來，然後再次拉住我的手。「來，到了妳的驚喜時間了。」

我讓他領著我，在房間中穿行，打斷了好幾對正在跳舞的新生，他們看起來是那麼年輕，和他們想要做的那種成年人的事情非常不相符。當你需要的時候，那些監護者在哪？然後我看清他要帶我去的地方，尖叫了起來。

「不！」當他想拉我往前走的時候，我不肯再移動一步。

「來吧，這會很有意思的。」

「你要帶我去找傑西和拉爾夫。我唯一想見他們的時候，就是我手裡拿著傢伙的時候，我已經瞄準好他們的雙腿之間了。」

他再拉了拉我。「不會再這樣了。來吧。」

終於，我不情不願地繼續向前走。我害怕的是，這時已經有幾個人轉過頭看向這邊了。很好，所有事情即將再次上演。

傑西和拉爾夫一開始並沒有注意到我們，但是當他們注意到了以後，他們臉上露出了極度驚訝的表情。

他們第一眼注意到的，是我的身材和洋裝。作爲一名純男性，雄性激素讓他們臉上閃動著光芒。然後他們似乎意識到看見的人是我，立刻覺得有些害怕。酷！

梅森用手使勁推了傑西的胸口一下。「好了，齊科洛斯，告訴她。」

傑西什麼都沒有說，梅森又推了他一下，這次力道更大。

「告訴她。」

他沒有看著我的眼睛，傑西小聲地說：「蘿絲，我們都知道根本沒有那麼一回事。」

我幾乎被自己的笑聲給噎住。「眞的？哇哦，聽到這些我眞是高興。因爲你知道，在你那麼說之前，我一直以爲這件事眞的發生過。謝天謝地，你們兩個今天讓我明白事情的眞相是，我見鬼的根本就沒做過這件事！」

他們有些害怕，梅森原本明亮的臉色一沉。

「她知道這些，」他低吼道，「告訴她其他的。」

傑西嘆了一口氣。「我們這麼做，是米婭指示的。」

「還有？」梅森繼續施壓。

「還有，我們感到很抱歉。」

梅森轉向拉爾夫。「我想聽聽你說的了，大男孩。」

拉爾夫也沒有看著我的眼睛，但是他嘟嘟囔囔說的話，聽起來像是個道歉。

看到他們屈服了，梅森變得爽朗起來。「妳還沒有聽到最精采的部分。」

我斜眼看了他一下。「是嗎？比如說，讓我們倒帶回去，好重新聽一下這件事根本就沒發生過的那一部分？」

「下一件精采的事。」他再次敲了傑西一下。「告訴她。告訴她，你們爲什麼這麼做。」

傑西抬起頭，惴惴不安地和拉爾夫交換了一下眼神。

「先生們，」梅森警告說，很明顯能夠感到他很興奮。「你們讓我和海瑟薇小姐十分生氣。告訴她你們這麼做的原因。」

傑西的表情明白顯示出，不會有比這更糟糕的事情發生了。他終於看著我，說道：「我們這麼做，是因爲她和我們兩個都睡過。兩個都是。」

20

我張大了嘴巴。「呃……等等……你是說做愛？」

震驚讓我無法做出更好的反應。梅森認爲很滑稽，而傑西則是一臉想死的表情。

「當然，我的意思是指做愛。她說，如果我們說，她就……妳明白的……」

我扮了個鬼臉。「你們兩個不是，呃，同時做的吧？」

「不是。」傑西嫌惡的說。拉爾夫的表情像是他一點都不介意。

「老天。」我喃喃說道，將頭髮從臉上撥開。「我眞不相信她居然這麼痛恨我們。」

「嘿，」傑西聽出我話裡有話，說道，「妳這麼說是什麼意思？我們其實並不是壞人。而且妳和我——我們曾經很親密——」

「不，我們可沒有那麼親密。」梅森笑了起來，這讓我想起來什麼。「如果這些……如果這些是那時發生的……當時她應該還在跟艾倫約會。」

三個小夥子同時點點頭。

「哦，哇喔。」

米婭眞的非常痛恨我們。她已經不再是那個「被女孩的哥哥辜負的貧窮女孩」了，現在她絕對是病態的恐怖。她和這兩個男生上床，欺騙了自己還很中意的男朋友。

我們離開之後，傑西和拉爾夫看起來確實輕鬆了許多。梅森慵懶的將手摟住我的肩。「怎麼樣？妳有什麼想法？我多管閒事了，是嗎？妳可以直說，我不會介意的。」

我笑了起來。「你是怎麼發現的？」

「我找了幾個願意幫忙的傢伙，稍微恐嚇了一下。現在看起來，米婭已經沒辦法再做出什麼報復了。」

我回想起那天米婭找我的情形，我不認爲她現在眞的就完全無能爲力了，但是這話我並沒有說出來。

「星期一的時候，他們就會到處對別人說了。」他繼續說，「他們答應過。午餐之前，所有人都會知道了。」

「爲什麼不是現在？」我悶悶不樂的問，「他們和同一個女孩睡覺，所得到的傷害比不上給女方帶來的大。」

「對，這是事實。他們今晚不想處理這件事。如果妳想的話，可以開始對別人說了。我們可以寫個大標語。」

考慮到米婭曾經多次叫我賤人和妓女，這似乎是個不錯的主意。「你帶了紙和筆嗎？」

我的話沒有再往下說，在要轉去體育館的時候，我看見莉莎站在那裡，周圍滿是她的追隨者，艾倫的胳膊摟著她的腰。她穿著一件時髦的粉色棉質緊身洋裝，那種姿態是我永遠無法超越的。她的金色長髮綁成一束，用一個小水晶髮夾別住，看起來像是戴了一頂王冠。瓦西莉莎公主殿下。

和早先一樣的感覺又籠罩了我，焦慮、激動。她還是無法好好享受這個夜晚。

在屋子裡另一邊的黑影下，克里斯蒂安置身其中，他一直看著莉莎，幾乎與陰影融爲一體。

「別看了。」梅森看見我的目光，溫和地責備我說，「今晚不用擔心她。」

「有點難。」

「這讓妳看起來一點都不高興了。今天晚上妳穿的這件洋裝非常火辣，不適合有悲傷的表情。來吧，艾迪就在前面。」

他拖著我離開，但是我回頭又朝莉莎的方向看了最後一眼。我們的目光相接，我感應到她有一絲後悔。

但是我將她的情緒趕出腦海——這只是一種比喻——當我們加入另外一群實習生時，我努力讓自己高興起來。我們繞了很大一圈，才告訴他們關於米婭的醜聞，還有其他瑣碎的事情。我的名譽得到了澄清，報復回去讓我覺得十分痛快。我們這些人裡，有人想要馬上離去，把這個消息告訴其他人。我幾乎能看見這條新聞在不斷傳播。等到星期一太慢了。

不管怎麼說，我不在乎。我確實玩得很開心，我覺得自己又回到了從前，很高興我還沒有忘記講笑話和與人調情的本事。現在，離艾迪的派對開始的時間越來越近了，我開始感到莉莎的焦慮變成了急躁。我皺起眉，停止和身邊的人交談，轉身在房間裡尋找她的身影。

找到了，她仍然和一群人站在一起，仍然是他們那個小太陽系的中心。但是這次艾倫離她非常近，貼著她的耳邊說著什麼。一抹我熟識的假笑掛在莉莎臉上，厭煩和焦慮變得更加厲害。

這時，人群被分開，米婭朝他們走了過去。

不管她要來說什麼，她都沒有浪費一分一秒。莉莎欣賞地看著她，小米婭穿著一襲非常野性的紅色洋裝，嘴巴靈活的一張一合。隔著這麼遠，我聽不見她說的是什麼，但是我感應到莉莎的心情越來越陰沉。

「我必須過去。」我對梅森說。

我半走半跑地向莉莎的方向走去，只聽到了米婭演說的結尾。她正逼視著莉莎的臉龐，使勁全力地大喊大叫。我只能說，這些話肯定與傑西和拉爾夫把她出賣了有關。

「——妳和妳那個賤人朋友！我要讓大家都知道，妳是一個什麼樣的瘋子，他們為什麼把妳鎖在急診室，因爲妳徹底瘋了。他們給妳餵藥。這就是爲什麼之前妳和蘿絲要在其他人知道之前離開這裡，因爲妳割——」

哇哦，事情不妙。就像我們第一次在咖啡廳見到時那樣，我衝過去，將她一把拉開。

「嘿。」我說，「賤人朋友就在這裡。記不記得我警告過妳，不要離她太近？」

米婭咆哮著，露出了她的尖牙。

像我之前說過的，我再也沒辦法對她懷有內疚的心情。她太危險了。她臥薪嘗膽就爲了要報復我。現在，不知怎麼回事，她知道了關於莉莎割腕的事。確實知道，不是隨便猜測的。現在她說的話，就好像是守護者在作報告，也和我告訴他們莉莎的故事時一模一樣。也許是從醫生那裡洩露了祕密，米婭想法設法偷看了病歷。

莉莎也意識到這一點，她臉上的表情變得又害怕又脆弱。她不再是高高在上的公主，我是這麼感覺的。奇洛娃是不是能有一天宣佈我重獲自由，已經不重要了；我是不是可以度過一個高興的夜晚，可以忘記自己的擔心，好好享受這個派對，統統變得不重要了。我要毀掉所有事情，就在這裡，就在現在。

我眞的沒辦法控制自己的衝動。

我用了最大的力氣揍了米婭，眞正的力氣可能比我所想的還要大，甚至牽連到傑西。我的拳頭揍到她的鼻子上時，我聽見了喀嚓一聲，隨後血花四濺。有人尖叫起來。米婭尖叫著飛向後面擠成一團的女生中間，她們都不想讓血沾到自己的裙子上。我跟著她向前衝，在別人把我拉開之前，又給了她另外一拳。

當他們把我從納吉先生的課堂上帶走以後，我很久都沒有這麼痛快的打架了。我揮拳上去的時候，希望這次可以痛痛快快幹一場。後來我停止了一切抵抗，讓兩名守護者將我帶出舞會，這時，奇洛娃正忙著下達各種命令。我不在乎他們會怎麼對我，一點都不在乎。懲罰或者開除，隨便吧，我都能搞定——

我們前面，有一大群學生如退潮的潮水般向大門口湧去，我看見一抹粉色身影竄了出去。是莉莎。我的情緒失控一時之間掩蓋了她的感受，現在它們又如洪水般將我淹沒。毀滅性的震驚、絕望，現在所有人都知道她的祕密了。她要面對的不只是閒言碎語，所有東西瞬間都破碎了，她沒辦法掌控這一切。

我知道自己哪裡都去不了，焦急的尋找著可以幫助她的方法。一個黑影出現在我眼前。「克里斯蒂安！」我大叫。他盯著莉莎逃走的背影，但只是直直地看著，直到聽見有人喊他的名字。

一個負責看管的守衛抓住我的手臂。「安靜點。」

我沒有理會她的警告。「跟著她，」我對克里斯蒂安喊。「快點。」

他只是坐在那裡，我抑制不住的大喊。

「快，你這個笨蛋！」

我的守衛抓住我，再次讓我安靜，這時，克里斯蒂安好像反應了過來。他刷地一下從位子上站起來，朝著莉莎奔離的方向追去。

沒人想要在今晚處理我的事情。明天可能會是悲慘的地獄——我聽見他們商量到一半，很可能是要開除我——但是奇洛娃滿手都是米婭的血，還有一個歇斯底里的學員。守護者押送我回到自己的房間，讓宿舍管理員看管。她警告我說，她會每隔一小時就來巡察一次，所以我最好乖乖待在房間裡。

很明顯，我現在屬於高危險人物。

我可能也搞砸了艾迪的派對，現在他肯定無法在房間裡再召集一群人了。

我顧不得自己的洋裝，盤腿往房間的地板上一坐。

我感應到莉莎，她現在冷靜多了。舞會上發生的事仍然讓她適應不了，但是克里斯蒂安多少讓她平靜了一點，不知道是通過簡單的幾句話，還是因為身體接觸的魔力，我說不準。但是這都沒關係，只要她能感覺好過一點，不做傻事就好。我收回了自己的意識。

沒錯，現在事情變得更糟了。米婭和傑西各自的言論，將會引起學院的一場戰爭。我也許應該置身事外，和一群粗俗下流的拜爾族婦女住在一起。至少莉莎會意識到艾倫有多麼無趣，從而選擇和克里斯蒂安在一起。如果這是唯一一件正確的事，那就意味著——

克里斯蒂安、克里斯蒂安……

克里斯蒂安受傷了。

我返回莉莎的意識，但是突然被一陣恐懼困住了。她的周圍，她的周圍全是不知道從哪裡冒出來的男男女女，衝進了她和克里斯蒂安目前所在的教堂閣樓上。克里斯蒂安跳了起來，手指上揮出火焰。一個入侵者用硬物敲了他的頭，克里斯蒂安倒在地上。

我很難過，希望他安然無恙。但是我沒有更多精力可以擔心他了，我現在只擔心莉莎。我不能讓同樣的事情在她身上再次發生。我必須救出她，從閣樓上把她救出來。

但是我不知道要怎麼做。她離我太遠了，我現在甚至無法從她的意識裡抽出身來，好跑去向別人尋求幫助。

入侵者抓住了她，稱她為公主殿下，並且告訴她不要害怕，他們是守護者。他們的樣子看起來也像是守護者，貨真價實的拜爾族。行動精準，有效率。但是我不認識他們，他們不是學院的守護者。莉莎也不認識他們。守護者是不會對莫里進行攻擊的，而且守護者也絕對不會把她綁起來，堵住她的嘴——

某種力量迫使我從她的意識裡逃出來，我皺起眉，在房間裡來回走動。我需要回到她身邊，弄明白到底發生了什麼事。一般來說，都是我自己主動抽出，或者是她迫使我退出，但是這回，好像是有種力量把我拉了出來，把我拉回到房間中。

但是這說不通。有什麼能把我拉回來……等一下！

我的頭腦一片空白。

我不記得剛剛自己在想些什麼。全忘記了，就像我的腦波受到了干擾。我剛剛在哪裡？和莉莎一起嗎？莉莎怎麼了？

我站起來，手臂環住自己，覺得困惑極了，努力想著到底發生了什麼事。莉莎，肯定和莉莎有關。

迪米特里，一個聲音在我心裡響起，去找迪米特里。

對，迪米特里。想到他，我的身體突然灼熱起來，我比以往更渴望和他在一起，我迫不及待地想要見到他。他肯定知道該怎麼做。而且他以前也說過，如果是關於莉莎的事，我可以隨時找他。我想不起到底發生了什麼事，眞是太糟了。但是，我堅信他會搞定所有事情。

動身前往員工宿舍很困難，尤其他們今晚不想讓我出房間。我不知道他的房間在哪，但是這沒關係。有股力量推動著我找到他，讓我離他更近一些。一種本能促使我走到一扇門前，我衝進陽光下，走到它跟前。

一會過後，他打開了門，深棕色的眼睛在見到我以後，驚訝的張大了。

「蘿絲？」

「讓我進去，莉莎出事了。」

他馬上爲我讓出了一條路。我發現他還在睡覺，因爲被子被堆在了床的一邊，黑暗中只有桌邊一盞小燈亮著。另外，他只穿著純棉的底褲，他赤裸的胸膛看起來很棒，我之前從沒見過。他深色頭髮垂到下巴的位置，還是濕漉漉的，好像不久之前他剛剛洗過澡。

「出什麼事了？」

他的聲音讓我十分激動，我無法回答。我不能自已的一直看著他。有股力量促使我來到這裡，來到他跟前。我是那麼渴望他能撫摸我，這種渴望那麼強烈，我幾乎無法忍耐。他太迷人了，難以置信的迷人。我知道肯定有什麼地方不對勁，但是這並不重要。在我看見他以後，什麼都不再重要了。

我們兩個之間只有一英尺遠，如果沒有他的配合，我想要吻上他的唇肯定沒法辦到。於是，我將目標改爲他的胸膛，想要撫摸那溫暖、光滑的皮膚。

「蘿絲！」他喊道，後退了一步。「妳在做什麼？」

「你以爲我在做什麼？」

我再次向他走去，我需要碰觸他、親吻他，還想要更多。

「妳喝醉了？」他問道。他的雙手舉起來，呈戒備的姿勢。

「我希望沒有。」我試著躲開他，暫停，有一刻的迷茫。「我以為你想要——你覺得我漂亮嗎？」

我們認識了這麼長時間，彼此之間產生了如此強烈的吸引力，他都沒有對我說過我很漂亮。他曾經暗示過，但是這兩者並不一樣。雖然別的男生曾經對我說過我很漂亮，但是我只想從他嘴裡聽到這句話。

「蘿絲，我不知道這是怎麼回事，但是妳必須回到妳的房間去。」

我再次向他走去，他抓住了我的手腕。這樣的碰觸，讓我和他之間立刻竄過一股電流，我看見他已經忘記了之前的擔心。那種力量也攻佔了他，讓他變得非常渴望我，就像我對他的渴望一樣。

他放開我的手腕，手沿著我的手臂慢慢滑動。他用深邃、渴望的眼神看著我，將我拉向他，按在他的胸膛之上。他的一隻手，滑到我的脖子後面，用手捲起我的頭髮，將我的頭仰起，看著他。他的唇湊了過來，幾乎要碰到我的唇上。

我吞了下口水，再次問道：「你覺得我漂亮嗎？」

他非常嚴肅地回答我，就像他平時一樣。「我覺得妳非常美麗。」

「美麗？」

「妳太美了，有時會傷到我。」

他的唇貼上我的，一開始非常溫柔，然後加大力道，變得十分飢渴。他的吻令我眩暈。他的手沿著我的手臂，滑到了我的臀部，遊走到裙襬邊緣。他掀起我的裙子，撫上我的大腿。我融化在他的撫摸中，融化在他的親吻中，也融化在他在我身上點起的簇簇火焰之中。他的手往上移動，直到他把裙子從我身上脫下，扔在地板上。

「你……你脫裙子的速度太快了。」我在兩種喘息聲中，偷空說，「我以爲你喜歡它。」

「我是喜歡，」他說。他的呼吸和我的一樣沉重。「我愛它。」

然後，他將我拉到了床上。

21

我之前從來沒有全身赤裸的躺在一個男生旁邊的經驗。這把我嚇壞了，儘管這同樣讓我有些激動。我們兩個在被子底下，撫摸彼此，不斷親吻著，一直一直一直親吻下去。他的手和唇將我的身體據爲己有，每一下碰觸都在我身上點燃一簇火焰。

我渴望他有好幾年之久，如今不敢相信這一切眞的發生了。雖然身體上的觸碰感覺很棒，但是我也很喜歡在他身邊。我喜歡他看著我的樣子，好像我是世界上最性感、最美好的事物。我喜歡他用帶著俄國口音叫我的名字，像個祈禱者一樣喃喃地說：蘿莎，蘿莎……

在這些事背後，一直有個聲音，不知從何處傳來的聲音，推著我來到他的房間，那個聲音不屬於我，但是我又無法抵抗。和他待在一起，待在一起。除了他，什麼都不要想。繼續撫摸他，忘了其他的事。

我聽從了，其實我不太需要有另外的聲音勸我。

他眼睛裡閃出的火花告訴我，他想要更多，但是他放緩了速度，也許因爲他知道我很緊張。他還穿著睡褲，這時，我改變了位置，翻身壓在他的身上，我的頭髮垂下來圈圍住他。他輕輕地揚起頭，我只能看到他脖子後面。我用手指輕輕劃著那六個小小的紋身圖案。

「你真的殺死了六個血族？」他點點頭。「哇——」

他吻著我的脖子，牙齒溫柔地碰觸著我的皮膚，和吸血鬼不同，但仍然讓我產生一絲興奮。

「別擔心，總有一天，妳殺死的血族會比我多。」

「你會覺得內疚嗎？」

「嗯？」

「殺死他們。你在車裡說過，這麼做是對的，但是這仍然讓你心煩。這就是你去教堂的原因，對嗎？我看見你在那裡，但是你並沒有認真的在值勤。」

他笑了起來，有些驚訝，又有些讚賞，我猜中了他另外一個祕密。「妳是怎麼知道這些事的？我其實並沒有特別內疚……只是有時比較傷感罷了。他們以前都是人類、或者是拜爾，或者是莫里。這是種浪費，所有這些，不過就像我以前說過的，我必須這麼做。我們都必須這麼做。如果這些事令我感到困擾，教堂是一個反思很好的地方。我能在那裡找回平靜，但次數不多。和妳在一起，能讓我更加平靜。」

他將我從身上翻下來，再次覆到我身上。我們再次親吻起來，更加激烈，更加渴望。「哦，老天。」我想到，「我終於要做這件事了，就是這樣，我能感覺到。」

他一定是從我眼中看出了我的決定。他笑著用手滑過我的脖子，解開維克多送給我的項鏈，然後隨手將項鏈放在旁邊的桌子上。當他的手鬆開項鏈的一剎那，我覺得自己好像被人甩了一耳光。

我有些驚訝的眨眨眼。

迪米特里肯定也有同樣的感覺。「發生什麼事了？」他問。

「我、我不知道。」我覺得自己好像正在甦醒，感覺已經睡了好幾天似的。我需要記起什麼事來。

莉莎，和莉莎有關的事。

我覺得有些滑稽，沒有疼痛、沒有頭暈，但是……那個聲音，我想起來了，那個促使我來找迪米特里的聲音消失了。這不是說我自己對他就不感興趣，因爲，嘿，看見他穿著性格的底褲，濕漉漉的頭髮垂在臉頰兩側，實在是太令人難以抗拒了。但是我從不會讓這些影響我，主動對他投懷送抱。這太奇怪了。

他皺起了眉頭，停了下來。他想了一會以後，伸手拿起了那條項鏈。他碰觸到項鏈的那一刻，我看見慾望又回到他的身上。他用另外一隻手撫摸著我的臀部，突然，那種火熱的感覺又回到我身上。我的身體又開始不安分，皮膚上滿是雞皮疙瘩，熱情再次被點燃。

但是我的內心還是有一部分在掙扎。

「莉莎，」我喃喃地說，使勁閉上眼睛。「我必須告訴你關於莉莎的一些事。但是我……記不起來了……我覺得有些不對勁……」

「我知道。」他仍然抱著我，他的下巴抵著我的額頭。「有些事……這裡有些事……」他將頭抬起來，我睜開了眼睛。「這條項鏈，就是維克多殿下送給妳的那條嗎？」

我點點頭，從他眼中看見，我能看到那股力量又想要掌控他。迪米特里深吸了一口氣，將手從我的臀部移開，也將自己和我分開。

「你在做什麼？」我喊道，「回來……」

他看著我的樣子，像是他也想這麼做，非常非常想，但他並沒有，反而爬到了床邊。他拿著項鏈，離開了我。我覺得他像是拿走了我身體的一部分，但是同時，我內心深處的東西又開始覺醒，好像可以再次清醒地思考，而不是憑身體的感覺來做決定。

另一方面，迪米特里的表情仍然流露出一種野性的本能，他費了很大的力氣來和這股力量抗爭，想要越過房間。他終於走到窗邊，設法用一隻手打開窗子。外面的冷空氣吹了進來，我用雙手搓著胳膊，讓自己暖和一點。

「你要做什麼——」而答案令我十分震驚，我跳下床，正好看見項鏈從窗子裡飛了出去。

「不！你知道那條項鏈值多少錢？」

項鏈不見了，我不再覺得自己正在甦醒。我已經完全清醒過來，頭痛得要命。

我看著我的周圍：迪米特里的房間、我赤裸著身子、亂糟糟的床。

但是這一切都比不上接下來我所想到的事情，讓我更加激動。

「莉莎！」我叫了出來。所有記憶全都回來了，發生的事情，還有莉莎的感受。

事實上，是她的情緒突然闖進我的腦子裡，以排山倒海之勢。更加害怕，又緊張又害怕……那些情緒想將我拉回她的身體，但是我不能讓它們得逞。現在還不行。我和她抗爭，我現在需要留在這裡。

我將剛剛發生的事情，滔滔不絕地告訴迪米特里。

在我說完之前，他就已經開始行動了。他穿好衣服，看起來有些像做了壞事的神。他命令我也穿上衣服，然後扔給我一件寫著俄文的毛外套，罩在我的緊身裙外面。

和他一起下樓的時候，我覺得十分尷尬。這次他沒有再放慢腳步等我。我們到管理大樓的時候，有人往裡頭通報。通報一層一層傳達著，沒過多久，我和他來到了守護者的主辦公室。奇洛娃和其他老師都在那裡，還有學院所有的守護者。每個人都開始問話。我一直都能感應到莉莎的恐懼，感覺到她越離越遠。

我大叫著讓他們趕快做點什麼，但是除了迪米特里，沒有人相信我說的話。直到他們在閣樓上喚醒克里斯蒂安，他們才確信莉莎眞的已經不在學院裡了。

克里斯蒂安步履蹣跚的走了進來，身邊有兩名守護者攙扶著他。奧蘭德斯基醫生在一會之後也進來，爲他做了檢查，並且止住了他後腦勺的出血。

最後，我想，應該會做些什麼了。

「有多少血族來？」一名守護者問我。

「他們到底是怎麼進來的？」另一個人小聲說。

我看著他。「什麼？他們根本不是血族。」

好幾雙眼睛齊刷刷地看著我。「還有誰會綁走她？」奇洛娃代表他們問道，「通過妳的……幻覺，妳肯定是看錯了。」

「不，我看得很清楚。那是……他們是……守護者。」

「她說的對。」克里斯蒂安小聲說，醫生還在幫他處理傷口。他抽搐了一下，好像醫生弄疼了他的傷口。「是守護者。」

「他們不是學院的守護者。」我揉揉額頭，艱難地抗拒著是要在這裡談話，還是要跟隨莉莎的情緒走。我的怒氣瞬間爆發了。「你們就不能先行動嗎？她現在被帶離越來越遠了！」

「這不可能！」有人說。

「妳是說，有一群私人守護者闖進來綁架了她？」奇洛娃的語調像是覺得我在和她開什麼玩笑。

「對，」我用力咬著牙說道，「他們……」

慢慢地，小心翼翼地，我讓自己的意識一部分飄進了莉莎的身體。我看見她坐在一輛車裡，一輛非常昂貴的汽車，後面有很小的一扇窗戶，將陽光擋在了外面。也許這裡是「晚上」，但是對於整個世界來說，現在是白天。在教堂出現過的守護者，一個在前面開車，另一個坐在他旁邊，這個人我認識——斯皮里迪恩。在後排，莉莎被綁著手坐在那裡，她的旁邊坐著一名守護者，而另一邊——

「他們爲維克多．達什科夫效力，」我喊道，將注意力努力放在奇洛娃和其他人身上，「他們是他的人。」

「維克多．達什科夫殿下？」一名守護者不屑的問道，好像還有另外一個怪物叫維克多．達什科夫殿下？

科夫似的。

「拜託，」我哽咽著說，雙手撐著頭。「做點什麼，他們正離這裡越來越遠。他們在……」一個畫面出現在我眼前，是從車窗看出去的。「八十三號公路，往南開。」

我不安地看著迪米特里。

「已經到八十三號公路了？他們到底離開多久了？爲什麼你們不立即報告？」

「一個催眠的咒語。」他慢慢地說，「他在送給蘿絲的項鏈上，下了咒語。她襲擊了我。」

「沒有人會使用那種催眠術。」奇洛娃大聲說，「已經很久沒人使用它了。」

「嗯，現在有人了。等我制服她，奪走項鏈以後，已經花了很長時間了。」迪米特里繼續說。他非常鎮定，沒有人懷疑他說的故事。

終於，終於，這群人開始行動了。沒有人想要帶上我，但是迪米特里堅持要帶，因爲他知道我可以帶領他們找到莉莎。

守護者開著駕駛座在左邊的黑色SUV休旅車，分三組出發。我坐在第一輛的副駕駛座，旁邊開車的是迪米特里。時間一分一秒過去。我們唯一的交談，就是我告訴他往哪開。

「他們還在八十三號公路……但是他們好像要到達目的地了，速度減慢下來。他們不打算停在路邊。」

他點點頭，沒有看我，只是使盡全力加速。

我用眼角餘光瞥了他一眼，重新想起這晚早些時候發生的事情。在我心裡，這件事再次上演，他看著我的方式，和吻我的時候……

但是那代表什麼？幻覺？玩笑？我們走向車子的時候，他告訴我項鏈確實被下過咒，一個關於慾望的咒語。我從沒有聽說過這件事，但是當我問他更多細節的時候，他只說那是一種魔法，土能力者在一次練習的時候意外發現的，但是後來就沒有再使用過。

「他們轉彎了，」我突然說。「我看不見路牌，但是我們到了以後，我會知道。」

迪米特里哼了兩聲表示回應，我再次沉浸在自己的思緒中。

這一切代表了什麼？對他來說有什麼特別意義嗎？這件事，對我來說絕對有特殊的含義。

「前面，」大概過了二十分鐘以後我說，指出一條維克多的車剛剛轉上去的路。那是一條沒有鋪好柏油的碎石路，我們的SUV休旅車比他的豪華房車更有利。

我們默默地開下去，唯一的聲音就是輪胎撞擊地面的聲音。窗子外面塵土飛揚，圍繞著我們。

「他們又轉彎了。」

他們離主路越來越遠，在我的指引下，我們一直尾隨著。終於，我感覺到維克多的車停了下來。

「他們停在一棟小木屋外面。」我說，「他們對她說——」

「爲什麼你要這麼做？發生什麼事了？」

是莉莎，有些畏懼、有些害怕。她將我的思緒拉進她的。

「別怕，孩子。」維克多說著朝木屋走去，他拄著柺杖，走的並不穩。一名守護者爲他將門打開，另一個推著莉莎走進去，讓她坐在一把椅子上。椅子旁邊還有一張小桌子。屋子裡很冷，特別是她還穿著那件粉色洋裝。維克多坐在她對面，莉莎想要站起來，一個守護者用眼神警告她。「妳眞的覺得我會傷害妳？」

「你們把克里斯蒂安怎麼了？」她喊道，不去理會維克多的問題。「他死了嗎？」

「那個歐澤拉家的孩子？我沒想過會發生這種事。我不知道他也會在那裡。本來我們希望趁妳一個人的時候把妳帶走，那樣就可以讓別人以爲，妳又逃跑了。我們相信，現在學校裡已經流傳著這種謠言了。」

我們？我回想著這個禮拜事情是怎麼走到這一步的……是娜塔莉。

「而現在？」他嘆了一口氣，伸出手，做出一副非常遺憾的姿勢，「我不知道。就算有人不相信妳逃跑了，我也懷疑有人會聯想到這件事是我們做的。最有可能的人是蘿絲。我們試著……也帶走她，讓別人以爲她也逃跑了。但是她在舞會上引起的混亂，使這個計畫無法實施，但是我又用另外一個計畫來代替，這樣她會有很長一段時間……可能直到明天早上才會發現了。稍後，我們還是會帶走她的。」

他不會知道迪米特里發現了他下咒的事情。他以爲我們兩個肯定會忙碌一整夜。

「爲什麼？」莉莎問，「你爲什麼要這麼做？」

他張開了綠色的眼睛，這讓她想起了自己的爸爸。他們也許不是近親，但是德拉格米爾家和達什科夫家都擁有同樣的碧綠色眼睛。「我很奇怪到現在妳還這麼問，親愛的。我需要妳，我需要妳治好我。」

22

「治好你？」

治好他？我回應著她的想法。

「妳是唯一的辦法。」他耐心地說，「唯一能治好我的病的人。我已經觀察妳好幾年了，一直等著，直到我百分之百確定爲止。」

莉莎搖搖頭。「我不能……不。我做不了那樣的事。」

「妳的治癒能力是非常難等可貴的，沒有人能知道它到底有多強大。」

「我不知道你在說什麼。」

「得了，瓦西莉莎。我知道大烏鴉的事，娜塔莉看見妳把牠治好了。她一直在跟蹤妳。我還知道妳治好了蘿絲。」

莉莎意識到再怎麼否認也沒有用了。「那……是不一樣的。蘿絲沒受多大的傷。但是你……我一點都不瞭解蘇多夫斯基症候群。」

「沒受多大的傷？」他笑了起來，「我說的可不是她的腳踝，雖然她摔得令人印象深刻。我說的是那場車禍。因爲妳是對的，妳知道。蘿絲『沒受多大的傷』，她死了。」

他的話一字一句都擊中要害。

「那是……不，她還活著。」莉莎終於想到怎麼回應。

「她死了，對，沒錯，她死了。我看了所有報告，沒有理由她能活下來，特別是在受了那麼多傷以後。妳治好了她，妳把她從地獄裡帶了回來。」他嘆了一口氣，半是憂愁，半是厭倦。「我懷疑妳擁有這種能力已經很久了，我很努力地反覆驗證……好看看妳控制它的能力如何……」

莉莎恍然大悟地叫了起來：「那些動物，是你幹的！」

「還有娜塔莉的幫忙。」

「你為什麼要這麼做？你怎麼能這麼做？」

「因為我必須要知道。我只剩幾個星期的壽命了，瓦西莉莎。如果妳眞的能令人起死回生，那就能治好蘇多夫斯基症候群。在帶走妳之前，我必須確認妳隨時都可以使用治癒能力，而不是只有在恐慌的情況下才能使用。」

「你究竟為什麼要帶走我？」她有些憤怒，「你是我最親近的叔叔。如果你需要我為你治療，如果你眞的認為我可以……」她的聲音和感覺讓我明白，她並不十分相信自己可以治好他，「那你為什麼要綁架我？你為什麼不直接來問我？」

「因為這不是一時半刻就能確定的事情。我花了很長時間來確認妳的能力，我從那些古老的傳說中得到很多啓發……還有保存在莫里博物館的長卷軸。當我讀到那些關於使用精神能力的事情時——」

「使用什麼？」

「精神。這就是妳擅長的元素。」

「我沒有擅長的元素！這太荒謬了。」

「妳認爲妳所擁有的這些力量，是從哪裡來的？精神是另外一種元素，一種沒有幾個人能夠擁有的元素。」

莉莎腦子裡仍然想著關於綁架，和她是不是眞的把我從死亡之中救回來的事。「這也說不通。就算它不是很普遍，我還是應該聽說過有另外一種元素的存在！或者其他人擁有這種能力。」

「已經沒有人知道精神能力的存在了，它已經被人們遺忘，所以當有人擁有這種能力時，沒有人意識到。他們只會認爲這個人什麼都不擅長。」

「聽著，如果你只是想讓我覺得——」她突然停住了話，不再往下說。她又生氣又害怕，但是在這些情緒後面，她的理智還是抓住了維克多說的，關於精神能力使用者，和他們擅長這個元素這件事。現在她全都明白了。「哦，我的天！弗拉米爾和卡普夫人。」

他給了莉莎一個了然於胸的表情。「妳一直就知道這些事。」

「不！我發誓。這是蘿絲看來的……她說他們和我一樣……」莉莎從有一點害怕，變成了非常害怕。這個消息眞是驚人極了。

「他們確實和妳一樣。書上甚至寫到，弗拉米爾『充滿了精神』。」維克多似乎覺得這件事非常好笑。看到他的這種笑容，讓我想扁他。

「我以爲……」莉莎仍然希望他說的是錯的，被認爲什麼都不擅長，比擅長奇怪的元素要安全的多。「我以爲那是說……比如，聖靈一類的。」

「其他人也這麼想，但事實上不是。這完全是另一回事。一個我們都擁有的元素，所有元素中最強的一種，可以讓妳直接控制別人。」看來，有關於她擅長所有元素的理論，離事實不太遠。

她非常努力地想要消化這種說法，讓自己冷靜下來。「但是這並沒有回答我的問題。不管我是不是可以掌控這種精神或者其他什麼，你都不必綁架我。」

「精神，正如妳所看到的，可以治癒身體上的傷口。但是很不幸的是，它只對某些東西管用，比如被利器劃傷、一次性的傷害、蘿絲的腳踝、和意外的受傷等。對於那種慢性的，或者說基因性的疾病，比如蘇多夫斯基症候群這樣的疾病，必須要長期治療才能痊癒。不然，病情還是會復發。這就是我身上可能發生的事。我需要妳，瓦西莉莎，我需要妳幫我戰勝病魔，把它徹底趕走，這樣我才能活下去。」

「這也不能解釋你爲什麼綁架我。」她爭論道。「如果你問我的話，我也會答應你的。」

「他們永遠不會讓妳這樣做的。學院，議會。一旦他們在發現了精神能力使用者的震驚過後，就會將其納入道德的範疇。畢竟，要怎麼來挑選應該治療誰呢？他們會說這不公平，這個人就像是在扮演上帝的角色。而且，他們也會擔心這將給妳帶來的副作用。」

她哆嗦了一下，非常明白他說的副作用指的是什麼。

維克多看見她的表情，點了點頭。「沒錯，我不會騙妳。這是很困難的一件事。它會令妳變得急躁，不管是精神上，還是身體上。但是我必須這麼做，很抱歉。每天我會提供妳必須的餵食者，和妳想要的其他娛樂。」

她從椅子上跳起來。班立刻上前一步，將她按了回去。「然後呢？你想把我關在這裡，像囚犯一樣？充當你的私人護士？」

他又做了一個無可奈何的動作。「我很抱歉，我沒有別的選擇。」

她內心的憤怒已經到達了一個白熱化的階段。她用低沉的嗓音說：「對，你不用做選擇，因爲我們談論的是我。」

「這樣對妳比較好。妳知道其他人的下場。弗拉米爾最後幾天過得多麼淒涼，幾乎快瘋了。索婭·卡普是怎麼被帶走的。自從車禍以來，妳體驗過的精神創傷比妳失去家人時還要嚴重。這都是使用精神能力的後果。那場意外喚醒了妳的力量，妳害怕看見蘿絲死去的恐懼，讓這些力量噴湧而出。這形成了妳的心電感應。一旦這種能力顯現出來，妳就再也收不回去了。這是一種能量非常強大的元素，但是它也非常危險。土元素使用者的能力是從大地而來，空氣使用者的是從空氣而來，但是精神能力呢？妳認爲它是從哪裡來的？」

她憤怒地看著他。

「它從妳，從妳自己的身上而來。治好另外一個人，妳就必須貢獻出自己的一部分。隨著時間的推移，妳給的越多，受到的傷害就越大。妳肯定已經注意到這一點了。我能看到有多少事情讓妳生氣，妳又是多麼脆弱。」

「我一點都不脆弱。」莉莎咬著牙說道，「我也不會變成瘋子。我會在事情惡化之前，停止使用這種能力。」

維克多笑了。「停止使用？妳也許能夠停止呼吸，但精神有它自己的一套……妳一直都有想要幫助別人、治好別人的衝動，這是妳的一部分。妳拒絕了治好動物，但是妳想也沒想的，兩次治好了蘿絲。妳甚至無法克制地使用了催眠術，這種力量也是精神元素帶給妳的。以後也一直會是這樣。妳不能避開精神，所有最好待在這裡，一個人，遠離不久之後會給妳帶來壓力的人群。而且在學院裡，妳的情緒也會變得越來越不穩定，然後他們不得不給妳吃藥，來控制妳的情緒，但是這會影響妳使用能力。」

她的內心終於冷靜下來，找回了自信，一種和前幾年非常不同的自信。「我愛你，維克多叔叔，但我才是那個決定能夠做什麼與不做什麼的人，不是你。你在讓我把我的生命變成你的，這不公平。」

「這要取決於誰的生命會更有意義。我也愛妳，非常愛，但是莫里族正在分裂，我們的人數在減少，同時血族卻因爲我們的血液而不斷增多。我們曾經積極地追殺他們，但是塔蒂安娜和其他領導者躲了起來。他們把妳和妳的同齡人阻隔起來。在以前，妳應該和妳的守護者一起受訓，學習如何戰鬥！妳會學習如何將魔法當做武器來使用。這一天不會太遠了，我們可以等待。我們都是受害者！」

當他說完，我和莉莎都可以看出他是對什麼如此著迷。

「如果我成為國王，我會改變這一切。我會掀起一陣革命，無論是莫里還是拜爾都未曾見過的革命。我應該是塔蒂安娜的繼承人。在他們發現我的病情之前，她已經打算提名我了，結果她不得不打消這個念頭。如果我被治好了……如果我的病好了，我可以重新被提名……」

他的話觸動了莉莎心裡的某個地方，突然為莫里族的情況擔憂起來。

維克多說的那些，她從來沒有想過，如果莫里族和他們的守護者聯合起來，肩並肩地同血族作戰，世界會變成什麼樣子？

這讓她想起了克里斯蒂安，和他說過關於將魔法當做武器使用的一番話。但是就算她接受了維克多的說法，我們倆也都不認為這件事值得讓莉莎這麼做。

「對不起，」她小聲地說，「我為你感到難過。但是拜託你不要讓我這麼做。」

「我必須這樣。」

她直視著他的眼睛。「我不會做的。」

維克多轉過頭，有一個人從角落裡走了出來。是另一個莫里族人，不是我認識的。他走到莉莎身邊，鬆開了她的手。

「這是肯尼斯，」維克多將自己的手放在莉莎手中，「求妳，瓦西莉莎，抓住我的手，將魔法施展到我身上，如同妳對蘿絲做的那樣。」

她搖搖頭。「不。」

當他再次開口的時候，語氣已經不那麼友善了。「請妳，不管如何，妳都要治好我。我寧願這是妳自己的選擇，而不是我們強加於妳的。」

莉莎再次搖了搖頭。他向肯尼斯輕輕地做了個手勢。

隨即，一陣疼痛傳來。

莉莎尖叫起來。我也尖叫起來。

休旅車裡，迪米特里猛地踩下煞車，讓我們偏向了一側。他警告地看了我一眼，準備停車。

「不，不！繼續開！」我用手掌覆蓋住太陽穴，「我們必須趕過去！」

亞伯塔坐在我後面，她靠上前來，將一隻手放在我的肩上。「蘿絲，發生什麼事了？」

我眨眨眼，忍住淚水。「他們在折磨她……用氣。那個人……肯尼斯……他正在用空氣向她施壓……在她的頭裡。這種壓力很不正常，就像我——她的頭快要爆炸一樣。」我開始抽泣。

迪米特里用眼角餘光看著我，腳下更加用力的踩下油門。

肯尼斯的空氣酷刑並沒有停止，他還用這個來控制她的呼吸。有時，他讓莉莎喘不過氣來；有時，他又讓她能夠吸上幾口新鮮空氣。在忍過這一波折磨以後，第二波會更厲害，我十分確信，我會做任何他們要求我做的事。

最後，莉莎也屈服了。

莉莎忍著疼痛，視線模糊地找到了維克多的手。在她使用魔法的時候，我從來沒有在她的意識裡停留過，所以不知道接下來會發生什麼。

一開始，什麼感覺都沒有，只是在集中注意力，然後……這就像是……我甚至不知道該怎麼形容。顏色、光明、音樂、生命、幸福，還有愛……許許多多美好的事情，所有組成世界，讓生命變得更有意義的美好東西。

莉莎盡她所能的召喚起所有這些，將它們輸進維克多的體內。魔法源源不斷地經過我們，睿智而甜蜜。這就是生命，莉莎的生命。當這些美好的東西都流光以後，她變得非常虛弱，越來越虛弱。但是所有這些元素，通過神祕的精神元素力量，都進到了維克多的身體裡，他變得越來越強。

變化開始出現，他的皮膚變得光滑，不再是皺巴巴的。灰色、稀疏的頭髮重新長了出來，變得濃密，深黑。綠色的眼睛仍然是碧綠的，但是熠熠發光，變得富有精神、充滿活力。

他又變成莉莎記憶中孩提時代的那個維克多叔叔了。

莉莎精疲力竭，昏了過去。

在車裡，我試著想看發生了什麼事。迪米特里的臉色變得越來越難看，他又罵出了一連串俄語的髒話，但他還是沒有告訴我這些話是什麼意思。

我們離木屋還有四分之一英哩的時候，亞伯塔用手機聯絡，我們所有出來的分隊都將車停在了路邊。所有守護者，大概有一打以上，從車裡走了下來，集合，制定戰略。

第一批人馬先去探路，回來彙報木屋裡的人數和木屋外的人數。當他們準備要行動時，我走下了車。迪米特里攔住了我。

「不，蘿莎，妳留在這裡。」

「該死的為什麼？我必須去救她。」

他抬起我的下巴，用眼神令我鎮定下來。「妳已經救了她。妳的任務完成了，做的非常出色。但是這不是妳該去的地方。她和我都需要妳安然無恙。」

我意識到如果這場爭論持續下去，不到我閉嘴，救援行動是不會開始的。於是我吞下了所有沒說出口的話，點了點頭。他也點點頭，然後加入其他人當中。所有人都悄悄潛進樹林，和樹木融爲一體。

我嘆了口氣，踢了下副駕駛座的座椅，躺了下來。我太累了，儘管陽光從車窗透了過來，對我來說，這也是夜晚。整個晚上我都沒有睡，發生太多的事了。我在保持自己清醒和分擔莉莎的痛苦之間來回切換，我很可能像她一樣也昏過去，除非她現在醒了。

慢慢地，她的感覺再次將我拉過去。她躺在木屋的沙發上，肯定是維克多的手下在她昏迷的時候將她帶到這裡的。而維克多自己，現在已經變得健康、充滿活力，這要多虧他對她的折磨。現在，他和其他人站在廚房裡，壓低了聲音討論著他們的計畫。只有一個人站的離莉莎比較近，負責看守她。當迪米特里和行動小分隊衝進去時，他肯定非常容易被放倒。

莉莎仔細研究了一下高個子守衛，然後又看了看沙發旁邊的窗子。在消耗了大量能量以後，她的頭仍然十分暈眩，但還是掙扎著坐了起來。那名守衛轉過身，警惕地看著她。莉莎看著他的眼睛，笑了起來。

「不管我做什麼，你都不要出聲。」莉莎對他說，「你不能跑去喊人，也不能告訴別人我跑掉了。可以嗎？」

催眠術漸漸在他身上起了作用，他點點頭，同意了。

莉莎走向窗子，打開上面的鎖，將窗子輕輕推開。她這麼做的時候，腦子裡充滿了各種各樣的想法。她很虛弱，不知道這裡離學院有多遠，也不知道離其他別的什麼地方有多遠。她不知道要走多久，才能碰上一個人。

但是她同時也知道，也許這是她逃跑的唯一機會。她可不想在這間木屋裡度過她的餘生。如果在其他時候，我會為她的勇敢歡呼，但是這次不行。不能是在所有守護者都跑去救她的時候。她需要留在原地。很不幸的是，她聽不見我的聲音。

莉莎從窗口爬出，我大聲喊了出來。

「怎麼了？妳看見什麼了？」我旁邊響起一個聲音。

我從車裡猛地跳起來，頭碰到了車頂。我發現克里斯蒂安正從後車廂坐起來，在後面看著我，

「你在這裡做什麼？」我問道。

「妳覺得呢？我搭個順風車。」

「你沒有被震出腦震盪嗎？」

他聳聳肩，表示無所謂。他和莉莎是多麼天造地設的一對啊。在自己受了很嚴重的傷以後，全然無畏的做出這麼瘋狂舉動。當然，如果奇洛娃讓我留在學院裡，我也會和他一起躲進後車廂的。

「發生什麼事了？」他問。「妳又看見什麼了？」

「她不知道我們正去救她，我要在她精疲力竭、想要自殺以前找到她。」

「那些守護者怎麼辦？我是說學院的。妳不去告訴他們莉莎去哪了嗎？」

我搖搖頭，「他們可能已經衝破木屋的大門了。我要去追她。」她現在的位置在木屋右側，我能夠找到大方向，但是除非我離她很近，否則也不知道她具體的位置。不過，這都無關緊要，我必須找到她。看著克里斯蒂安的表情，我無法一直用笑容拒絕他。「當然，我知道，你跟我來吧。」

23

我從來沒有在莉莎的意識裡待過這麼長時間，換句話說，我們兩個也從來沒有像現在這麼親密過。在我急匆匆穿梭在森林裡的時候，她的想法和情緒仍然不斷地將我拉向她。

我們在灌木叢和樹木之間穿梭，我和克里斯蒂安離木屋越來越遠。老天，我多麼希望莉莎能留在那裡啊。我很願意看到莉莎眼中意外的驚喜。但是在我們身後，在我跑得越來越遠的地方，迪米特里他們已經抵達目的地，他們的耐心也已經用光。莉莎移動的速度並不快，我能感覺到離她越來越近，我能夠越來越清晰地感應到她的方位。但是另一方面，克里斯蒂安漸漸跟不上我的腳步。我開始有意放緩速度，但是很快地就發現這是個愚蠢的決定。

克里斯蒂安也發現了。「走！」他大聲喊著，催促我繼續前進。

當我離她近到一定距離的時候，我認爲她應該能夠聽到我的聲音，我大喊她的名字，希望她能回答我。結果，回應我的是一陣咆哮——更像是犬吠。

毗斯艾獵犬。當然了，維克多曾經說過他會用牠們來打獵，他能夠控制這些野獸。我突然明白爲什麼學院沒有人記得曾經派出過毗斯艾獵犬，到芝加哥追趕我和莉莎。學院根本沒有這麼做過，做這件事的人是維克多。

一分鐘以後，我感應到了莉莎所在的地方，她後背靠著一棵大樹，蜷縮在地上。從她的表情和心電感應來看，她早就應該昏過去了，只是最後的一絲求生意志讓她堅持到現在。她眼睛張得大大的，面色慘白，恐懼地盯著眼前圍著自己的四隻毗斯艾獵犬。看著強烈的日光，我突然想到她和克里斯蒂安在這裡，這麼一來，還有另外一個困難要克服。

「嘿，」我向獵犬大聲喊，想把牠們的注意力轉移到我身上來。一定是維克多派牠們來追莉莎的，但是我想牠們可能已經感覺到了這裡還存在另一個威脅，而且還是個拜爾族。毗斯艾獵犬和其他動物一樣，都不喜歡我們。

不出所料，牠們全都轉向了我，尖牙猙獰地從嘴裡露出來。牠們像是狼，只不過閃耀的棕色皮毛和眼睛好似橘色的火焰。維克多可能下令，要牠們不許傷害莉莎，但是他肯定沒預計到我的出現。

這群狼，和動物行爲課上學到的一模一樣。邁斯納夫人是怎麼說的來著？在面對面的時候，比的就是意志力？我想起這些，努力裝出一副首領的樣子，但是我覺得牠們並沒有上當。牠們全都不把我放在眼裡。哦，對了，牠們的數量也比較多。不，牠們根本就沒害怕過什麼。

試著假裝這是跟迪米特里的競賽，我從地上撿起一支樹枝，大概和球棒差不多大小。我將它握在手裡，這時，兩隻獵犬向我撲過來。牠們的爪子和牙齒雖然在我身上留下了印記，但是我也不甘示弱，我的腦海中浮現過去兩個月所學，怎麼讓自己變得更強更快的每項格鬥技巧。

我不想傷害牠們，牠們和狗其實差不了很多，但是，現在不是我死就是牠亡，求生的本能在此刻勝出。我設法將其中一隻打翻在地，我不知道牠是死了，還是昏過去了。另一隻仍然盯著我，暴怒而快速的向我進攻。牠的夥伴好像也想加入，不過這時我也有夥伴加入——克里斯蒂安。

「離開這，」我對他喊道，甩開趴在我腿上的獵犬，牠的爪子已經嵌進我裸露在外的皮膚中，幾乎把我撲倒。我還穿著那件洋裝，不過高跟鞋早已讓我踢飛了。

可是和其他正陷於情網中的男生一樣，他並沒有聽我的。他也撿起一根樹枝，朝其中一隻獵犬揮去。樹枝上燃燒著火焰，獵犬後退了幾步，但是仍然忠於維克多的命令，雖然牠們確實很害怕火。

牠的夥伴，第四隻獵犬，繞過火把，轉到克里斯蒂安身後。聰明的畜生。牠朝克里斯蒂安撲過去，襲擊他的後背。火把從他手中掉落，火苗馬上熄滅。兩隻獵犬立刻朝他摔倒的身體撲去。我解決了我的獵犬，對我要再次打倒其他的感到頭痛。不過我還是朝另外兩隻走去，希望我有力氣可以打敗最後的這些對手。

不過，我不需要這麼做了。亞伯塔的救援非常及時，她從幾棵樹後面竄了出來。她手裡拿著槍，果斷地向獵犬射擊。這可能很沒有成就感，而且對血族也沒有用處，不過對其他東西呢？槍是十分好用的武器。獵犬停止了行動，倒在克里斯蒂安的旁邊。

克里斯蒂安……

我們三個都向他走了過去，我和莉莎其實算是爬過去的。當我看見他的樣子，馬上轉過頭去。我的胃翻湧著，費了好大力氣才強忍著沒有吐出來。他還沒有死，但是我覺得他也活不了多久了。

莉莎的眼睛張得大大的，幾乎要心神錯亂地聆聽他的心跳。莉莎試著想治好他，但是最終放下了手。

「我辦不到。」她小聲地說，「我的力量都用光了。」

亞伯塔皮膚粗糙的臉上充滿堅定和耐心，她輕輕地攙著莉莎的胳膊。「起來吧，公主殿下。我們得離開這。我們會派人來救他的。」

我轉過臉，強迫自己看著克里斯蒂安，我感應得到莉莎有多麼關心他。

「莉莎。」我吞吞吐吐地說。她看著我，好像忘了我也在這裡。我沒有說話，將頭髮撥開，把光裸的脖子向她伸過去。

她看了一會，臉上毫無表情，然後眼中閃過一絲明瞭。

她張開嘴，將牙齒咬進我的脖子，我不禁低低地呻吟了一聲。我不知道自己是這麼懷念這種感覺，在甜蜜、美好的痛苦後面，緊隨著光輝的奇蹟。幸福充滿了我的身體，頭暈、歡快、宛如身處夢中。

我不太記得莉莎到底吸了多長時間。也許沒有我想的那麼久。她可能甚至從來沒有想過，吸太多血會殺死一個人，讓她自己變成血族。當她吸完以後，亞伯塔扶住搖搖晃晃的我。

我頭暈眼花地看著莉莎彎腰靠近克里斯蒂安，然後將自己的手放在他的手上。遠處，我聽見其他守護者穿過樹林，向這邊跑來。

整個治癒的過程，沒有閃光，也沒有煙花，全都是在內部完成的。只限於莉莎和克里斯蒂安兩個人。儘管吸完血後急速上升的腦內啡，讓我無法感應到莉莎，但是我還記得她爲維克多治療時，必然會有的那些流光和音樂。

奇蹟就在我的眼前發生了，亞伯塔不敢置信。克里斯蒂安的傷口癒合了，血止住了，臉色也重新紅潤了，至少是恢復到了莫里族應有的那種臉色。他的眼睛慢慢張開，裡面重新充滿了活力。他看著莉莎，微微笑了。這簡直是在看迪士尼的卡通片。

後來，我肯定是昏倒了，因爲我再也記不起其他的事情。

慢慢地，我在學院的急診室張開眼，他們在這裡給我輸液和葡萄糖，已經有兩天了。莉莎在旁邊整整陪了我兩天，慢慢地，綁架的事情在學院裡流傳開來。

我們不得不向奇洛娃報告，還有關於莉莎用她的能力治好了多少人，包括維克多、克里斯蒂安，好吧，還有我。這個消息十分轟動，但是管理階層還是同意對學院的其他人保密。沒有人想像對待卡普夫人一樣，把莉莎帶走。

其他學生知道的版本，只不過是維克多．達什科夫綁架了瓦西莉莎．德拉格米爾。他們不知道原因。迪米特里衝進去的時候，打死了幾個守護者——這眞是該死，因爲本來守護者的人數就已經很少了。現在維克多被關在學院的24-7號房間裡，等著皇室守護者軍團的人來把他帶走。

比起其他國家那些更大的政府來說，莫里族的統治政府更多是象徵性的，但是他們也有自己的一套司法系統，我聽說過有莫里族監獄的存在。我永遠都不想去那裡。

至於說，娜塔莉……就很棘手了。

她雖然沒有成年，卻是她父親的同謀。她將死掉的動物帶進宿舍，並且監視著莉莎的一舉一動，甚至在我們離開之前就開始了。

和維克多一樣，她的能力是土，所以她也是弄壞長椅，讓我腳踝骨折的人。她看見我阻止莉莎救活那隻鴿子，這讓她和維克多意識到，只有傷害我，他們才能達到目的，這是他們唯一一個能讓莉莎施展治癒能力的機會。娜塔莉只需要尋找合適的時機。

她沒有被關起來，或者是接受別的什麼處罰，在皇室的命令下達到這裡之前，學院不知道該如何處理她。

我忍不住爲她感到難過。她實在是太笨，太自以爲是了。任何人都能利用她，更不用說這個人是她摯愛並且極力想得到他重視的父親。她可以爲他做任何事。有傳言說，她曾經站在羈留中心的外面，懇求他們讓自己見父親一面。他們拒絕了她的要求，並把她轟走了。

同時，我和莉莎的友誼也恢復如初，好像什麼都沒有發生過一樣。但是除此以外，她的生活發生了很大改變。

在經歷過這些刺激、非常戲劇性的事情後，她似乎明白了什麼對她來說是更重要的。她向艾倫提出了分手。我非常肯定，這件事她做的非常漂亮，但是這仍然讓艾倫難以接受，這已經是她第二次把他甩了，而且他的前任女友也欺騙了他的事實，讓他的自信心倍受打擊。

沒有任何猶豫地，莉莎開始和克里斯蒂安約會，不去管這件事會對她的名聲帶來什麼影響。

看著他們在公開場合手牽手，讓我感慨良多。克里斯蒂安似乎也不相信自己有這麼好的運氣。而班上的其他人則是太過震驚，甚至到現在都還無法理解。他們幾乎無法接受他的突然存在，更不用說允許他喜歡莉莎了。

我自己的羅曼史，情況就沒有莉莎那麼走運了，如果你能管它叫做羅曼史的話。在我恢復期間，迪米特里就沒有出現過，我們的訓練也無限期地順延了。在莉莎被綁架後的第四天，我跑去體育館時，我們兩個終於碰到面了。

我來這裡，是爲了拿回背包。在我看到他的時候，愣住了，什麼話都說不出來。他似乎只是路過，然後在這裡短暫的停留了一下。

「蘿絲……」在尷尬了很長一段時間後，他先開口了，「妳應該如實報告發生了什麼事情的，關於我們的。」

我想找能和他談話的機會已經找了很久，但這不是我想像中的談話內容。

「我不能那麼做，他們會開除你的，甚至更糟。」

「他們應該開除我。我做了錯事。」

「你也沒有辦法，全是因爲那個魔咒……」

「這不重要。錯了就是錯了，而且很愚蠢。」

錯了？愚蠢？我咬住嘴唇，眼淚在眼眶中打轉。我試著很快地恢復鎮定。「瞧，其實並沒有那麼嚴重。」

「那很嚴重！我占了妳的便宜。」

「不，」我平靜地說，「你沒有。」

我的聲音一定是洩露什麼了，因爲他看著我的眼神，不但深邃，還含有一種強烈的渴望。

「蘿絲，我比妳大七歲。十年以後，也許這算不了什麼。但是，現在，差距太大了。我是個成年人，而妳還只是個孩子。」

哦，我畏縮了一下。他直接打我一拳還比較好。

「你在我身上的時候，可沒有把我當成一個孩子。」

現在輪到他瑟縮了一下。「那是因爲妳的身體……好吧，但這並不代表妳就成年了。我們處於兩個不同的世界。我已經畢業了，我有自己的生活，我要殺人。蘿絲，是殺人，不是動物。而妳……妳才剛剛開始。妳的生活應該是學校、衣服和舞會。」

「你覺得我只關心那些？」

「不，當然不是。不完全是。但是那應該是妳全部的世界。妳還會長大，會更瞭解妳自己，明白什麼是更加重要的。妳要做的是這些，妳應該和與妳一樣年紀的男孩在一起。」

我不喜歡和我一樣年紀的男孩。但是我沒有那麼說，我什麼都沒說。

「就算妳現在不說話，妳也必須知道那是一個錯誤，而且永遠不會再發生。」他又加了一句。

「因為你對我來說太老了？因為你不想負責？」

他的表情十分鎮定。「不，因為我只對妳在成為守護者這方面感興趣。」

我看著他。這句話，這個拒絕，我清清楚楚地聽在耳朵裡。那一晚的每件事，我相信那麼美好、充滿無限可能的每件事，瞬間在我眼前化成灰燼。

「僅僅是因為魔咒，才發生了那件事，妳明白了嗎？」

我覺得倍受屈辱，也很生氣，我不想再用乞求或者爭論來讓自己變得更愚蠢。我聳了聳肩。

「好，明白了。」

接下來的幾天，我一直沉浸在自責當中，不去管莉莎和梅森想盡辦法要把我從房間裡拉出去。我想待在房間裡，這眞是個莫大的諷刺。因為我在營救過程中的表現，已經讓奇洛娃下令，解除了我的禁足令。

第二天，在上課之前，我自己走到維克多被關的地方。

學院擁有非常正規的單人牢房，用柵欄圍起來。我費了很多唇舌，才讓他們同意讓我進去跟他說幾句話。就連娜塔莉都不被允許探視，但是其中一個守護者和我搭乘同一台休旅車，並且看到我體驗了對莉莎的折磨。我告訴他，我需要問問維克多，他究竟對莉莎做了些什麼。這是個謊言，但是守護者相信了，並且替我感到難過。他們給我五分鐘的時間，並且退到大廳那裡，這樣他們既可以繼續監視，又不會聽到我們談話的內容。

我站在維克多牢房的外面，不相信我曾經爲他感到遺憾過。看著他年輕、健康的身體，讓我十分憤怒。他盤腿坐在窄窄的床上，手裡捧著一本書。聽到我的腳步，他抬頭看了看。

「原來是蘿絲，這眞是個太驚喜。妳的智慧總是讓我印象深刻。我不認爲他們會允許有人探望我。」

我環抱手臂，希望能擺出一副眞正守護者的姿態。「我要你打破魔咒，把它解除掉。」

「妳指的是什麼？」

「你在我和迪米特里身上下的魔咒。」

「魔咒生效以後，自動就會解除了。」

我搖搖頭。「不，我還是一直在想他。我想……」

我的話還沒有說完，他就一副「我全都明白」的笑了。「親愛的，這種感覺早就存在了，在我下咒之前。」

「但不是這樣的，沒有這麼糟。」

「也許是沒有意識到。但是那些……身體和精神上的吸引……早就在妳心裡了，也在他心裡，不然魔咒不會生效。這個咒語其實不會強加給你們什麼，它只是移走你們心裡的禁忌，放大、加強你們彼此之間早就存在的感情。」

「你騙人。他說過他對我什麼感覺都沒有。」

「他在騙人。我告訴妳了，不然咒語是不會生效的。而且，老實說，他肯定比妳知道的更清楚。他沒有權利愛上妳。妳的行爲可以當作是個無知的女孩，而被原諒。但是他呢？他必須控制隱藏住自己的情感。娜塔莉看出你們之間的關係，告訴了我。在我自己又觀察了幾次之後，我同意娜塔莉的想法。這是我轉移你們注意力的最佳機會。我在項鏈上對你們兩個全都下了咒，但是後面發生的，就是你們自己的事了。」

「你這是個無可救藥的混蛋，敢對我們倆做出這種事來。還有莉莎。」

「我不後悔對莉莎的所作所爲。」他聲明說，身體靠在牆上。「如果可能的話，我還會這麼做。相信妳所聽到的，我愛我的子民，我想做的，正符合了他們的心意。而現在？很難說。他們沒有領袖，沒有一個眞正的領袖。沒人配當，眞的。」

他高傲地對我揚起頭，思考著。

「瓦西莉莎可能是其中一個，在她能夠明白自身的價值，有自己的信仰，並且能夠克服精神能力的副作用以後。這是個莫大的諷刺，眞的。精神力量能讓一個人成爲領袖，但是不能讓她一直成爲領袖。恐懼、絕望、猶豫不決，令她眞正的實力被埋藏在心底。同時，她還繼承了德拉格米爾的血統，這也是很重要的一點。當然，她還有妳，她的『影吻者』守護者。誰知道呢？她自己可能也很驚訝。」

「『影吻者』？」又是這個詞，卡普夫人也這麼叫過我。

「妳曾經被黑影親吻過。妳越過了死亡線，跨了過去，又跨了回來。妳覺得這樣的人，他的靈魂裡不會留下些印記嗎？妳對生活和世界都有絕佳的體會，甚至比我都深刻，儘管妳還沒有意識到這一點。妳不應該活過來的。瓦西莉莎趕走了死亡，將妳帶了回來，還用心電感應把妳和她綁在了一起。妳確實被死神擁抱過，妳的某一部分會一直記得這一點，始終為生命奮鬥，並會一直這樣下去。這就是為什麼妳做事的時候從不計後果。妳無法控制妳的感受、妳的激情、妳的憤怒。這讓妳異於常人，但也讓妳變得危險。」

我不知道該怎麼反應，一句話都說不出來，他似乎很喜歡看到我這樣。

「這也是妳心電感應的由來。莉莎的感受經常會溜出來，跑到其他人身上。大部分人沒有辦法接收到，除非她使用催眠術迫使他們接收。但是，妳，妳的敏感意識具有超級感知的力量，特別是關於她的。」

他嘆了一口氣，好像很羨慕。

我記起讀到過的書上寫著，弗拉米爾曾經將安娜從死亡邊緣拉了回來。這肯定也是他們之間心電感應的由來。

「沒錯，這太荒謬了，學院居然不知道妳和她兩個任何一個人的能力。如果不是現在的情況讓我必須殺掉妳，在妳長大之後，我會讓妳成為我的皇家守護者。」

「你永遠都不會再有皇家守護者了。你認為人們難道不會奇怪你突然變成現在這個樣子嗎？就算沒有人知道莉莎的能力，塔蒂安娜也永遠不會把王位傳給你的。」

「也許妳是對的，但是這無所謂了。獲取力量還有一種辦法。有時候，通過密道逃跑也是必須的。妳認為肯尼斯是唯一一個效忠於我的莫里族嗎？最偉大、最有力量的革命，在一開始時往往都是靜悄悄地，隱藏在黑暗之中的。」他看了我一眼，「記住這點。」

從羈留中心的入口處傳來很奇怪的聲音，我看向我進來的地方。同意讓我進來的守護者不見了。在角落，我聽見了幾聲砰砰的敲打聲。我皺皺眉，伸長脖子想看得更清楚。

維克多站起來。「終於來了。」

恐懼令我渾身毛骨悚然——至少是在我看見娜塔莉站在入口之前。

同情和憤怒同時在我心中升起，但是我強迫自己擠出一絲笑容。也許在她的父親被帶走之前，這是她最後一次看見自己的父親了。不管是不是壞人，他們都應該被允許和自己的親人道別。

「嘿，」我說，看著她邁著大步向我走來。她的行為似乎另有目的，我心裡某個地方有道聲音告訴我情況不對勁。「我認為他們不應該放妳進來。」當然，他們也不應該同意讓我進來。

她逕自向我走來，然後一把將我打到後面的牆上，這一點都不誇張。我的身體重重地撞在牆上，眼前覺得一片漆黑。

「怎麼回事？」我揉著額頭，想要站起來。

娜塔莉沒有理我，她打開了維克多牢房的大門，鑰匙原本是掛在那個守護者的腰帶上的。我搖搖晃晃地向她走過去。

「妳在幹什麼？」

她看了我一眼，這讓我終於看清了她。她身上發出微弱的紅色光環，皮膚非常蒼白，甚至對一個莫里族來說，也是太白了。她的嘴邊沾滿了血。最值得一提的，還是她的眼神。她的眼神是那麼冰冷、邪惡，我的心幾乎提到了喉嚨。這種表情說明她不再是活生生的，這種表情說明，她現在已經變成血族的一員。

24

拋開我所接受過的所有訓練，和所有關於血族習慣，以及如果和他們抗爭不說，我還從來沒有親眼見過一個血族。這比我想像中的要恐怖多了。

這一次，當她再次襲擊我的時候，我已經做好了準備。某種程度的準備。我向後避開，滑過她的攻擊範圍，想看看自己是不是有機會離開。

我記得迪米特里關於商場的那個笑話，沒有銀樁，沒有能把她的頭砍下來的東西，不可能燒死她，逃跑似乎是現在最好的選擇，但是她攔住了我的去路。

我覺得自己一無是處，只能在她向我逼近的時候，向大廳退去。她的速度比大多數血族的速度更快。

然後，她用這種此生最快的移動速度，飛了過來，抓住我，用力將我的頭向牆上撞去。我的頭被撞破了，我很確定血已經順著臉流進了我的嘴裡。我瘋狂地和她扭打在一起，想做出一些反擊，但是這就像是和迪米特里打架一樣。

「親愛的，」維克多小聲說，「如果沒必要，小心點，不要殺死她。稍後我們可能還會用到她。」

娜塔莉暫時停下了進攻，讓我有了喘息的機會，但是她的眼睛一直盯著我。「我盡量不殺死她。」她的語氣中有一絲嘲諷。「趕快離開這，我處理好之後就去那裡找你。」

「我眞不敢相信！」我對著他的背影大喊，「你居然讓自己的女兒變成了血族？」

「最後的辦法，爲了偉大的事業，犧牲是必須的。娜塔莉明白這點。」他離開了。

「妳明白？」我希望自己能夠感化她，就像電影裡演的一樣。我還希望我的問題，能夠掩飾自己內心越來越強、百分之百的恐懼。「妳眞的理解？老天，娜塔莉。妳……妳轉化了，就因爲他讓妳這麼做？」

「我的爸爸是個偉大的人。」她回答說，「他會把莫里族從血族手中救出來。」

「妳瘋了嗎？」我叫道。我再次後退，突然撞到了牆上。我的指甲陷了進去，這樣我可以挖出一條通道。「妳就是血族。」

她聳聳肩，好像又是原來那個娜塔莉。「我必須在那些人來到之前，把他救出去。一個血族可以換來所有莫里族的安全，這是値得的，値得讓我放棄陽光和魔法。」

「但是妳會想要殺死莫里的！妳控制不了。」

「他會幫我控制的，如果眞的控制不了，他們也會殺了我。」她伸出手，抓住我的肩膀，她談起自己死亡的方式，讓我哆嗦了一下。而且毫無疑問，她也會完成殺死我的任務。

「妳這個瘋子。妳不能這麼愛他，妳不能眞的——」

她再次把我甩到牆上，我的身體從牆頂滑到地板上。我有種預感，這一次我可能站不起來了。

維克多對她說過，不要殺死我……但是她的眼神，她的眼神說，她想殺死我。她想用我塡飽肚子，她太餓了。這就是血族，我這才明白，自己不應該和她談話的。我猶豫了，就像迪米特里警告過我的。

這時，他突然出現，從大廳跑來，就像死神穿了髒兮兮的牛仔裝。

娜塔莉轉過身，她的速度很快，非常快。但是迪米特里也很快，避開了她的攻擊。他的臉上顯示出純粹的力量和決心。我眼花繚亂地看著他們移動，轉圈，就像是一對搭檔在跳死亡之舞。

她比迪米特里的力量要強，很明顯，但是她還是個剛成爲血族不久的人，擁有超強的力量，不代表你就會使用它。

不過，迪米特里倒是知道他該怎麼使用自己的力量。在出招接招警告幾個回合之後，他開始行動。銀樁在他手裡閃現，就像是一道銀色閃電，然後它向前劈去，正中她的心臟。

他拔出銀樁，退後了幾步，平靜地看著娜塔莉尖叫著跌落在地。在經過了極度恐怖的時刻之後，她不再動彈。

很快地，迪米特里彎下腰，將手放在我的身子下面。他站起來，像我上次腳踝受傷一樣將我抱起來。

「嘿，同志。」我喃喃地說，我的聲音聽起來像是要睡著了。「關於血族，你說對了。」整個世界開始變暗，我的眼皮合上了。

「蘿莎，蘿莎，睜開眼。」我從沒聽他這麼緊張、這麼慌亂過。「別睡，現在別睡。」

我強睜著眼，看見他抱著我走出大樓，幾乎是用跑的奔向急診室。「他說的是眞的嗎？」

「誰？」

「維克多……他說它已經失效了。項鏈。」

我開始漸漸散失意識，迷失在黑暗之中裡，但是迪米特里把我的意識拉了回來。

「妳指什麼？」

「魔咒。維克多說，你喜歡我……關心我……它才起作用的。」他什麼都沒有說，我試著抓緊他的襯衫，但是手卻一點力氣都沒有。「你是嗎？你喜歡我嗎？」

他很快地回答。「是的，蘿莎。我眞的很喜歡妳，現在也喜歡，我希望……我們能在一起。」

「那你爲什麼要對我說謊？」

我們到了急診室，他抱著我，但還是想辦法打開了門。當他一走進去，就大聲喊人來幫忙。

「你爲什麼說謊？」我小聲地又問了一遍。

他仍然把我抱在懷裡。他低頭看著我，我能聽到人聲和腳步聲越來越近。

「因爲我們不能在一起。」

「是年齡的問題，對嗎？」我問。「因爲你是我的導師？」

他的手指輕柔地拭去我奪眶而出、掛在臉頰上的淚珠。「一部分……」他說，「但是還有……聽著，總有一天，妳和我都會成爲莉莎的守護者，我必須不計一切代價的保護她。如果有一群血族來襲擊，我必須奮不顧身地擋在她前面。」

「我知道這點，當然你必須這麼做。」那片黑暗又降落在我眼前，我快堅持不住了。

「不。如果我允許自己愛上妳，我就不會擋在她前面。我會奮不顧身地擋在妳前面。」

醫療團隊抵達，把我從他的手中接了過去。

這就是在禁足令解除後的第二天，我又被醫院禁足的過程。

在回到學院的兩個月裡，這已經是我第三次住進醫院裡來了。這絕對創下了記錄。

我絕對有腦震盪，還有輕微的內出血，但是沒有人發現。當你最好的朋友擁有該死的治癒能力時，你大可不必擔心這些事情。

但我還是要在這裡待上幾天，但是莉莎和克里斯蒂安，她新的同伴，除了上課，其他時間幾乎都用來陪我。通過他們，我才能和外面的世界有一點聯繫。

迪米特里意識到校園裡有血族之後，他們發現娜塔莉的犧牲者已經被吸乾血而死。這麼多人裡面，她居然選擇了納吉先生。眞是個令人驚訝的選擇，也許是因爲他上了年紀，沒法抵抗的緣故吧。今後，我們不會再上斯拉夫美術課了。

羈留中心的守護者受了傷，但是沒有死，她只是把他們隨意丟在周圍，就像對我一樣。

維克多在試圖逃出學院的時候被人發現，再次被逮了起來。我很高興，儘管這說明娜塔莉的犧牲毫無意義。有傳言說，維克多在被皇家守護者帶走的時候並不害怕，反而一直在笑，好像他有什麼不爲人知的祕密一樣。

就這樣，塵埃落定，生活又回到從前。

莉莎不再割腕。醫生爲她開了一些藥，抗抑鬱或者是抗焦慮的藥，我不記得藥的名字，但是這確實讓她好起來。我永遠也不想弄明白那些藥片，它們讓人變得又傻又高興。但是這些藥和其他藥物一樣，可以治好一些病，讓莉莎變得正常和堅強。

這是個好消息，因爲她還有其他事情需要處理。比如說，安德烈。

她終於相信了克里斯蒂安所說的故事，允許自己承認安德烈也許不是像她一直相信的那樣，是個英雄。

這對她來說是很困難的一件事，但是最後她還是找到了平衡的方法，接受了他既有好的一面，又有壞的一面，就像我們所有人一樣。他對米婭的所作所爲傷害了她，但是這並不改變他是愛妹妹的好哥哥的事實。

更重要的是，這終於讓她從「必須像他一樣成爲家族的驕傲」這種想法裡解脫出來。她可以做她自己了，這讓她和克里斯蒂安的關係更進了一層。

但是學院的人還是無法接受這一點。莉莎並不在乎，她嘲笑這些人，不去理會那些人震驚和嫌惡的表情。他們不敢相信，莉莎居然會和一個名聲不佳的家族成員約會。不過，也並非所有人都這麼看。那些在她努力擴張社交範圍時，不是因爲催眠術，而是眞的因爲她是她，才喜歡莉莎的人，就很支持她。比起大部分皇室喜歡玩的遊戲，他們更喜歡莉莎的坦誠與包容。

有許多皇室的人不再理她，這是肯定的，並且在她背後講她的壞話。最令人驚訝的是，米婭——儘管受盡屈辱，又重新回到那群優雅的皇族當中。這印證了我的觀點，她不會甘於沉寂的。

事實上，有一天我在去上課的路上，就碰上了她給我的第一次反擊。她和一大群人正站在那裡，大聲地說話，很明顯是想讓我聽到。

「——完美的一對。他們兩個都是從完全不體面的、不被人接受的家族裡出來的。」

我咬咬牙，繼續走，順著她的目光，看見了克里斯蒂安和莉莎所在之處。他們沉浸在自己的世界裡，形成了一幅完美的畫面。我也忍不住一直看著。

米婭說的對，他們的家族都喪失了名譽。塔蒂安娜曾經在公開場合羞辱了莉莎，也沒有人因爲克里斯蒂安雙親身上發生的事，「責備」歐澤拉家族。其他莫里皇室家族將繼續和他們保持距離。

米婭在另一件事上也說對了。從某些方面來看，莉莎和克里斯蒂安絕對是一對金童玉女。也許他們兩個現在處於邊緣地帶，但是德拉格米爾和歐澤拉家族，曾經出現過莫里族史上力量最強的兩名領袖。在短短的時間裡，莉莎和克里斯蒂安兩個人對彼此潛移默化，將祖先的優點結合在一起。克里斯蒂安從莉莎身上學會了優雅和與周圍融洽相處，而莉莎學會了直視自己的感情。我越看他們，越覺得他們身上散發出一種能量和自信。

他們也都不會留級。

我認爲，莉莎的和善也許會吸引來更多的人。我們的社交圈開始一點點擴大。梅森加了進來，這是當然的，而且公開表示他喜歡我。莉莎勸過我很多次，但是我不知道該怎麼對待他。在我內心裡，有時候會想可以給他一次機會來當我的男朋友，但是另一部分則一直對迪米特里念念不忘。

大部分時間，迪米特里對我還是像一名導師。他盡職、令人喜愛，嚴格、善解人意，從沒有超出界限。其他人不會想到我們兩個之間曾經發生過什麼，我們的眼神只是偶爾交會。

當我克服了最開始的衝動，我知道，理論上來說，他說的關於我們之間的事是對的。年齡是個問題，沒錯，特別是我現在還是一名在學院裡學習的學員。但是他說的另一件事……我從來沒有想到過，但我必須要想。兩名守護者相愛，會分散他們對各自保護的莫里的關注。我們不能允許這件事發生，不能因爲我們的想法讓莉莎冒險。另外，我們也不能像巴蒂卡的守護者一樣私奔。我曾經對迪米特里說過，我的感覺不重要，一切以莉莎爲優先。

我只希望自己能夠實現諾言。

「妳復原的這麼快眞是太糟糕了。」她對我說。

「嗯？」我們坐在她的房間裡，假裝在唸書，但是我的腦子裡想的全都是迪米特里。我要她保守祕密，但是我沒有告訴她，我和他曾經親密到快要讓我獻出童貞的地步。出於某些理由，我沒辦法說出口。

她扔下剛剛一直拿在手裡的歷史書。「我應該放棄給妳治療的，還有催眠術。」她說到最後一句時，皺起了眉頭。對於今後的學業來說，痊癒是一件最好的禮物，而催眠術這是在見到奇洛娃和卡馬克夫人對我們進行嚴厲的訓誡時使用的。「我是說，我現在很開心。我應該在更早之前就尋求幫助的，這點妳說的是對的。我很高興現在有藥物能幫助我。但是維克多也是對的。我不能再使用精神能力了，但是我仍然能感覺到……我懷念可以碰觸別人的感覺。」

我不是很明白自己應該說什麼。我希望她更喜歡現在這樣。在沒有了那些可怕的瘋狂想法之後，她變得煥然一新，又是原來那個自信、開朗的莉莎，是我所知道和喜愛的莉莎。看著她現在的樣子，很容易相信維克多關於她會成爲一名領袖的說法。她讓我記起了她的父母和安德烈，他們是多麼虔誠的投身於去影響他們所認識的人。

「還有一件事。」她繼續說，「他說我不可能放棄，他說對了。沒有這種能力，眞的很痛苦。有時候我眞的非常想用。」

「我知道。」我說。我能夠感應到她內心的渴望。藥片減緩了她的能力，但並沒有剪斷我們的心電感應。

「我一直在想，我應該盡自己所能，去幫助所有需要幫助的人。」她看起來有些後悔。

「妳首先要幫助自己。」我平靜地告訴她。「我不想妳再受到傷害。我不允許妳這麼做。」

「我知道。克里斯蒂安也是這麼說的。」這種癡迷的笑容，每當莉莎提起他時就會出現。如果我知道他們倆墜入愛河，會是這麼一副白癡樣，我也許就不會那麼盡力要撮合他們了。「我覺得你們說的對。做一個沒有魔法的正常人，總比有了這種能力卻變成瘋子要好。這是沒有中間地帶的。」

「對，」我附和說，「沒有。」

這時，不知怎麼，一種想法閃現出來。確實有一個中間地帶。娜塔莉的話在我腦中響起。「這是值得的，值得讓我放棄陽光和魔法。」

魔法。

卡普夫人沒有變成血族的時候，是瘋子；但是當她變成血族以後，她就恢復了正常。變成血族可以切斷一個莫里和魔法之間的所有關聯，這麼做，她就不能再使用魔法了。她再也感覺不到，不再想使用它。我看著莉莎，覺得有些擔心。如果她也想到了怎麼辦？她也會這麼做嗎？

不，我馬上否認，莉莎絕對不會這麼做的。她是個很堅強的人，很正直。只要她有藥物控制，她的理智就不會讓她做出這麼極端的事。

但是，這種擔心還是促使我想要找到最終答案。第二天一早，我來到教堂，和其他人一起等著，直到牧師出現。

「妳好，蘿絲瑪麗。」他說，明顯有些驚訝。「我能為妳做些什麼嗎？」

我站起來。「我想知道一些跟聖弗拉米爾有關的事。我讀了你給我的書，還有另外一些。」最好不要告訴他，是偷看閣樓上的那些。「但是沒人說過他是怎麼死的？發生了什麼事？他生命的最後是怎麼樣的？他有沒有，比如，被處死？」

牧師揚起眉。「不，他是因為年紀太大，壽終正寢。走的時候非常祥和。」

「你確定？他沒有變成血族，也沒有自殺嗎？」

「沒有，當然沒有。為什麼妳會這麼想？」

「嗯……他是聖人什麼的，但是他也有點瘋狂，對吧？我讀到過的。我覺得他可能會，我不知道……變成那樣。」

牧師的表情十分嚴肅。「事實上，他的一生卻是在和魔鬼——瘋狂——爭鬥。這令他很痛苦，有些時候他確實很想死，但是他最終克服了。他沒有讓那些打敗他。」

我好奇地看著牧師。弗拉米爾肯定不會服用藥物，但他顯然能夠繼續使用魔法。

「怎麼辦到的？他是怎麼克服的？」

「意志力，我想。嗯……」他停了下，「意志力和安娜。」

「『影吻者』安娜，」我喃喃地說，「他的守護者。」

牧師點點頭，「她一直待在他身邊。當聖徒變得虛弱，她給他力量，她督促他繼續堅強，絕不向瘋狂低頭。」

我帶著震驚離開了教堂。安娜做到了，安娜讓弗拉米爾行走在中間地帶，幫助他使用魔法，在世界製造奇蹟，沒有悲慘以終老。卡普夫人就沒有這麼走運。她沒有一個和自己有心電感應的守護者，沒有一個可以令她堅強的人。

莉莎有。

我笑著穿過廣場，向學生餐廳走去。我覺得生活比原來的更加美好。我們可以做到的，莉莎和我，我們可以一起做到。

就在這時，我看見一個黑影從角落飛到我面前。牠飛過我，降落在附近的一棵樹上。我停下腳步。那是隻大烏鴉，巨大，表情平靜，烏黑的羽毛閃閃發亮。

一會之後，我意識到這不只是一隻大烏鴉，牠是那隻大烏鴉，被莉莎救活的那隻。

沒有其他的鳥會離一名拜爾族那麼近；也沒有其他的鳥會以這種聰明、熟悉的方式看著我。

我不敢相信牠仍然在附近。我的背脊一陣顫慄，看了回去。這時，我想通了眞相。

「你也和她有心電感應，對嗎？」我問道，這才意識到，如果有人路過，會認爲我瘋了。「她把你救回來的。你也是影吻者。」

這眞是太酷了。我向牠張開手臂，有些希望牠能夠戲劇性地飛到我身上，上演電影裡的戲碼。牠看著我，就像我是個白癡似的，然後拍拍翅膀，飛走了。

我看著牠飛向夜幕，然後轉過身，繼續去找莉莎。在遠處，我聽見一陣聲響，很像是笑聲。

（未完待續）

看到訃聞的那一刻我就知道我有麻煩了，更別說訃聞上還寫著我的名字。

我不知道他們是怎麼找到我的，也不知道是哪個傢伙有這種黑色幽默。東尼並不是個有幽默感的人，我不知道那是因爲他已經死了的關係，還是說他根本就是個陰沉的混蛋。

那訃聞就在我電腦螢幕上原本出現旅行社名字的地方，看起來像是把報紙的一部分掃描進電腦然後放在桌面上，而這在我半個小時前離開去吃沙拉的時候還沒出現。

如果我不是被嚇到了的話，我應該會爲此感到驚訝讚嘆，我還不知道東尼的手下有哪個會知道電腦是什麼東西。

我一邊讀著那篇惡作劇的訃聞，一邊在我的辦公桌翻箱倒櫃地找手槍。其實我在公寓裡藏有一把比較好的槍，但這時候回去可能不是個好主意。

爲了不惹出更多麻煩，我平時藏在皮包裡的，是一把預防搶劫的小槍。在經過三年平靜的歲月以後，我認爲這樣就夠了，我變得不夠謹愼，希望這不至於成爲我被殺的原因。

訃聞的最上面是我的名字，在我的名字下面，是一段敘述這則意外發生的經過——一位不知名的槍手朝我的頭顱射了兩槍，報紙的日期是明天，但槍擊會發生在今晚八點四十三分，地點是桃樹街。

我看了眼手錶，現在七點四十分，所以我還有一個小時的時間。東尼對我也未免太寬厚了，我猜他不立刻殺我的原因，是因爲殺人這件事對他來說太平常了。對我，他想嘗試點特別的。

終於，我在一張里約旅遊的簡介下找到一把Smith & Wesson 3913手槍，我在想這是不是在暗示我可以逃到那裡去。

然而我不可能有錢出國去，而且一位藍眼金髮的女子出現在一群深色眸子的女性中，應該太顯眼了吧！況且我不知道東尼在巴西有沒有手下，不過我不會隨便否決這個可能性。

我將一包口香糖從皮包中的夾層拿出來，並把手槍放進去，夾層的大小剛好適合，那不是偶然。

四年前，在FBI聯邦警探傑瑞的建議下，我買了這輩子第一把槍還有三個裝槍的手袋。一開始，他跟其他人一樣把我當成瘋子，但當我幫助他殲滅了費城最大的犯罪組織之一後，他開始願意給我一些免費的建議。他幫我挑了一把輕巧的九厘米半自動手槍，足夠嚇退任何兩條腿的動物。

「除了鬼魂之外，」他笑著說，「那些東西就靠妳自己解決了。」

他甚至還曾在兩個禮拜的時間內，每天帶我去射擊練習場，兩個禮拜後，我雖然還射不到像穀倉那樣大小的目標物，但還不至於差太遠。

接下來的日子，我盡量在財力範圍許可之內，自己持續練習了一陣子，現在我已經可以射到穀倉了——假如那是個大穀倉，而我站在十呎之內的話。

因此，我總是在心中暗自期望，可以不要有機會射擊任何東西——技術這麼差也不是我願意的啊！

我想傑瑞是喜歡我的，我讓他想起他的大兒子，所以他希望我步上正路。他認爲我在太小的時候就接觸了太多糟糕的人，那倒是眞的，幸好後來我成熟了，願意供出我所知道的消息。

一位二十歲的孤兒，竟然會知道最大的犯罪家族的內部消息，關於這一點，我不知道他是如何看待的，但他肯定不相信我那些「怪力亂神」的說法。

傑瑞根本不相信超自然現象的事物，而我也不想要他把我關進某處的小房間當瘋子般隔離起來，所以我不敢跟他提我「看到」的東西，或是他曾經多麼接近過那些鬼魂。

簡單來說，我一直是個所謂的鬼魂吸鐵，這大概是人們所謂的女巫會做的事吧！我對這方面的事並不清楚，因爲東尼總是小心翼翼地不讓我閱讀相關的書籍或資料，因此我對自己的能力所知不多。我想這可能是因爲他害怕我會找到方法，運用我的特殊能力去對付他。

當然，也許我對那些鬼魂如此有吸引力，只是因爲我看得到他們，畢竟，如果你要捉弄的人根本就沒有意識到你的存在，那有多無趣啊！當然，他們並非想要捉弄我，只是喜歡在我身邊晃來晃去罷了。

擁有這樣的特殊體質，有時不全然是壞事。青春期時，有一次我翹家，在小巷裡遇見一個老太太，那件事就讓我很感動。

我看到的鬼魂通常都有實際的形體，尤其是那些剛死不久的、力量強大的，因此我花了點時間才明白她是鬼魂。

她一直在那裡守護著孫子，那孫子是她幫忙扶養長大的。孫子十歲的時候她就死了，之後孫子搬回去和媽媽一起住，但因爲媽媽的男朋友會毆打他，所以小男孩在那裡待不到一個月的時間就逃跑了。

她告訴我至少還想照顧他十年，她想上帝應該不會介意再等她一會兒。在她的要求下，我幫小男孩買了一張前往聖地牙哥的車票，讓他可以去找奶奶的妹妹。

當然，我沒有把這件事告訴傑瑞，他絕不會相信任何他看不到、摸不到，或沒辦法射殺的東西，所以我不敢跟他提這類的事情。當然他一定也不會相信吸血鬼的存在，直到他被東尼的手下給抓到，並撕裂了喉嚨……

事實上，那個時候，我事先就知道了即將發生在傑瑞身上的事。當我正要去洗澡的時候，我「看到」了他生命中最後的幾秒鐘。

跟往常一樣，我看到了那場大屠殺最生動眞實、全彩、近距離的景象，那讓我差點在浴室滑倒並跌斷我的脖子。

等我的手停止顫抖、可以拿起電話時，我打電話給證人保護計畫單位，但接電話的專員並不相信我，因爲我無法告訴她我是怎麼知道這件事情會發生的。她說她會知會傑瑞，但聲音聽起來並不是很情願爲了這點小事打擾他的週末假日。

於是我打給東尼手下的頭頭——一個叫阿爾斯的吸血鬼，提醒他，他的目的是要找到我，而不是冒著觸犯長老院的危險，去殺害對一切一無所知的人類。傑瑞對他們來說沒有用處，因爲他所知道的都已經是舊消息了。

我一直不是很擅長改變我所看到的預視現象，但我希望能藉由長老院的名聲讓阿爾斯改變主意。長老院是由一群非常老的吸血鬼所組成的，他們通過的法案是每個吸血鬼都得遵守的。他們和東尼不同，並不關心人類，他們希望盡量不要引起人類的注意，自由自在的活動。而謀殺FBI探員這件事情，是會讓他們火大的。

然而阿爾斯卻只是在電話那頭跟我虛與委蛇，一邊叫他的手下追蹤我的電話。結果我能做的，只是在任何人敲我的門之前，先抓緊時間逃上巴士、離開這裡。

我想既然政府根本不相信吸血鬼的存在，他們也就不可能會幫助我逃亡，靠我自己的力量活著的機率還比較大。因此這三年，我一直是這麼走過來的，一直到現在。

除了槍以外，我沒有浪費時間從辦公室拿走其他東西。沒辦法，逃亡就是這麼一回事——它讓你沒得選擇。

雖然我的九釐米手槍對吸血鬼可能沒用，但東尼通常會雇用人類來處理一些「小事」，希望他不會認為對付我需要費太多力氣。

我不想要殺人，但我更不想終生被他所擁有、囚禁。

他從未讓我變身成吸血鬼，因為他身邊曾經有一位女巫在變成吸血鬼以後，就失去了靈力。他可能覺得我的能力太有用，不值得冒失去的危險。

可現在我擔心的是，他可能會想要賭賭看：如果我因為變身失去了能力，他可以以我的性命來賠償他所損失的；如果結果不是這樣，他就得到了一個終生忠心耿耿的僕人——

因為要違背將你變身成吸血鬼的主人，不是一件容易的事情。

而對他來說，兩者皆贏。

我再次檢查了槍，並確認子彈都上膛了。我絕對不會不戰而降，如果最糟的情況發生，我寧可吞下最後一顆子彈，也不叫那混蛋主人。

不像上次，這次我在逃亡前有一件事得做。

我盡快溜出旅行社，以免東尼的手下決定提早行動。我避開前門，由廁所窗戶爬出去。電視演員做起這些動作看起來很容易，但結果我刮傷了大腿、扯破了絲襪，還爲了不咒罵出聲而咬破嘴唇。

最後我還是辦到了。

我跑過幽暗的小街道，來到一個停車場，然後走捷徑到鬆餅屋。這段路很短，但我走得精神緊繃，熟悉的街道現在看起來卻陰森森的，處處是東尼的手下可能躲藏的地方，任何一點聲音聽起來都像是手槍上膛的聲音。

鬆餅屋前面有一盞亮晃晃的鹵素燈，讓我在越過停車場時，感覺到整個人都暴露在敵人的視線中。不過幸好我所要找尋的電話亭，剛好在建築物一旁的陰暗處。

飛快的閃進了電話亭後，我拿出硬幣撥了俱樂部的電話，但是電話響了二十聲都沒有人接。我咬著下唇，告訴自己那不代表什麼，可能只是因爲現在是晚餐時間，所有人都太忙而沒聽到或沒空接。

我花了一些時間才走到俱樂部去，因爲一路上我都在躲避追蹤，而且今天我穿著新買的高跟靴子。

當初買這雙靴子，是因爲售貨小姐說它們跟我的俏麗迷你皮裙很相配，我打算下班後到俱樂部去讓大家驚豔一下，可是穿這靴子實在走不快！

你可能在想，我應該是個厲害的女巫不是嗎？你以爲我在事前會突然想到，也許今天穿雙網球鞋或是平底鞋比較好嗎？

拜託！才沒有，我連樂透都沒中過。我的「預視」能力比較像是惡夢，或是喝太多酒以後才會出現的景象。

今晚是個炎熱潮濕的夜晚，空氣像是一條沉重的毯子般覆蓋在皮膚上，濕度破表。街燈外圍覆上一圈霧氣，大部分的光源來自月光，照在雨後的街道上，讓小水坑變成銀色。夜色讓城裡的建築變得模糊，只剩一點灰色的外觀，並隱去了高樓大廈的頂端。

那具歷史意義的區域看起來有些古老的氣味，尤其當我穿過西桃區的瑪格麗特密契爾古宅時更濃烈。而這時，一輛載著觀光客的馬車經過似乎是很自然的事，不正常的是它竟然高速行駛，還差點輾過我。

我看到車上的乘客臉上表情驚魂未定，馬車撞上人行道，左右搖晃著疾駛，直到消失在我視線之外。我轉動被泥水濺濕的身體，懷疑地四處看看，一會後，從我身後傳來的笑聲，說明了爲什麼那匹又肥又老的馬，會突然間想要打破自己的速度記錄。

回過頭，我看見一個幽幽的影子飄過來，它在小雨中幾乎是不可見的，但我抓住了那影子，歇斯底里地罵了起來——

「波西亞！一點都不好笑！」

那笑聲再度響起，一個穿著搖曳的蓬蓬裙的南方美女出現在我面前。「很好笑啊！妳看見他們臉上的表情了嗎？」

我從皮包拿出面紙擦靴子，「妳不該再這麼做了，把那些遊客嚇跑了以後妳要跟誰玩？」如果波西亞繼續這麼玩鬧的話，不管南方風情如何吸引人，它的觀光前景也是黯淡的。

波西亞嘟嘴，模樣是那麼可愛，就像是她在生前曾反覆練習一樣。「妳一點幽默感都沒有，凱西。」

我給了她一個白眼，一邊擦拭被泥巴濺髒的靴子，可是越擦越髒。可惡，我老是沒辦法逃跑得優雅一點。

「我有幽默感，只不過今天晚上剛好時機不對。」開始下雨了，雨滴穿過波西亞的身體落到地上。我討厭那樣，那看起來像是電視機畫面因爲雜訊而不清楚。「對了，妳有沒有看見比利喬？」

我總是稱比利喬爲我的守護神，但那並不全然正確，他比較像個有時候還算有用的混蛋，當我需要他的時候，實在也沒啥選擇。

比利喬生前是個愛爾蘭裔的賭鬼，在一八五八年的一場賭局中，他被一群牛仔認爲他詐賭，而把他塞進麻布袋裡，丟進密西西比河。

幸運的是，他曾從一個來訪的伯爵夫人那裡，得到一串又大又醜的項鍊，那條項鍊變成某種收集超自然能量的物體，當他的靈魂離開軀體後，就改附在那條項鍊中。其他的鬼魂也會這樣，只不過大部分都存在於比較平常的事物中，例如：納骨塔。

附身在項鍊讓他能夠繼續存在這個世界，但是他得靠我不定時提供給他能量，才有活動力。我是在十七歲的時候在跳蚤市場裡買到那條項鍊的，比利喬從此就跟我在一起。

雖然比利喬不能幫我去俱樂部傳遞消息，不過他至少可以幫我把風，注意有沒有壞傢伙接近我。而如果現在我想找到他的話，就需要一點來自靈界朋友的幫助了。

在亞特蘭大有很多鬼魂，大部分的鬼魂是因爲在人間有些事情還沒完成，所以賴著不走，也有一些守護鬼魂和一些殘留影像。殘留影像就像是一個超自然劇場，不停重播同一段影像，直到你想要尖叫，因爲它們通常都是很悽慘的景象，看見以後並不會令人太舒服。

我搬來這裡以後，花了幾個月的時間熟悉這個區域，我發現大約有五十個殘留影像是內戰時的烽火景象，不過大部分都太微弱而不足以讓我困擾。

但在我的公寓跟公司間，有一個規模很大的殘留影像，那是一個奴隸被一群狗撕裂的畫面。我看過之後就開始繞開那段路，寧可每天走遠路去公司。

我自己已經有夠多想要忘記的記憶了，不需要分享別人的惡夢。

※欲知更多精采內容，請詳見耕林九十八年三月出版之《魅小說》001「五芒星咒1接觸」。

國家圖書館出版品預行編目資料

吸血鬼學院 1 吸血族守護者 / 蕾夏爾．米德；
初版二刷. -- 高雄市：耕林，民101.06
面；公分. --（魅小說；18）
譯自：Vampire Academy
ISBN 978-986-139-958-4（平裝）
857.7　　99011002

吸血鬼學院 1 吸血族守護者
Vampire Academy

作者：Richelle Mead蕾夏爾．米德
發行人：陳嘉怡
總編輯：陳曉慧
主編：方如菁
譯者：吳雪
責任編輯：吳孟純、黃譯嫺
文字排版：趙婉鈞
出版者：耕林出版社有限公司
發行地址：807 高雄市三民區通化街47巷3-1號
電話：07-3130172　傳真：07-3130178
讀者服務專線：0800211215
劃撥帳號：42205480 耕林出版社有限公司
網址：www.kingin.com.tw
E-mail：kingin.com@msa.hinet.net
總經銷：宇林文化事業股份有限公司
總經銷電話：02-22251808
總經銷地址：台北縣中和市中山路三段110號5F之6
初版二刷：2012年6月
定價：台幣250元

核心出版集團

親愛的讀者您好：
感謝您對《核心出版集團》的支持，我們一向秉持專業做好書的出版理念，爲了能在未來出版更符合讀者需求的書籍，我們將會不斷的努力，更需要您的回應與支持，因此麻煩請您塡寫下列問卷，我們將不定期提供出版訊息及各項優惠活動通知，謝謝！

姓名：__________　　性別：□男　□女　　年齡：__________

地址：______________________________

電話：（H）__________　　（手機）__________

E-mail：______________________________

教育程度：□小學　□國中　□高中職　□專科　□大學　□研究所以上

職業：□學生　□服務業　□大眾傳播　□資訊業　□金融業　□軍公教

□製造業　□家庭主婦　□其他 __________

1.您是用何種方式購買到此書的？

□書店 __________　□量販店 __________　□網路書店 __________

□便利商店 __________　□郵購　□書展　□其他 __________

2.您從何得知本書資訊？

□網路　□書籍內頁廣告　□書店瀏覽　□親友推薦

3.您購買此書的原因？（可複選）

□對內容有興趣　□親友推薦　□書名吸引人　□文案吸引人

□封面設計　□出版社　□其他 __________

4.您認爲何種價格是您可以接受的？

單本：□99元以下　□100元～199元　□200元～399元　□不在意

5.您對本書的評價：（請塡代號：1.非常好2.好3.尚可4.需要改進）

□封面設計　□內容　□書名　□價格

6.您認爲本書尚須改進之處爲何？請提供您的建議：

____

____

7.您是否希望收到電子報？□希望　□不希望

★如有任何購書問題，請電洽本公司讀者服務專線0800211215★

吸血鬼學院1吸血族守護者

請對摺

廣告回信
高雄郵局登記證
高雄廣字第477號
免 貼 郵 票

□□□

市(縣)　　　鄉鎮市區　　　路(街)　　段　　巷

弄　　號　　樓之

807

高雄市三民區通化街47巷3－1號

核心出版集團　收

請對摺黏貼

耕林 Just Novel
就是小說